The Cashflow Quadrant

부자 아빠
가난한 아빠

부자들이 들려주는
돈 관리 7가지 방법

The Cashflow Quadrant
Rich Dad's Guide to Financial Freedom

The Cashflow Quadrant

부자 아빠
가난한 아빠

부자들이 들려주는
돈 관리 7가지 방법

로버트 기요사키 · 형선호 옮김

차례

제3부

부자들이 들려주는 돈 관리 7가지 방법

우리 친구들에게,

『부자 아빠 가난한 아빠』의 놀라운 성공으로
우리는 전세계에서 수많은 새 친구들을 얻었다.
그들의 격려와 우정에 힘입어 이 책을 쓰게 되었다.
그래서 이 책은 『부자 아빠 가난한 아빠』의 속편이라고 할 수 있다.
옛 친구와 새 친구들에게, 또 우리의 기대를 훨씬 넘어서는
열정적인 지원에 대해 감사의 말을 전하고 싶다.

인간은 자유롭게 태어났다.
그런데 도처에서 속박을 당하고 있다.
사람들은 자신이 다른 사람들을 통제한다고 생각한다.
그러면서 실제로는 그들보다 더 노예가 되어 있다.
— 장 자크 루소

내 부자 아버지는 이렇게 얘기했다.
「진정한 자유를 얻으려면 경제적 자유를 얻어야 한다.
그 자유는 공짜일 수도 있지만 반드시 나름의 대가를 치러야 한다」
그런 대가를 기꺼이 치르려는 사람들에게 이 책을 바친다.

나보다 똑똑한 사람들은
어떻게 돈 문제에서 벗어날까?

이 책은 특히 현재 〈봉급 생활자〉나 〈자영업자〉이면서
〈사업가〉나 〈투자가〉가 되려는 사람들을 위한 책이다.
이 책은 안정적인 일자리를 넘어서 돈 문제에 연연하지 않고
경제적으로 자유로워지기를 원하는 사람들을 위한 책이다.
이것은 쉽고 편안한 삶의 길은 아니지만, 그 여행의
끝에서 받는 대가는 충분히 여행의 값어치가 있는 것이다.
이것은 경제적 자유의 길로 가는 여행이다.

당신은 돈 문제에 시달리지 않고, 경제적으로 자유로운가? 이 책은 삶을 살아가면서 돈 문제로 경제적, 재정적 갈림길에 서 있는 사람을 위해 쓴 것이다. 당신은 오늘 당신이 하는 일을 조절해 가면서 당신의 경제적 운명을 바꾸고 싶은가? 그렇다면 이 책의 도움을 받아 그 길로 갈 수 있다. 이 책은 현금흐름 사분면(Cashflow Quadrant)에 관한 내용을 담고 있다. 다음 페이지에 나오는 그림이 〈현금흐름 사분면〉을 그린 것이다.

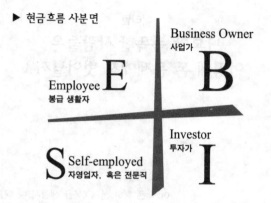

▶ 현금흐름 사분면

각 사분면의 글자들은 다음을 나타낸다.

　　〈E〉: 봉급 생활자(Employee)

　　〈S〉: 자영업자, 혹은 전문직 종사자(Self-Employed)

　　〈B〉: 사업가(Business Owner)

　　〈I〉: 투자가(Investor)

　우리 모두는 〈현금흐름 사분면〉의 네 사분면 중에서 적어도 어느 하나에 속해 있다. 우리가 사분면 중 어디에 속해 있는가는 우리의 현금이 어디서 나오는가에 의해 결정된다. 우리 가운데 많은 사람들이 봉급에 의존한다. 그래서 봉급 생활자이며 피고용인이 된다. 반면 어떤 사람들은 자영업자이다. 피고용인과 자영업자는 〈현금흐름 사분면〉의 왼쪽 편에 속해 있다. 〈현금흐름 사분면〉의 오른쪽 편은 자기 소유의 사업체나 투자에서 현금을 얻는 사업가나 투자가들을 위한 것이다.

〈현금흐름 사분면〉은 비즈니스 세계를 구성하는 네 가지 유형의 사람들은 각각 누구이고, 그리고 무엇이 그들을 독특하게 만드는가에 관해 알 수 있게 해준다. 또한 현재 당신이 그 사분면의 어디에 속해 있는지 알도록 도와주고, 당신이 경제적 자유의 길을 택하면서 장래에 있고자 하는 곳으로 가도록 도와준다. 경제적, 재정적 자유는 그 사분면의 네 곳 모두에서 찾을 수 있지만, 사업가 그룹인 〈B〉나 투자가 그룹인 〈I〉의 기술들은 당신이 자신만의 경제적 목표에 더 빨리 도달하도록 도와준다. 성공적인 봉급 생활자 집단인 〈E〉는 성공적인 〈I〉도 더 빨리 될 수 있다.

얘야, 너는 자라서 무엇이 되고 싶니?

이 책은 여러 면에서 이미 출판된 『부자 아빠 가난한 아빠』의 속편이다. 당신이 그 책을 읽지 않았다면 나의 두 아버지가 돈과 삶에 관해 내게 가르친 교훈들을 이 책에서 얻을 수 있을 것이다. 한 분은 내 진짜 아버지였고 다른 한 분은 내 가장 친한 친구의 아버지였다. 한 분은 많은 교육을 받았고 다른 한 분은 초등학교를 중퇴했다. 앞의 분은 가난했고 뒤의 분은 부자였다.

나에게 「너는 자라서 무엇이 되고 싶니?」라는 질문을 할 때마다 교육은 많이 받았지만 가난했던 내 진짜 아버지는 늘 이렇게 얘기했다.

「학교 가서 좋은 성적 올리고, 그런 후에 안전하고 안정된 일자리를 찾거라」

그분이 권유한 삶의 길은 이런 모습이었다.

가난한 아버지는 내가 보수가 높은 〈E〉, 즉 한 회사의 직원이 되어 봉급 생활자로 살아가거나 보수가 높은 〈S〉, 즉 자영업자나 전문직 종사자가 될 것을 권유했다. 이를테면 의사, 변호사, 혹은 회계사 같은 직업 말이다. 가난한 아버지는 안정적인 봉급과 직장에서 베푸는 복지 혜택, 그리고 안정적인 일자리에 큰 관심이 있었다. 그래서 그분은 보수가 높은 공무원이 되어 하와이 주의 교육감을 지냈다.

반면에 부자였지만 교육을 많이 받지 못한 내 부자 아버지는 사뭇 다른 조언을 주었다. 그분은 이렇게 얘기했다.

「학교에 가서 공부 열심히 해서 졸업하면 사업체를 세우거나 성공적인 투자가가 되어라」

그분이 권유한 삶의 길은 이런 모습이었다.

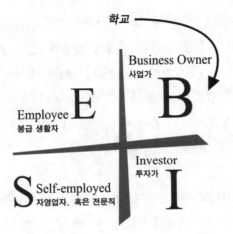

이 책은 내가 부자 아버지의 조언을 따르면서 밟았던 정신적, 감정적 교육 과정에 관한 책이다.

〈봉급 생활자〉는 〈투자가〉와 〈사업가〉들과는 어떻게 다른가

이 책은 지금 현재 자신의 위치에서 사분면을 바꾸려는 사람들을 위해 쓴 책이다. 이 책은 특히 현재 〈봉급 생활자〉나 〈자영업자 혹은 전문가〉이면서 〈사업가〉나 〈투자가〉가 되려는 사람들을 위한 책이다. 이 책은 안정적인 일자리를 넘어서 돈 문제에 연연하지 않고 경제적으로 자유로워지기를 원하는 사람들을 위한 책이다. 이것은 쉽고 편안한 삶의 길은 아니지만, 그 여행의 끝에서 받는 대가는 충분히 여행의 값어치가 있는 것이다. 이것은 경제적 자유의 길로 가는 여행이다.

부자 아버지는 내가 열두 살 때 간단한 이야기를 들려주었다. 그 이야기는 나를 엄청난 재산과 경제적 자유의 길로 인도했다. 그것은 부자 아버지가 〈현금흐름 사분면〉의 왼편에 있는 봉급 생활자인 〈E〉 그룹과 자영업자 혹은 전문직인 〈S〉 그룹이 그 사분면의 오른편에 있는 사업가인 〈B〉 그룹과 투자가인 〈I〉 그룹과 어떻게 다른지 설명한 것이었다. 내용은 이렇다.

옛날에 요상하고 야릇한 작은 마을이 있었다. 그곳은 살기에는 좋은 곳이었지만 한 가지 문제가 있었다. 이 마을은 비가 와야만 물을 구할 수 있었다. 이 문제를 완전히 해결하기 위해 마을의 장로들은 입찰을 내기로 결정했다. 마을에 매일 물을 날라주는 공급자를 구한다는 입찰이었다. 두 사람이 이 계약을 따겠다고 나섰고, 장로들은 두 사람 모두에게 계약을 허락했다. 장로들은 약간의 경쟁이 가격을 낮추고 만일의 사태에 대비할 수 있을 것이라고 생각했다.

이 계약을 따낸 첫번째 사람은 에드라는 사람이었다. 그는 즉시 밖으로 달려가 튼튼한 강철 양동이를 두 개 샀다. 그러고는 마을에서 1마일 가량 떨어진 호수로 가는 길을 왕복하기 시작했다. 그는 즉시 돈을 벌기 시작했다. 에드는 아침부터 저녁까지 열심히 일을 하며 두 개의 양동이로 호수에서 물을 날랐다. 그는 마을에서 만든 커다란 콘크리트 물탱크에 물을 채웠다. 매일 아침 에드는 누구보다 일찍 일어나 마을 사람들이 충분한 물을 사용할 수 있도록 애썼다. 그것은 힘든 일이었지만, 에드는 돈을 번다는 것과 이 사업의 독점적인 계약 두 건 중에서 하나를 땄다는 사실에 기분이 아주 좋았다.

　두번째로 계약을 딴 사람은 빌이라는 사람이었다. 그는 한동안 마을에서 사라졌다. 빌은 여러 달 동안 모습을 보이지 않았다. 그 동안에 에드는 경쟁자가 없어서 기분이 무척 좋았다. 에드 혼자서만 돈을 벌고 있었던 것이다.

　하지만 빌은 에드와 경쟁하기 위해 양동이 두 개를 사는 대신에, 사업 계획을 짜고, 기업을 만들고, 투자가 네 명을 모으고, 그 일을 할 사장을 구했다. 그리고 6개월 후에 건설팀과 함께 마을로 돌아왔다. 일 년 동안 빌의 팀은 아주 두꺼운 강철 송수관을 건설해서 마을과 호수를 연결했다.

　테이프를 끊던 날, 빌은 자신의 물이 에드의 물보다 더 깨끗하다고 선언했다. 빌은 에드의 물에 먼지가 있다는 불평이 있었음을 알고 있었다. 빌은 또 마을에 일주일 내내 하루 종일 물을 공급할 수 있다고 선언했다. 에드는 평일에만 물을 공급할 수 있었다. 그는 주말에는 일을 하지 않았다. 이어서 빌은 질이 더 좋고 공급도 더 안정적인 자신의 물을 에드보다 75%나 싼 값에 공급하겠다고 선언했다. 마을 사람들은 환호하면서 즉시 빌의 송수관 끝에 있는 수도꼭지로 달려갔다.

　에드는 빌과의 경쟁에서 이기기 위해 즉시 물값을 75%나 낮추었다. 그는 양동이를 두 개 더 샀고 양동이에 뚜껑도 달았다. 그러고는 매번 양동이 네 개를 운반하기 시작했다. 에드는 더 나은 서비스를 제공하기 위해 두 아들을 고용해서 야간 교대와 주말 근무를 시켰다. 아이들이 대학에 진학했을 때, 에드는 자기 아이들에게 이렇게 얘기했다.

　「빨리 돌아오너라. 언젠가는 이 사업이 너희들 것이 될 테니까」

　그러나 어떤 이유에서인지 두 아들은 졸업 후에 돌아오지 않았다. 결국 에드는 직원들을 고용하게 되었고 점차 노조 문제로 골치를 섞였다. 노조는 더 높은 임금과 복지 혜택을 요구하면서 한번에 양동이 하나씩 만 운반하겠다고 얘기했다.

반면에 빌은 이 마을에 물이 필요하면 다른 마을에도 물이 필요할 것이라고 생각했다. 그는 사업 계획을 다시 짜서 자신의 고속도, 고용량, 저비용, 그리고 깨끗한 물 공급 시스템을 전세계 마을에 팔러 갔다. 빌은 한 양동이의 물 배달로 1센트밖에 벌지 못하지만, 그는 매일 수십 억 양동이의 물을 배달한다. 그가 일을 하건 안 하건, 수십 억의 인구는 수십 억 양동이의 물을 소비한다. 그리고 그 많은 돈은 그의 은행 계좌로 들어간다. 빌이 개발한 송수관은 마을에 물을 공급할 뿐 아니라 그에게 돈을 공급하기도 한다.

빌은 그 후 오랫동안 행복하게 살았다. 그러나 에드는 평생 일만 하면서 영원토록 경제적 곤란을 겪었다.

이야기 끝.

빌과 에드에 관한 이 이야기는 수년 동안 나를 이끌었다. 그 이야기는 내가 삶의 여러 결정들을 내리는 데 많은 도움이 되었다. 나는 종종 스스로 이렇게 묻는다.

──나는 양동이를 나르고 있는가, 송수관을 만들고 있는가?
──나는 힘들게 일하고 있는가, 영리하게 일하고 있는가?

그리고 이런 질문들에 대한 답은 나를 경제적으로, 재정적으로 자유롭게 만들었다.

그리고 이 책은 바로 그것에 관한 책이다. 이 책은 사업가 그룹인 〈B〉와 투자가 그룹인 〈I〉에 속하는 데에는 무엇이 필요한지에 관한 책이다. 이 책은 양동이를 나르는 데 지친 사람들, 그래서 송수관을 만들어 현금이 주머니에 흘러 들어오도록 하려는 사람들을 위한 책이다.

나보다 더 영리한 사람은 어떻게 경제적 자유를 얻을까

이 책은 3부로 나뉘어져 있다

제1부: 이 부분은 각각의 사분면에 있는 사람들의 핵심적인 차이를 다루고 있다. 왜 어떤 사람들은 어떤 사분면에 이끌리고 종종 아무 생각 없이 그곳에 갇혀 있을까? 당신은 그 사분면에서 지금 어디에 있는지, 그리고 5년 후에는 어디에 있고 싶은지 확인할 수 있다.

제2부: 이 부분은 개인적인 변화를 다루고 있다. 이 부분은 당신이 〈무엇〉이 되어야 하는지가 아니라, 〈어떤 사람〉이 되어야 하는지에 초점을 맞추고 있다.

제3부: 이 부분은 당신이 그 사분면의 오른쪽 편으로 가기 위해 밟아야 하는 일곱 단계를 설명한다. 나는 성공적인 사업가와 투자가가 되는 데 필요한 기술들에 관해서 내 부자 아버지의 비밀들을 더 많이 소개할 것이다. 이 부분은 당신이 경제적 자유의 길로 가는 것을 도울 것이다.

이 책에서 나는 시종일관 금융 지능(financial intelligence)의 중요성을 강조할 것이다. 사분면의 오른편인 〈B〉 그룹과 〈I〉 그룹에서 일하려는 사람들은 왼편인 〈E〉 그룹이나 〈S〉 그룹에서 일하는 사람들보다 더 영리할 필요가 있다.

〈사업가〉나 〈투자가〉가 되기 위해서는 자신의 현금흐름이 흘러가는 방향을 통제할 수 있어야 한다. 이 책은 자신들의 삶에서 기꺼이 변화를 꾀하려는 사람들을 위해 쓴 책이다. 또한 안정적인 일자리를 넘어서 자신들의 송수관을 만들어 경제적 자유를 달성하려는 사람들을 위해 쓴 책이다.

우리는 정보화 시대의 초입에 서 있다. 정보화 시대에는 금융상의 보상을 위한 기회가 전보다 훨씬 더 많다. 〈사업가〉와 〈투자가〉의 기술이 있는 사람은 그런 기회를 알아내고 붙잡을 수 있다. 정보화 시대에서 성공하려는 사람은 네 사분면 모두에서 정보를 얻을 필요가 있다. 아쉽게도 우리의 학교들은 아직도 산업 시대에 있으며 그 사분면의 왼편만을 위해서 학생들을 교육시키고 있다.

당신이 정보화 시대로 나아가기 위한 새로운 해답을 찾고 있다면, 이 책은 바로 당신을 위한 책이다. 이 책은 당신이 정보화 시대로 가는 여행을 돕기 위해 쓴 책이다. 물론 이 책에 모든 해답이 있는 것은 아니다. 하지만 이 책은 내가 〈현금흐름 사분면〉의 〈E〉와 〈S〉 편에서 〈B〉와 〈I〉 편으로 이동하면서 얻은 유용한 개인적 지혜들을 나눠줄 것이다.

당신은 경제적, 재정적 자유로 향하는 여행을 시작할 준비가 되어 있는가? 혹은 이미 그 여행을 하고 있는가? 그렇다면 이 책은 당신을 위한 책이다.

제1부

돈을 버는 서로 다른 네 가지 방식

제1장

서로 다른 아버지, 서로 다른 돈의 개념

> 부자 아버지는 내가 어렸을 때
> 종종 그 〈현금흐름 사분면〉을 보여주곤 했다.
> 그분은 왼쪽 편에서 성공한 사람과 오른쪽 편에서
> 성공한 사람의 차이를 내게 설명하곤 했다.
> 하지만 나는 어렸기 때문에 그분의 말에 큰 관심을 보이지 않았다.
> 나는 직원의 사고방식과 사업가의 사고방식이
> 어떻게 다른지 이해하지 못했다.
> 나는 그냥 학교에서 살아 남기 위해 기를 쓰고 있었다.

1985년에 아내인 킴과 나는 노숙자였다. 우리는 실업자였고 저축으로 남은 돈도 거의 없었다. 신용카드는 더 이상 쓸 수가 없었으며, 낡은 갈색 도요타에 살면서 자동차의 좌석을 침대로 사용했다. 그러던 어느 주말에 우리가 누구인지, 무엇을 하고 있는지, 그리고 어디로 향하고 있는지에 관한 냉엄한 현실이 느껴지기 시작했다.

우리의 노숙자 생활은 2주일 동안 더 계속되었다. 우리의 처절한 상황을 알게 된 친구가 자기 집 지하실 방을 제공했다. 우리는 그곳에서 9개월 동안 살았다.

하지만 우리는 그런 상황을 전혀 내비치지 않았다. 대체적으로 아내와 나는 겉으로는 정상적인 것처럼 생활했다. 친구들과 가족이 우리의 곤경을 알았을 때, 처음 묻는 질문은 늘 이것이었다. 「왜 직장을 얻지 않는 거냐?」

처음에는 우리도 설명하려 애를 썼다. 하지만 대부분의 경우에 우리는 제대로 설명할 수가 없었다. 직장을 가장 소중하게 생각하는 사람들에게 왜 직장을 얻지 않는 것인지 설명하기는 쉽지 않았다.

때때로 우리는 몇몇 희한한 일들을 하면서 이곳 저곳에서 약간의 돈을 벌었다. 하지만 우리는 뱃속에 음식을 넣고, 자동차에 기름을 넣기 위해서만 그렇게 했다. 그렇게 버는 약간의 돈은 우리의 한 가지 목표를 향해 가기 위한 연료에 불과했다. 솔직히 말해서, 봉급이 있는 안정적인 직장에 대한 생각은 유혹적인 것이었다. 하지만 안정적인 직장은 우리가 찾는 것이 아니었다. 그래서 우리는 계속해서 경제적으로 힘든 지옥 근처에서 살며 하루 하루를 견뎌나갔다.

1985년의 그 해는 우리 인생에서 가장 힘든 해였고 가장 긴 해에 속했다. 돈은 그다지 중요하지 않다고 말하는 사람들은 그런 힘든 삶을 살아본 적이 없을 것이다. 아내와 나는 종종 다퉜다. 두려움과 불확실성, 그리고 배고픔은 인간의 감정 상태를 악화시킨다. 그래서 우리는 종종 우리가 가장 사랑하는 사람과 싸우곤 한다. 그러나 사랑은 우리 둘을 묶었고 우리의 사랑은 역경 속에서 더 강해졌다. 우리는 어디로 가고 있는지 알고 있었다. 우리는 다만 그곳에 갈 수 있는지 알지 못할 뿐이었다.

우리는 늘 보수가 높은 안정적인 일자리를 얻을 수 있었다. 우리 둘 모두 대학을 졸업해서 좋은 직업적 기술과 건전한 노동 윤리를 갖고 있었다. 하지만 우리는 안정적인 일자리를 향해 가고 있지 않았다. 우리는 경제적, 재정적, 금융적 자유를 향해 가고 있었다.

그러던 우리가 1989년에 이르러 백만장자가 되어 있었다. 비록 일부의 시각으로는 경제적 성공을 달성했지만, 우리는 아직도 우리의 꿈을 이루지 못했다. 우리는 아직 진정한 금융상의 자유를 달성하지 못했다. 그것은 1994년에야 가능해졌다. 그때쯤 해서 우리는 다시는 일을 할 필요가 없게 되었다. 예측할 수 없는 경제적 재앙을 만나지 않는 한 우리 두 사람은 돈 문제에서는 자유로웠다. 그때 아내는 서른일곱 살이었고, 나는 마흔일곱 살이었다.

돈이 없어도 돈을 벌 수 있다

내가 노숙자로 살면서 무일푼이었던 시절을 먼저 얘기하는 것은 사람들이 종종 이렇게 말하는 것을 듣기 때문이다. 「돈이 있어야 돈을 벌 수 있습니다. 보세요, 돈 있는 사람들이 돈을 더 번다니까요」

나는 그렇게 생각하지 않는다. 1985년의 노숙자 생활에서 1989년에 부자가 되고 이어서 1994년에 경제적으로 자유를 얻는 데는 돈이 들지 않았다. 우리는 돈이 없는 상태에서 시작했고 오히려 빚을 지고 있었다.

그 일에는 또 좋은 제도권 교육도 필요하지 않다. 나는 대학을 졸업했지만, 돈 문제에서 자유로워지게 된 것은 내가 대학에서 배운 것과 하등의 관계가 없었다고 분명하게 얘기할 수 있다. 내가 대학에서 배운 미적분, 방정식, 화학, 물리, 불어, 그리고 영문학은 전혀 필요하지 않았다.

성공한 사람들 가운데는 대학 졸업장을 받지 않고 학교를 그만둔 사람들이 많다. 이를테면 GE의 창업자인 토머스 에디슨, 포드 자동차를 세운 헨리 포드, 마이크로소프트를 창업한 빌 게이츠, CNN을 만든 테드 터너, 델 컴퓨터의 창업주인 마이클 델, 애플 컴퓨터를 창업한 스티브 잡스, 그리고 폴로의 창업자인 랄프 로렌 등이다. 대학 교육은 전통적인 직업에는 중요한 것이지만 이들이 달성한 위대한 업적에서는 그렇지 않았다. 이들은 스스로 성공적인 사업을 일구었고, 아내와 내가 추구하던 것도 바로 그것이었다.

그럼, 돈 말고 뭐가 더 필요한가요?

나는 종종 이런 질문을 받는다. 「돈이 없어도 돈을 벌 수 있다면, 그리고 학교에서는 경제적인 자유를 얻는 법을 가르치지 않는다면, 그럼 우리에게는 무엇이 필요한가요?」

나는 이렇게 대답한다. 우리에게 필요한 것은 꿈, 결연한 의지, 적극적인 배움의 자세, 그리고 신에게서 받은 자산을 제대로 활용하고 〈현금흐름 사분면〉의 어느 면에서 수입을 얻어야 하는지 아는 능력이다.

〈현금흐름 사분면〉은 무엇인가

아래의 그림은 〈현금흐름 사분면〉이다.

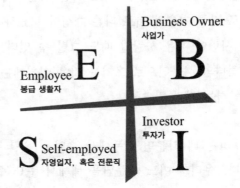

당신은 어느 사분면에서 돈을 벌고 있나요?

　〈현금흐름 사분면〉은 소득 혹은 수입이 창출되는 여러 방식들을 나타낸다. 예를 들어, 봉급 생활자는 일자리를 얻고 어떤 사람 혹은 어떤 기업을 위해 일함으로써 돈을 번다. 자영업자는 스스로 일을 하면서 돈을 번다. 사업가는 수입을 올리는 사업체를 갖고 있고, 투자가는 여러 가지 투자에서 돈을 번다. 그들은 돈으로 돈을 버는 것이다.

　돈을 버는 방식에 따라 마음의 자세, 기술적인 능력, 교육적 배경, 그리고 개인적인 특성도 다르다. 사람들은 저마다 나름의 사분면에 이끌린다.

돈은 모두 같은 돈이지만, 그것을 버는 방식은 아주 다양하다. 당신은 각 사분면의 다양한 이름들을 보면서 이렇게 자문하고 싶을 것이다.「과연 나는 어느 사분면에 속해서 돈을 벌고 있을까?」

각각의 사분면은 서로 다르다. 서로 다른 사분면에서 소득을 올리는 데는 서로 다른 기술과 서로 다른 개성이 필요하다. 각 사분면에 속해 있는 사람이 같은 사람일 때도 그럴 수 있다. 하나의 사분면에서 다른 하나의 사분면으로 옮기는 것은 아침에는 골프를 하고 밤에는 발레를 하는 것과 비슷하다.

대부분의 우리는 네 사분면 모두에서 수입을 올릴 수 있는 잠재력을 갖고 있다. 우리가 어느 사분면을 택해서 주요 수입을 올리는지는 학교에서 배운 것과는 큰 관련이 없다. 그것은 핵심적으로 우리 자신이 〈어떤 사람〉인지와 더 많은 관련이 있다. 즉 우리의 핵심적인 가치, 강점, 약점, 그리고 흥미 등과 더 관련이 있다. 이와 같은 핵심적 차이 때문에 우리는 네 사분면에 이끌리거나 혹은 반발한다.

하지만, 우리가 전문적으로 무엇을 〈하고〉 있건 간에, 우리는 여전히 네 사분면 모두에서 일할 수 있다. 예를 들어, 의사는 봉급 생활자인 〈E〉로서 수입을 올리고 큰 병원의 일원으로 일하거나, 공공 의료 분야에서 공무원으로 일하거나, 군의관이 되거나, 의사를 필요로 하는 보험회사에서 직원으로 일할 수도 있다.

이 의사는 또 자영업자인 〈S〉로서 수입을 올리고 개인 병원을 차리고, 직원들을 고용하고, 개인 환자 목록을 만들 수도 있다.

혹은 사업가인 〈B〉가 되어 스스로 병원이나 실험실을 차린 후에 다른 의사들을 고용할 수도 있다. 그러고는 전문 경영인을 영입해 그 조직을 운영케 할 수도 있다. 이런 경우에 이 의사는 사업체는 갖고 있어도 그곳에서 일할 필요는 없다. 이 의사는 또 의료 분야와 전혀 상관없는 사업체를 차릴 수도 있다. 그러면서 동시에 다른 곳에서 의사로 일할 수도 있다. 이런 경우에 이 의사는 〈봉급 생활자〉이면서 동시에 〈사업가〉로 수입을 올릴 것이다.

이 의사는 또 〈투자가〉로 다른 사람의 사업이나 주식, 채권, 그리고 부동산 같은 곳에 투자해 수입을 올릴 수도 있다.

중요한 것은 〈수입을 올린다〉는 것, 즉 우리가 하는 일보다, 어떻게 수입을 올리느냐에 더 관련되어 있다고 할 수 있다.

같은 사분면에서도 백만장자가 되는 사람이 있고, 알거지가 되는 사람이 있다

다른 무엇보다 우리의 핵심적인 가치, 강점, 약점, 그리고 흥미 같은 내적인 차이가 우리가 어느 사분면에서 수입을 올릴 것인지 결정하는 데 영향을 끼친다. 어떤 사람들은 회사에 고용되는 직원이 되는 것을 아주 좋아하고, 어떤 사람들은 그것을 너무도 싫어한다. 어떤 사람들은 사업체는 갖고 싶어해도 직접 운영하는 것은 좋아하지 않는다. 어떤 사람들은 사업체를 갖는 것도 좋아하고 직접 운영하는 것도 좋아한다. 또 어떤 사람들은 투자를 아주 좋아하지만, 어떤 사람들은 돈을 잃는 위험만을 본다. 대부분의 우리는 이런 특성들을 조금씩 갖고 있다. 네 사분면에서 성공하려면 자신의 내적인 핵심 가치들을 재설정할 필요가 있다.

또 한 가지 중요한 것은, 우리는 네 사분면 모두에서 부자가 될 수도 있고 가난해질 수도 있다는 것이다. 각각의 사분면에서 백만 장자가 되는 사람들도 있고 알거지가 되는 사람들도 있다. 어느 하나의 사분면에 속한다고 해서 반드시 경제적 성공이 보장되는 것은 아니다.

돈을 버는 서로 다른 각각의 방법

각 사분면의 차이를 알면 어느 사분면, 혹은 사분면들이 우리에게 가장 좋은 것인지 더 잘 파악할 수 있다.

예를 들어, 내가 사업가 그룹인 〈B〉와 투자가 그룹인 〈I〉 사분면에서 일하는 것을 그렇게도 좋아하는 여러 이유들 가운데 하나는 세금 이점 때문이다. 〈현금흐름 사분면〉의 왼쪽 편에서 일하는 봉급생활자와 자영업자 대부분의 사람들은 합법적인 세금 혜택을 거의 누리지 못한다. 그러나 오른편에서 일을 하면 합법적인 세금 혜택이 아주 많다. 나는 〈B〉와 〈I〉 사분면에서 일하면서 수입을 올려 더 빨리 돈을 벌 수 있었고, 더 오래 그 돈으로 또다시 돈을 벌 수 있고, 그러면서 많은 부분을 세금으로 잃지 않을 수 있었다.

아내와 내가 왜 노숙자 생활을 하는지 사람들이 물을 때, 나는 그것이 내 부자 아버지가 돈에 대해 내게 가르친 것 때문이라고 대답한다. 돈은 내게 중요한 것이지만, 나는 평생 돈을 벌기 위해 일을 하고 싶지는 않았다. 그래서 나는 일자리를 원하지 않았다. 아내와 나는 평생 육체적으로 일하면서 돈을 벌기보다, 돈이 우리를 위해 일하도록 만들기를 원했다.

이런 이유 때문에 〈현금흐름 사분면〉은 중요하다. 이것은 수입을 올리는 여러 가지 방식을 구분한다. 우리는 육체적으로 일을 하지 않고도 돈을 벌면서 책임 있는 시민이 될 수 있다.

서로 다른 아버지, 서로 다른 돈의 개념

교육을 많이 받은 내 진짜 아버지는 돈을 좋아하면 악을 유발한다고 굳게 믿었다. 지나치게 많은 수입은 욕심이라는 믿음이었다. 그분은 신문에서 자신의 소득을 공개할 때 당혹감을 느꼈다. 자기 밑에서 일하는 교사들과 비교할 때 자신의 보수가 너무 높다고 생각했기 때문이다. 그분은 착하고, 성실하고, 정직한 사람으로 자신의 삶에서 돈은 중요하지 않다는 믿음을 지키기 위해 무척 애를 썼다.

가난했던 내 아버지는 늘 이렇게 얘기했다.

「나는 돈에는 별 관심이 없다」

「나는 절대로 부자가 되지 못할 게다」

「나는 그럴 만한 경제적 여유가 없다」

「투자는 위험한 것이다」

「돈이 인생의 전부는 아니다」

내 부자 아버지는 이와는 다른 시각을 갖고 있었다. 그분은 평생 돈을 위해 일하면서 돈은 중요하지 않다고 얘기하는 것은 어리석은 일이라고 생각했다. 부자 아버지는 삶은 돈보다 더 중요한 것이지만, 돈은 삶을 지탱하는 데 중요한 것이라고 생각했다. 그분은 종종 이렇게 얘기했다. 「우리가 갖고 있는 시간에는 한계가 있고 우리가 열심히 일하는 데도 한계가 있다. 그런데 왜 돈을 위해 열심히 일하는 거니? 네가 돈을 위해 일할 것이 아니라, 무엇보다 돈과 사람들이 너를 위해 열심히 일하게 만드는 법을 배워야 한다. 그러면 너는 중요한 것들을 자유롭게 할 수 있다」

내 부자 아버지에게 중요한 것은 이런 것들이었다.

첫째, 많은 시간을 갖고 아이들을 가르친다.
둘째, 돈이 있어서 자신이 지원하는 활동과 자선 단체에 기부한다.
셋째, 공동체에 일자리와 재정적 안정을 제공한다.
넷째, 시간과 돈이 있어서 건강을 돌본다.
다섯째, 가족과 함께 여행을 한다.

「그런 일에는 돈이 필요하다」 부자 아버지는 말했다. 「그래서 내게는 돈이 중요하다. 하지만 돈이 중요한 것이기는 하지만, 나는 평생 돈에 얽매여 돈을 위해 일하고 싶지는 않다」

부모들은 아이들의 교사다

아내와 내가 노숙자 생활을 하면서도 사업가 그룹인 〈B〉와 투자가 그룹인 〈I〉 사분면에 집중한 한 가지 이유는 내가 그분야에서 더 많은 훈련과 교육을 받았기 때문이다. 나는 부자 아버지의 가르침 때문에 각 사분면의 서로 다른 금융적 혹은 직업적 이점을 알고 있었다. 내게는 오른쪽 편의 사분면인 〈B〉와 〈I〉 사분면이 경제적 성공과 자유를 위한 최고의 기회를 제공했다.

나는 또, 서른일곱의 나이에, 네 사분면 모두에서 성공과 실패를 경험한 적이 있었다. 그래서 나는 내 자신의 개인적 기질, 기호, 특성, 강점, 그리고 약점을 나름대로 이해하고 있었다. 나는 내가 어느 사분면에서 가장 잘하는지 알고 있었다.

내 부자 아버지는 내가 어렸을 때 종종 그 〈현금흐름 사분면〉을 보여주곤 했다. 그분은 왼쪽 편에서 성공한 사람과 오른쪽 편에서 성공한 사람의 차이를 내게 설명하곤 했다. 하지만 나는 어렸기 때문에 그분의 말에 큰 관심을 보이지 않았다. 나는 직원의 사고방식과 사업가의 사고방식이 어떻게 다른지 이해하지 못했다. 나는 그냥 학교에서 살아 남기 위해 기를 쓰고 있었다.

하지만 나는 그분의 얘기를 들었고, 그분의 얘기는 곧 의미를 갖기 시작했다. 주위에 역동적이고 성공적인 두 아버지가 있었기 때문에, 나는 두 분의 말에서 서로 다른 의미들을 찾았다. 그러나 왼쪽 사분면과 오른쪽 사분면의 차이를 정말로 깨닫기 시작한 것은 그분들이 하시는 일 때문이었다. 처음에는 그런 차이가 크지 않았지만 갈수록 커지기 시작했다.

예를 들어, 내가 어렸을 때 경험한 한 가지 고통스런 경험은 두 분의 아버지가 나와 함께 보낸 시간의 차이였다. 두 분의 성공과 명성이 커질수록 한쪽 분은 점점 더 가족과 함께하는 시간이 적어졌다. 내 진짜 아버지는 늘 출장 중이거나 회의 중이거나, 혹은 또다른 회의에 참석하기 위해 공항으로 달려갔다. 그분이 더 성공할수록 가족과 함께 식사할 수 있는 기회는 더 적어졌다. 진짜 아버지는 그렇게 주말에 작은 서재에 갇혀 서류 더미와 함께 살았다.

반면에 부자 아버지는 성공이 커질수록 점점 더 자유 시간이 많아졌다. 내가 돈과 금융, 사업과 삶에 대해 그렇게도 많이 배운 한 가지 이유는 내 부자 아버지가 자신의 아이들과 나를 위해 점점 더 많은 자유 시간을 가졌기 때문이다.

또다른 예로는, 양쪽 아버지 모두 더욱 큰 성공을 하게 되면서 점점 더 많은 돈을 벌었지만, 교육을 많이 받은 내 진짜 아버지는 점점 더 빚에 쪼들리기 시작했다. 그래서 그분은 더 열심히 일하다가 갑자기 더 많은 세금을 내는 자신을 발견했다. 그분의 은행가와 회계사는 더 큰 집을 사서 이른바 〈세금 감면 혜택〉을 받으라고 얘기했다. 내 진짜 아버지는 그런 조언에 따라 더 큰 집을 샀고, 그분은 곧 더 많은 돈을 벌어 새 집의 융자금을 갚기 위해 전보다 훨씬 더 열심히 일을 했다. 그리고 그렇게 해서 가족과는 전보다 훨씬 더 멀어졌다.

하지만 내 부자 아버지는 그렇지 않았다. 그분은 점점 더 많은 돈을 벌었지만 세금은 더 적게 냈다. 그분에게도 은행가와 회계사들이 있었지만, 그분은 교육을 많이 받은 아버지와는 다른 조언을 들었다.

그러나 내가 그 사분면의 왼쪽 편에 서지 않기로 결심한 것은 교육은 많이 받았지만 가난했던 내 아버지가 사회 생활의 정점에서 경험했던 일 때문이었다.

1970년대 초반에 나는 이미 대학을 졸업해서 플로리다에 가 있었다. 나는 그곳에서 해병대의 조종사 훈련을 받은 후에 베트남으로 갈 계획이었다. 교육을 많이 받은 아버지는 이제 하와이 주의 교육감이 되어 주지사의 각료로 일하고 있었다. 어느 날 저녁에 진짜 아버지가 훈련 중인 나에게 전화를 했다.

「애야,」 그분이 말했다. 「나는 지금의 자리를 그만두고 공화당 후보로 하와이 부지사에 출마할 생각이다」

나는 침을 꿀꺽 삼키면서 이렇게 얘기했다. 「예전의 상사에게 도전해서 공직에 출마한다는 말씀이신가요?」

「그래, 그렇다」 아버지가 대답했다.

「왜요?」 내가 물었다. 「공화당은 하와이에서 인기가 없잖아요. 하와이는 민주당과 노조가 강한 곳이잖아요」

「그래, 나도 안다. 나도 우리가 승산이 없다는 것 정도는 알고 있다. 킹 판사가 주지사 후보로 나설 것이고, 나는 그분의 러닝 메이트가 될 거다」

「왜요?」 내가 다시 물었다. 「질 것을 알면서 왜 예전의 상사에게 도전하는 거죠?」

「왜냐하면 내 양심이 그 길밖에 없다고 얘기하기 때문이다. 이들 정치인들이 하는 게임은 나를 어지럽게 만드는구나」

「그러니까 그들이 부패했다는 말인가요?」 내가 물었다.

「그 얘기는 하고 싶지 않구나」 내 진짜 아버지는 얘기했다. 그분은 정직하고 도덕적인 사람으로 남의 험담을 하는 일이 거의 없었다. 그분은 늘 외교적이었다. 하지만 나는 목소리만 듣고도 아버지가 화가 나고 속이 상해 있음을 알 수 있었다. 그분은 이렇게 얘기했다. 「나는 다만 막후에서 벌어지는 일을 볼 때 양심이 찔린다고 얘기할 수 있을 뿐이다. 나는 그런 일을 모른 체하면서 내 일만 하고서는 살 수가 없다. 일자리와 봉급보다는 내 양심이 더 중요하단다」

오랜 침묵이 흐른 후에, 나는 아버지의 마음이 정해졌음을 알 수 있었다. 「행운을 빌어요」 나는 조용히 얘기했다. 「나는 아버지의 용기를 자랑스럽게 생각해요. 그리고 아버지의 아들인 것을 자랑스럽게 생각해요」

내 아버지와 공화당은 선거에서 완패했다. 그것은 예상했던 일이었다. 재선에 성공한 주지사는 내 아버지가 하와이 주정부에서 다시는 일자리를 얻지 못할 것이라고 암시했다. 그리고 결과는 그렇게 되었다. 내 진짜 아버지는 54세의 나이에 새로운 일자리를 찾고 있었다. 그리고 나는 베트남으로 가고 있었다.

아버지는 중년의 나이에 새 일자리를 찾고 있었다. 그분은 계속해서 자랑스럽지만 보수는 낮은 일자리들을 구했다. 그분이 맡은 일자리들은 비영리 단체인 XYZ 서비스의 전무 이사, 혹은 역시 비영리 단체인 ABC 서비스의 상무 이사 같은 것이었다.

그분은 키가 크고 명석하고 역동적인 분으로, 자신이 아는 유일한 세상, 즉 정부 관료의 세계에서 더 이상 환영받지 못했다. 그분은 몇몇 작은 사업체를 시작하려고 애를 썼다. 한동안은 컨설턴트로 일을 했고 심지어는 유명한 가맹점을 사기도 했지만, 그것들은 모두 실패하고 말았다. 나이가 들고 기력이 약해지면서 그분의 도전 의식도 약해졌다. 그와 같은 나약함은 모든 사업이 실패한 후에 한층 더 뚜렷해졌다. 아버지는 성공적인 봉급 생활자인 〈E〉 그룹에서 생존을 위해 자영업자인 〈S〉 그룹에 속하려 했다. 하지만 그 분야에 대해서는 훈련이나 경험이 없었고 진정한 마음도 없었다. 아버지는 공공 교육 분야를 좋아했지만 그 분야에 다시 들어갈 수가 없었다. 주정부에서는 아버지의 고용 금지를 암묵적으로 결정해 놓고 있었다. 그러니까 아버지는 일종의 〈블랙 리스트〉에 오른 것이었다.

사회보장과 의료보험이 아니었다면 아버지의 말년은 비참했을 것이다. 아버지는 낙심하고 다소 화가 난 상태로 죽었지만 마지막까지 양심은 깨끗했다.

그렇다면 나는 그 힘들었던 기간에 무슨 생각을 하며 버텼을까? 그것은 교육을 많이 받은 아버지에 대한 그 끔찍한 기억이었다. 그분은 집에 앉아 전화벨이 울리기를 기다렸다. 그분은 자신이 전혀 알지 못하는 사업 세계에서 성공하려 애를 썼다.

그런 기억과 부자 아버지가 나이가 들면서 점점 더 행복해하고 성공하는 것을 보는 즐거운 기억이 나를 자극했다. 부자 아버지는 54세의 나이에 시들지 않고 오히려 꽃을 피웠다. 그분은 이미 그 몇 년 전에 부자가 되었지만, 이제는 말 그대로 갑부가 되고 있었다. 그분은 와이키키와 마우이를 사는 사람으로 곧잘 신문에도 등장했다. 그분이 수년 동안 체계적으로 구축한 사업들과 투자는 보상을 주기 시작했다. 그리고 그분은 하와이 제도에서 가장 돈이 많은 부자 가운데 한 사람이 되었다.

부자 아버지가 나에게 그 현금흐름 사분면을 설명했기 때문에, 나는 우리가 여러 해 동안 일을 하는 과정에서 작은 차이들이 큰 차이들로 자라는 것을 더 잘 볼 수 있었다. 그 사분면 때문에 나는 내가 〈무엇을〉 하고 싶은지보다 내가 일을 하면서 〈어떤 사람〉이 되고 싶은지를 결정하는 것이 더 나음을 알 수 있었다. 그 힘들었던 시기에 나는 이런 깊은 이해와 두 분의 강력한 아버지에게서 배운 교훈으로 버틸 수 있었다.

다시 한번 〈현금흐름 사분면〉에 대하여

〈현금흐름 사분면〉은 두 선과 몇몇 글자 그 이상이다.

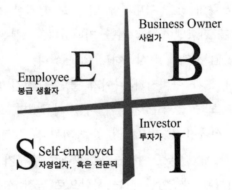

이 간단한 그림의 표면 아래를 보면 전혀 다른 세상과, 세상을 보는 전혀 다른 방식을 발견할 것이다. 나는 그 사분면의 왼쪽 편과

오른쪽 편 모두에서 세상을 보았던 사람이다. 그래서 나는 당신이 어느 편에 있는가에 따라 세상이 사뭇 다르게 보인다고 자신 있게 말할 수 있다. 그리고 그런 차이들이 이 책의 주제를 형성하고 있다.

하나의 사분면이 다른 하나의 사분면보다 더 나은 것은 아니다. 각각의 사분면에는 나름의 강점과 약점이 있다. 이 책은 그 서로 다른 사분면들을 좀더 자세히 알고 각각의 사분면에서 경제적으로 성공하는 데 필요한 개인적 변화를 이해하도록 쓴 책이다. 나는 여러분이 자신에게 가장 잘 맞는 경제적, 재정적 삶의 길을 선택하는 데 더 많은 지혜를 얻기를 바라고 있다.

그 사분면의 오른쪽 편에서 성공하는 데 필수적인 여러 기술들은 학교에서는 가르치지 않는다. 어쩌면 그래서 마이크로소프트의 빌 게이츠와 CNN의 테드 터너, 그리고 토머스 에디슨이 일찍 학교를 떠난 것인지도 모른다. 이 책은 그 사분면의 〈B〉와 〈I〉 편에서 성공하는 데 필요한 기술들을 소개하고 개인적인 핵심 기질도 설명한다.

먼저 나는 그 네 사분면의 개괄적인 특성을 보여주고, 이어서 〈B〉 그룹과 〈I〉 그룹에 대해 더 자세한 설명을 제시할 것이다. 〈E〉 그룹과 〈S〉 그룹 편에서 성공하려면 어떻게 해야 하는지에 대해서는 이미 많은 책들이 나와 있다.

이 책을 읽은 후에 일부 독자들은 자신의 수입을 창출하는 방식을 바꾸고 싶어할 수도 있다. 그리고 일부 독자들은 지금 있는 곳에 그냥 있고 싶어할 수도 있다. 혹은 하나의 사분면 이상에서, 때로는 네 사분면 모두에서 일하기로 결심할 수도 있다. 우리 모두는 서로 다르며, 하나의 사분면이 다른 하나의 사분면보다 더 중요하거나 더 나은 것은 아니다. 이 세상의 모든 마을, 모든 도시, 그리고 모든 지역에서 네 사분면 모두에서 일하는 사람들이 필요하다. 그래야만 공동체의 경제적 안정이 보장될 수 있다.

그리고 우리는 나이가 들고 여러 경험을 겪으면서 관심이 변하기도 한다. 예를 들어, 젊은 사람들은 종종 학교를 갓 졸업한 후에 일자리를 얻으면 아주 좋아한다. 그러다가 한 2년쯤 지난 후에는 몇몇 사람은 기업의 인사 사다리를 올라가는 데 흥미를 잃거나 자신이 종사하는 사업 분야에서 재미를 느끼지 못하게 된다. 이와 같은 나이와 경험의 변화들은 종종 사람들이 새로운 성장과 도전, 금융적 보상과 개인적 행복의 길을 찾도록 만든다. 나는 이 책이 그런 목표들을 달성하는 데 나름대로 도움이 되기를 바란다.

요컨대, 이 책은 집이 없던 사람에 관한 책이 아니라 집을 찾는 것에 관한 책이다. 특정한 사분면 혹은 사분면들에서 집을 찾는 것 말이다.

제2장
같은 돈이라도 버는 방식은 서로 다르다

결국에는 돈을 얼마나 버느냐가 중요한 것이 아니라
얼마나 많은 돈을 보유하는지, 그리고 그 돈이
얼마나 오래 일하게 하는지가 중요하다.
나는 매일같이 많은 돈을 벌면서도 그것을
모두 지출로 써버리는 사람들을 많이 본다.
마치 경제 설사약을 먹은 것처럼 돈은 순식간에 빠져나간다.
이들은 아무리 많은 돈을 벌어도 들어오기가 무섭게 쓰곤 한다.
어떤 친구는 건강을 위협하는 가장 큰 원인이
이른바 〈지갑 속의 암(Cancer)〉이라고 지적한다.

「늙은 개에게 새 기술을 가르칠 수는 없다」

교육을 많이 받은 가난한 내 아버지는 늘 그렇게 얘기했다.

나는 그분과 같이 앉아서 그분에게 종종 〈현금흐름 사분면〉을 설명하려고 무척 애를 썼다. 그렇게 해서 그분에게 무언가 새로운 경제적 방향들을 보여주려고 했다. 나이가 60에 접어든 내 아버지는 자신의 많은 꿈이 이뤄질 수 없음을 알기 시작했다. 그분의 〈블랙리스팅〉은 주정부의 벽을 넘어서는 것 같았다. 그분은 이제 스스로 〈블랙리스팅〉을 하고 있었다.

「나는 애를 썼지만 제대로 되지 않았다」 그분은 그렇게 얘기했다.

내 아버지가 얘기하던 것은 자영업자인 컨설턴트로서 일을 하며 자영업자 그룹인 〈S〉 사분면에서 성공하기 위한 노력이었다. 때로 사업가 그룹인 〈B〉 사분면에 속하려고 하신 적도 있었는데, 그때 내 아버지는 평생 모은 돈의 상당 부분을 유명한 아이스크림 가맹점에 쏟아부었다가 실패했다.

머리가 좋았던 내 아버지는 네 사분면의 각각에서 필요한 서로 다른 기술적 능력들을 개념적으로 이해했다. 하지만 다른 무언가가 아버지를 잡고 있었다.

어느 날 점심을 먹으면서 나는 부자 아버지에게, 교육을 많이 받은 우리 아버지에 관해 얘기했다.

「네 아버지와 나는 핵심적인 측면에서 같은 사람이 아니다」부자 아버지가 말했다. 「우리 모두 같은 인간이고 우리 모두 두려움과 의심, 믿음과 강점, 그리고 약점을 갖고 있다. 하지만 우리가 그런 것들에 반응하고 그런 유사점을 다루는 방식은 서로 다르다」

「두 분의 서로 다른 차이들을 얘기해 줄 수 있나요?」내가 물었다.

「한 번의 점심으로는 안 된다」부자 아버지가 말했다. 「그러나 우리가 그런 차이들에 반응하는 서로 다른 방식은 결국 우리가 특정한 사분면에 속하도록 만드는 것이다. 네 아버지가 봉급 생활자인 〈E〉 사분면에서 사업가인 〈B〉 사분면으로 옮겨가려 했을 때, 그분은 머리로는 그 과정을 이해할 수 있었지만 그것을 감정적으로 다룰 수는 없었다. 상황이 부드럽게 흘러가지 않고 네 아버지가 돈을 잃기 시작했을 때, 그분은 무엇을 해야 그 문제들을 해결할 수 있는지 알지 못했다. 그래서 그분은 자신이 가장 편안함을 느끼는 사분면으로 되돌아가셨지」

「그러니까 〈E〉 사분면과 때로는 〈S〉 사분면으로요?」내가 말했다.

부자 아버지는 고개를 끄덕였다. 「돈을 잃고 실패하는 두려움이 내적으로 너무 고통스러운 것이 될 때, 그런 두려움은 우리 둘 모두 갖고 있는데, 그분은 안정을 택하려 하고 나는 자유를 택하려 한다」

「그것이 바로 핵심적인 차이인가요?」 내가 그렇게 말하면서 웨이터에게 계산서를 요구했다.

「비록 우리 모두는 같은 인간이지만,」 부자 아버지가 다시 말했다. 「돈과 돈에 연관된 감정들에 대해서는 우리 모두 서로 다르게 반응한다. 그리고 그런 감정들에 반응하는 방식이 종종 우리가 선택해서 수입을 올리고자 하는 사분면을 결정한다」

「서로 다른 사분면…… 서로 다른 사람들」 내가 말했다.

「바로 그렇다」 부자 아버지는 그렇게 말하면서 자리에서 일어나 문 쪽으로 향했다. 「그리고 어느 사분면에서건 성공을 하려면 단순한 기술적 능력 이상을 알 필요가 있다. 사람들이 서로 다른 사분면을 찾게 만드는 핵심적인 차이들도 알 필요가 있다. 그것을 알면 삶은 훨씬 더 쉬워진다」

우리는 악수를 하면서 작별 인사를 하는 동안 종업원이 부자 아버지의 자동차를 대기시켰다.

「참, 마지막으로 한 가지만 더요」 내가 황급하게 말했다. 「제 아버지는 변할 수 있을까요?」

「그럼, 물론이다」 부자 아버지가 말했다. 「누구든지 변할 수 있다. 하지만 사분면을 바꾸는 것은 직장을 바꾸거나 직업을 바꾸는 것과는 같지 않다. 사분면을 바꾸는 것은 종종 핵심적인 수준에서 자신이 누구인지, 어떻게 생각하는지, 그리고 세상을 어떻게 보는

지를 바꾸는 것이다. 어떤 사람들은 다른 사람들보다 더 쉽게 변할 수 있는데, 그 이유는 간단하지. 그런 사람들은 변화를 환영하기 때문이다. 반면에 다른 사람들은 변화에 저항한다. 그리고 사분면을 바꾸는 것은 많은 경우에 삶을 바꾸는 경험이다. 그것은 애벌레가 나비로 변하는 그 오래 된 이야기만큼이나 심오한 변화이다. 자기만 변하는 것이 아니라 친구들도 변하게 된다. 물론 옛날 친구들과는 여전히 친구로서 지낼 것이다. 하지만 나비가 하는 일을 애벌레가 하기는 너무 어렵지. 그래서 그런 변화는 큰 변화이며, 그렇게 하려는 사람들은 그리 많지 않단다」

종업원이 자동차 문을 닫았고, 부자 아버지는 자동차를 타고 떠나갔다. 나는 그곳에 남아 그 차이들을 생각했다.

서로 다른 사분면에 속하는 사람들은 무슨 차이가 있을까?

어떻게 하면 사람들에 대해 많은 것을 알지 않고도 그들이 〈봉급생활자〉인지, 〈자영업자 혹은 전문직 종사자〉인지, 〈사업가〉인지, 혹은 〈투자가〉인지 알 수 있을까? 한 가지 방법은 그들의 말을 귀담아듣는 것이다.

내 부자 아버지의 한 가지 멋진 능력은 사람들을 〈읽는〉 능력이었다. 하지만 그분은 표지만 보고 책을 〈판단할〉 수는 없다고 생각했다. 부자 아버지도 헨리 포드처럼 좋은 교육을 받지는 못했다. 하지만 두 사람 다 어떻게 사람들을 고용하고 그들과 함께 일하는지를 알고 있었다. 부자 아버지는 늘 이렇게 얘기했다. 똑똑한 사람들을 한데 모아 팀으로 일하게 만드는 것은 자신의 한 가지 기본적 능력이라고.

부자 아버지는 아홉 살 때부터 나에게 사업가 그룹인 〈B〉와 투자가 그룹인 〈I〉 사분면에서 성공하는 데 필요한 기술들을 가르쳤다. 그런 기술들 가운데 하나는 사람들의 외형을 넘어서 그들의 핵심을 들여다보는 것이다. 부자 아버지는 이렇게 말하곤 했다. 「사람들의 얘기를 귀담아들으면 그들의 영혼을 볼 수 있고 느낄 수 있다」

그래서 나는 아홉 살 때 부자 아버지와 함께 앉아 그분이 사람들을 고용하는 것을 지켜보기 시작했다. 그런 면접들에서 나는 사람들의 얘기보다는 그들의 핵심 가치들을 귀담아듣는 법을 배웠다. 부자 아버지는 그런 가치들이 사람들의 영혼에서 나온다고 얘기했다.

〈E〉 사분면 사람들

봉급 생활자를 뜻하는 〈E〉 사분면 사람들은 이렇게 얘기할 것이다. 「나는 보수가 많고 혜택이 좋은, 안전하고 안정적인 일자리를 찾고 있습니다」

〈S〉 사분면 사람들

자영업자를 뜻하는 〈S〉 사분면 사람들은 이렇게 얘기할 것이다. 「내 시세는 시간당 35달러입니다」

혹은 「내 일반적인 수수료 비율은 전체 비용의 6%입니다」

혹은 「나는 그 일을 제대로 할 수 있는 사람들을 찾을 수 없을 것 같습니다. 그래서 내가 직접 하려고 합니다」, 혹은 「나는 이 프로젝트에 20시간 이상을 소비했습니다」

〈B〉 사분면 사람들
사업가를 뜻하는 〈B〉 사분면 사람들은 이렇게 얘기할 것이다.
「나는 내 회사를 운영할 전문 경영인을 찾고 있습니다」

〈I〉 사분면 사람들
투자가를 뜻하는 〈I〉 사분면 사람들은 이렇게 얘기할 것이다.
「내 현금흐름은 내적인 투자 회수율에 기반하고 있을까, 순수한 투자 회수율에 기반하고 있을까」

사업가가 되려면 사람들의 말을 귀기울여 듣고, 그들의 영혼을 들어야 한다

부자 아버지는 먼저 자신이 면접하는 사람의 핵심을 알려고 했다. 일단 그것을 알게 되면 그들이 어떤 사람인지, 그들이 무엇을 찾고 있는지, 그들에게 무엇을 제시해야 하는지, 그리고 그들에게 얘기할 때 어떤 단어들을 사용해야 하는지 알 수 있었다. 부자 아버지는 늘 이렇게 얘기했다. 「단어들은 강력한 도구이다」

부자 아버지는 끊임없이 자기 아들과 나에게 이 점을 강조했다. 「너희가 사람들을 리드하려면 단어를 잘 구사해야 한다」

이와 같이 훌륭한 〈사업가〉가 되기 위해서는 단어를 잘 구사하는 것이 필요하다. 어떤 단어들이 어떤 종류의 사람들에게 먹히는지 알아야만 한다. 부자 아버지는 우리에게 사람들이 사용하는 단어들을 세심하게 들을 필요가 있다고 가르쳤다. 그런 후에 우리가 어떤 단어들을 사용해야 하는지, 그리고 언제 그것들을 사용해서 가장 효과적인 방법으로 그들에게 반응해야 하는지 알도록 가르쳤다.

부자 아버지는 이렇게 얘기했다. 「어떤 단어는 어떤 부류의 사람들에게 홍미로울 수도 있지만, 똑같은 단어가 다른 부류의 사람에게는 전혀 무의미할 수도 있단다」

예를 들어, 〈위험(risk)〉이라는 단어는 투자가 그룹인 〈I〉 사분면에 있는 사람에게는 홍미로울 수도 있지만, 봉급 생활자인 〈E〉 사분면에 있는 사람에게는 끔찍한 두려움을 야기시킬 수도 있다.

사람들을 잘 이끌려면 먼저 그들의 말을 잘 들어야만 한다고 부자 아버지는 강조했다. 사람들이 사용하는 단어들을 잘 듣지 않으면 그들의 영혼을 느낄 수 없다고. 사람들의 영혼을 잘 듣지 않으면 누구에게 얘기하고 있는 것인지 알 수가 없다.

봉급 생활자, 자영업자, 사업가 그리고 투자가

부자 아버지가 〈사람들이 말하는 단어들을 듣고, 그들의 영혼을 느껴야 한다〉라고 얘기한 이유는 사람들이 사용하는 단어들 뒤에 그들의 핵심적인 가치와 차이가 있기 때문이다. 다음에 예로 드는 것은 어떤 사분면에 있는 사람들을 다른 사분면에 있는 사람들과 구분짓는 일반적인 특성들 가운데 일부이다.

1 봉급 생활자: 〈E〉 사분면의 사람들

나는 〈안정〉 혹은 〈혜택〉 같은 단어를 들을 때 그들의 핵심이 무엇인지 감을 잡을 수 있다. 〈안정〉이란 단어는 종종 두려움에 대응해서 사용하는 단어이다. 사람들이 두려움을 느낄 때, 〈E〉 사분면에 있는 사람들은 종종 안정이란 단어를 사용하려 한다. 돈과 일자리에 관해서 많은 사람들은 경제적인 불확실성에 수반되는 두려움의 감정을 너무나도 싫어한다. 그래서 그들은 안정을 추구한다.

〈혜택〉이란 단어는 사람들이 무언가 확실한 추가적 보상도 원한다는 뜻이다. 이를테면 의료 보험이나 퇴직 연금 같은 분명하고 구체적인 추가 보상이다. 요컨대 이들은 안정을 느끼고 싶어하며 그것을 문서로 보려 한다. 불확실성은 이들을 행복하게 만들지 못한다. 그들을 행복하게 만드는 것은 확실성이다. 이들은 이렇게 얘기하는 셈이다. 「나는 당신에게 내 노동을 제공하겠습니다. 그러니 당신은 나에게 복리 후생과 혜택을 주겠다고 약속해야 합니다」

이들은 나름의 확실성으로 두려움을 만족시키려 한다. 그래서 이들은 직장을 얻을 때 안정성과 탄탄한 계약을 추구한다. 이들은 다음과 같이 말할 때 옳은 것이다. 「나는 돈에는 별 관심이 없다」

즉, 이들에게는 종종 돈보다 안정이 더 중요하다.

직원들은 기업체의 사장이 될 수도 있고 경비원이 될 수도 있다. 그들이 무엇을 하건, 중요한 것은 고용주 내지는 고용 기업과 맺는 계약이다.

2 자영업자 혹은 전문직 종사자: 〈S〉 사분면의 사람들

이들이 원하는 것은 〈스스로 고용주가 되는 것〉이다. 혹은 무언가 〈자신의 일을 하는 것〉이다.

나는 이런 사람들을 DIY(Do-It-Yourself)족이라 부른다.

돈 문제에 있어서 골수적으로 〈S〉 사분면 사람들은 종종 자신의 수입이 다른 사람들에게 의존하는 것을 원치 않는다. 다시 말해, 〈자영업자〉들은 열심히 일하면 그에 맞는 대가가 나오기를 바란다. 자영업자인 사람들은 자신들만큼 열심히 일하지 않을 수도 있는 다른 사람 혹은 일단의 사람들이 자신들이 버는 돈의 액수를 정해 주는 것을 좋아하지 않는다. 이들은 열심히 일한 만큼 받기를 원한다. 이들은 또 열심히 일하지 않으면 당연히 많이 받을 수 없음도 이해한다. 돈에 관해서 이들은 너무나도 독립적인 영혼들이다.

봉급 생활자인 〈E〉 사분면 사람들은 종종 〈안정〉을 추구해서 돈이 없는 두려움에 대응하는 반면, 자영업자인 〈S〉 사분면 사람들은 종종 다른 방식으로 대응한다. 〈S〉 사분면에 있는 사람들은 안정을 추구해서 대응하는 것이 아니라 상황을 통제하고 무언가를 스스로 함으로써 대응한다. 이런 이유로 나는 그들을 〈DIY〉 그룹이라 부른다. 두려움과 금융상의 위험에 대해서 이들은 〈황소의 뿔을 잡고〉 싶어한다.

이 그룹에 속하는 사람들은 학교에서 여러 해 동안 교육을 받은 〈전문가들〉로서 의사, 변호사, 혹은 회계사 등이다.

〈S〉 사분면에 속하는 사람들은 또 전통적인 학교와는 다른, 혹은 그것을 포함하는 교육 과정을 밟은 사람들이다. 이 그룹에 있는 사람들은 부동산 중개인 같은 직접 수수료 판매자들과 소규모 사업체 소유자인 소매점 주인, 세탁소 주인, 식당 주인, 컨설턴트, 여행 중개인, 자동차 수리공, 배관공, 목수, 설교사, 전기공, 이미용사, 그리고 예술가 등이다.

이 그룹이 좋아하는 노래는 「누구도 그것을 더 잘할 수는 없어 Nobody Does It Better」이거나 「나는 내 방식대로 그것을 했어 I Did It My Way」이다.

자영업자들은 종종 골수파 〈완벽주의자〉이다. 이들은 무언가를 아주 잘하고 싶어한다. 이들은 어느 누구도 자기들보다 그것을 더 잘할 수는 없다고 생각하려 한다. 그래서 이들은 어느 누구도 그것을 자기들이 좋아하는 식으로, 자기들이 보기에 〈올바른 방식으로〉할 수는 없다고 생각한다. 여러 측면에서 이들은 자신의 스타일과 나름의 방식을 갖고 있는 진정한 예술가이다.

그렇기 때문에 우리는 그들을 고용한다. 우리는 뇌수술 전문의를 고용할 때 그 전문의가 여러 해 동안의 훈련과 경험이 있기를 원한다. 하지만 가장 중요한 것은, 우리는 그 전문의가 완벽주의자이기를 원한다. 이런 점은 치과의사, 이미용사, 마케팅 컨설턴트, 배관공, 전기공, 변호사, 혹은 기업 컨설턴트에게도 마찬가지이다. 우리는 이런 사람들을 고용하는 고객으로서 가장 뛰어난 사람을 원한다.

이런 그룹에게 돈은 일에 있어서 가장 중요한 것이 아니다. 이들에게는 자신들의 독립성, 자기들 방식대로 하는 자유로움, 그리고 자기 분야에서 전문가로 존경받는 것이 단순한 돈보다 훨씬 더 중요하다. 이들을 고용할 때는 우리가 원하는 것이 무엇인지 얘기하고, 그들이 알아서 잘하도록 맡겨두는 것이 가장 좋다. 이들은 감독을 원하지도 않고 필요로 하지도 않는다. 이들은 간섭이 지나치면 일에서 손을 떼면서 다른 사람을 구해 보라고 얘기한다. 이들에게는 돈보다 독립성이 더 중요하다.

이 그룹은 종종 자신들이 하는 일을 할 수 있는 다른 사람을 구하는 데 애를 먹는다. 자기들이 보기에 어떤 사람도 그 일을 할 수 있을 것 같지 않기 때문이다. 그래서 이 그룹은 종종 이렇게 얘기한다. 「요즘에는 좋은 직원을 구하기가 너무 어렵단 말이야」

게다가 이 그룹이 자신들의 일을 하도록 다른 누군가를 훈련시키면, 새로 훈련을 받은 그 사람은 종종 그곳을 떠나 자신들의 일을 하거나 독립을 해서 자기 방식대로 일을 한다.

많은 〈S〉 사분면 사람들은 다른 사람을 고용해서 훈련시키기를 주저한다. 훈련을 시켜놓으면 종종 경쟁자로 변하기 때문이다. 그래서 이들은 결국 점점 더 열심히 스스로 일을 한다.

3 사업가: 〈B〉 사분면의 사람들

이 그룹의 사람들은 〈자영업자 집단〉과 거의 반대일 수도 있다. 정말로 〈B〉 사분면에 속하는 사람들은 주위에 네 사분면 모두의 사람들이 둘러싸고 있는 것을 좋아한다. 〈S〉 사분면에 속하는 사람은 (누구도 그것을 더 잘할 수 없기 때문에) 일을 남에게 맡기지 않으려 하지만, 정말로 〈B〉 사분면에 속하는 사람은 남에게 맡기는 것을 좋아한다. 정말로 〈B〉에 속하는 사람들의 구호는 이런 것이다. 「누군가 나를 대신해 줄 사람을 고용할 수 있는데, 그리고 그들이 그것을 더 잘할 수 있는데 왜 스스로 혼자 다 하는 거지?」

헨리 포드는 이런 특성에 딱 맞는다. 유명한 이야기가 하나 있다. 일단의 소위 지식인들이 찾아와서 포드가 〈무식하다〉고 비난했다. 그들은 포드가 아는 것도 별로 없다고 주장했다. 그래서 포드는 그들을 사무실로 초대해 어떤 질문이라도 하면 답하겠다고 얘기했다. 그래서 지식인들이 미국에서 가장 강력한 사업가의 주위에 모였다. 그리고 포드에게 질문을 하기 시작했다. 포드는 그들의 질문을 경청했다. 그리고 질문이 끝났을 때 책상 위의 전화기들을 집어들고 영리한 보좌관들을 불러들였다. 그러고는 그들에게 지식인들이 한 질문에 답하도록 지시했다. 포드는 지식인 그룹에게 이렇게 말하면서 모임을 끝마쳤다. 「나는 학교를 다닌 영리한 사람들을 고용해서 답을 내도록 하고 싶습니다. 그러면 나는 편안한 마음으로 더 중요한 일을 할 수 있죠. 이를테면 〈생각하기〉 같은 것 말입니다」

포드가 했다는 이런 얘기도 있다. 「생각하기는 가장 힘든 일이라고 할 수 있습니다. 그렇기 때문에 생각하는 사람들이 그렇게도 적은 것이죠」

내 부자 아버지의 우상은 헨리 포드였다. 그분은 내가 포드와 스탠더드 오일의 창업자인 존 D. 록펠러 같은 사람들에 관한 책을 읽도록 했다. 부자 아버지는 자신의 아들과 내가 리더십의 본질과 사업의 기술적 측면들을 배우도록 끊임없이 권유했다. 돌이켜보면 나는 이제 많은 사람들이 리더십과 사업의 기술적 능력 두 가지 중에서 하나는 갖고 있을 수도 있지만, 성공적인 〈사업가〉가 되려면 두 가지 모두 필요함을 이해한다. 나는 또 이제 두 가지 모두 배울 수 있는 것임을 알게 되었다. 사업과 리더십에는 학문적인 요소뿐 아니라 예술적인 요소도 있다. 이 둘은 내게 평생의 공부이다.

내가 어렸을 때 부자 아버지는 『돌 수프 Stone Soup』라는 제목의 어린이 책을 주었다. 이 책은 1947년에 마르시아 브라운이 쓴 것인데 지금도 유명한 서점들에 가면 구할 수 있다. 그분은 내게 그 책을 읽게 하면서 사업에서의 리더십 훈련을 시작하도록 했다.

부자 아버지는 리더십을 이렇게 얘기했다. 「리더십은 사람들에게서 최고의 능력을 끌어내는 기술이다」 그래서 그분은 자신의 아들과 내가 사업에서 성공하는 데 필요한 기술적 요소들을 배우도록 훈련시켰다. 이를테면 재무제표 읽기, 마케팅, 판매, 회계, 경영, 생산, 혹은 협상 등에 관한 기술 말이다. 그리고 그분은 우리가 사람들과 함께 일하고 사람들을 이끄는 법을 배우도록 강조했다. 부자 아버지는 늘 이렇게 얘기했다. 「사업의 기술적인 측면은 쉬운 것이다. 정말 어려운 것은 사람들과 함께 일하는 것이지」

한마디 덧붙이면, 나는 지금도 『돌 수프』를 읽는데, 왜냐하면 내가 종종 상황이 내 뜻대로 되지 않을 때 리더가 아닌 독재자가 되기 때문이다.

창업하기 전에 새겨두어야 할 것들

나는 종종 다음과 같은 얘기를 듣곤 한다.
「저는 이제 제 사업을 시작할 생각입니다」

많은 사람들은 경제적 안정과 행복의 길이 〈스스로 하는 것〉, 혹은 〈누구도 갖지 못한 새 제품을 개발하는 것〉이라고 믿는 경향이 있다.

그래서 그들은 서둘러 사업을 시작한다. 많은 경우에 그들이 밟는 길은 이렇다.

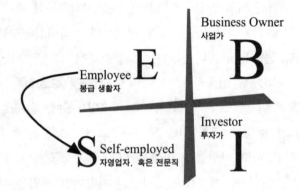

많은 사람들은 〈B〉 타입의 사업이 아닌 〈S〉 타입의 사업을 시작하게 된다. 이번에도 어느 하나가 다른 하나보다 중요한 것은 아니다. 둘다 서로 다른 강점과 약점, 위험과 보상을 갖고 있다. 하지만 많은 사람들은 〈B〉 타입의 사업을 시작하려다가 〈S〉 타입의 사업을 하게 된다. 그러고는 그 사분면의 오른쪽 편으로 이동하려는 시도를 무위로 돌리고 만다.

새로 창업을 하려는 많은 사람들은 〈E〉 사분면에서 〈B〉 사분면으로 가고 싶어한다. 하지만 결국에는 〈S〉 사분면에 묶이고 만다. 많은 사람들은 그런 후에 다시 〈S〉 사분면에서 〈B〉 사분면으로 가는 시도를 한다.

하지만 이런 변신에 성공하는 사람은 많지 않다. 왜 그럴까? 각각의 사분면에서 성공하기 위한 기술적 측면과 인간적 측면은 서로다를 때가 많기 때문이다. 우리가 배워야 하는 것은 각각의 사분면에서 필요한 능력과 사고방식이다. 그래야만 그곳에서 진정한 성공을 찾을 수 있다.

〈S〉 타입의 사업과 〈B〉 타입의 사업이 다른 점

정말로 〈B〉 타입에 속하는 사람들은 한 일년 정도 사업에서 손을떼고 나중에 돌아와도 떠났을 당시보다 그 사업이 더 잘 운영되게할 수 있다. 반면에 〈S〉 타입의 사업에서는 〈S〉 타입에 속하는 사람들이 일년 정도 사업을 떠난 후에 다시 돌아와보면 사업체가 몽땅날아가 버렸을 가능성이 크다.

그러면 왜 이런 차이가 생기는가? 간단하게 말하면, 〈S〉 타입에속하는 사람들은 일거리(job)를 소유하고 있다. 그러나 〈B〉에 속하는 사람들은 시스템을 소유하며 유능한 사람들을 고용해 시스템을운영하게 한다. 혹은 다른 식으로 얘기하면, 〈S〉는 시스템 자체이다. 그래서 그들은 손을 뗄 수가 없다.

치과의사를 예로 들자. 치과의사는 학교에서 몇 년을 보내며 자기 규제적인 시스템이 되는 법을 배운다. 당신이 치통에 걸린다. 그러면 당신은 치과의사를 찾아가고, 그 의사는 이빨을 치료하고, 치료가 끝나면 당신은 진료비를 내고 집에 간다. 당신은 기분이 좋고 친구들에게 그 치과의사를 칭찬한다. 대개의 경우 이 치과의사는 그 모든 일을 혼자서 할 수 있다. 하지만 문제는 치과의사가 휴가를 갈 때 수입도 휴가를 간다는 것이다.

하지만 〈B〉 타입의 사업가는 평생 휴가를 갈 수 있다. 그들이 소유하는 것은 일거리가 아닌 시스템이기 때문이다. 〈B〉가 휴가를 가더라도 돈은 여전히 들어온다.

〈B〉 타입의 사업가로 성공하려면 다음과 같은 것이 필요하다.

　　1 시스템의 소유 내지는 통제 능력.
　　2 사람들을 이끄는(리드하는) 능력.

〈S〉 타입이 〈B〉 타입으로 진화하려면 자신들이 어떤 사람인지를 알아야 하고 자신들이 아는 것을 시스템으로 바꿀 필요가 있다. 그러나 많은 사람들은 그렇게 할 수가 없다. 혹은 그들은 시스템에 너무 매여 있다.

당신은 맥도널드보다 더 좋은 햄버거를 만들 수 있나요?

많은 사람들이 나에게 찾아와서 회사를 시작하는 법을 묻거나 새로운 제품이나 아이디어에 대한 투자자를 모으는 법을 묻는다.

나는 대개 10분 정도 경청하는데, 그 시간이면 그들이 초점을 어디에 두고 있는지 충분히 알 수 있다. 즉, 제품에 두는가 사업의 시스템에 두는가 말이다. 그 10분 동안에 나는 대체로 이런 단어들을 듣는다(경청을 잘하고 단어들을 들으면서 사람들의 핵심 가치를 파악하는 것이 중요함을 기억하라).

　「이것은 A 회사가 만드는 것보다 훨씬 좋은 제품입니다」
　「사방을 둘러봐도 이런 제품은 없습니다」
　「나는 이 제품에 대한 아이디어를 주겠습니다. 대신 내가 원하는 것은 25%의 수익뿐입니다」
　「나는 이것(제품, 책, 악보, 발명)을 만드느라고 몇 년 동안 고생을 했습니다」

　이런 단어들은 대체로 현금흐름 사분면의 왼쪽 편인 〈E〉나 〈S〉에서 일하는 사람들의 것이다.
　이 시점에서 신중해야 하는 것이 중요하다. 왜냐하면 우리가 다루는 것은 몇 년 동안 둥지를 틀었던, 때로는 몇 세대에 걸쳐 전해 내려온 핵심 가치들과 아이디어들이기 때문이다. 이 시점에서 신중하게 인내심을 발휘하지 않으면 어떤 아이디어의 연약하고 민감한 출발을 망칠 수도 있고, 나아가서 다른 사분면으로 과감하게 진화하려는 사람들을 망칠 수도 있다.
　그래서 나는 이 시점에서 신중함을 보이기 위해 종종 〈맥도널드 햄버거〉 사례를 들어 요점을 지적한다. 그들의 얘기를 들은 후에 나는 천천히 이렇게 묻는다. 「당신은 개인적으로 맥도널드보다 더 좋은 햄버거를 만들 수 있습니까?」
　지금까지 자신들의 새로운 아이디어나 제품에 대해 나와 얘기했던 사람들 모두가 〈그렇다〉고 대답했다. 그들 모두가 맥도널드보다 더 질이 좋은 햄버거를 준비하고, 요리하고, 대접할 수 있는 것이다.

그러면 나는 그들에게 다음 질문을 한다. 「그러면 당신은 개인적으로 맥도널드보다 더 나은 사업 시스템을 만들 수 있습니까?」

어떤 사람들은 그 차이를 즉시 알아차리고, 어떤 사람들은 그렇지 못하다. 그리고 나는 그 차이가 이런 것이라고 얘기한다. 즉, 그 사람이 집착하는 것이 사분면의 왼쪽 편으로 더 좋은 햄버거를 만드는 것인가, 아니면 사분면의 오른쪽 편으로 더 나은 사업 시스템을 구축하는 것인가?

나는 엄청나게 돈을 버는 다국적 기업들보다 훨씬 더 나은 제품이나 서비스를 제공하는 창업가들은 아주 많음을 진지하게 설명한다. 그리고 맥도널드보다 더 좋은 햄버거를 만들 수 있는 사람들도 무지무지 많다. 하지만 맥도널드만이 무지무지 많은 햄버거를 대접할 수 있는 시스템을 갖고 있다.

사람들이 다른쪽을 보기 시작하면, 그때 나는 그들에게 맥도널드에 가서 햄버거를 사고 자리에 앉아 그 햄버거를 제공한 시스템을 보라고 얘기한다. 이를테면 햄버거 재료를 배달한 트럭들, 소를 길러 고기를 제공한 목장, 그 고기를 산 구매자, 혹은 로널드 맥도널드가 등장하는 TV 광고 등 말이다. 이 밖에도 젊은 신입 사원들을 교육시켜 〈어서 오세요, 맥도널드입니다〉라고 말하도록 하는 훈련, 맥도널드 가맹점의 실내외 장식, 각 지역의 지사들, 빵을 굽는 빵굼터, 혹은 전세계 어디서나 맛이 똑같은 수백만 파운드의 감자 튀김 등. 그리고 월가에서 맥도널드를 위해 자금을 모으는 주식 중개인들도 있다. 그들이 〈전체적인 그림〉을 이해하기 시작하면, 그

때는 이들도 사분면의 〈B〉나 〈I〉 쪽으로 옮겨갈 기회가 있다.

세상에는 무한대의 새로운 아이디어, 서비스나 제품을 제공할 수 있는 무지무지 많은 사람, 그리고 무지무지 많은 제품들이 있다. 하지만 우수한 사업 시스템을 만들 수 있는 사람은 극소수에 불과하다.

마이크로소프트의 빌 게이츠는 뛰어난 제품을 만들지는 않았다. 그는 다른 사람의 제품을 사서 강력한 세계적 시스템을 구축한 것이다.

4 투자가: 〈I〉 사분면의 사람들

투자가는 돈으로 돈을 번다. 이들은 돈이 대신 일하기 때문에 일할 필요가 없다.

사람들이 어느 사분면에서 돈을 벌건 언젠가 부자가 되고 싶다면 결국에는 〈I〉 사분면으로 와야 한다. 바로 이 〈I〉 사분면에서 돈은 큰 재산으로 변한다.

아래 그림은 〈현금흐름 사분면〉이다. 이 사분면은 어떻게 수입을 올리는지 구분한다. 그것은 봉급 생활자인 〈E〉, 자영업자인 〈S〉, 사업가인 〈B〉, 혹은 투자가인 〈I〉이다. 이들의 차이가 그림에 요약되어 있다.

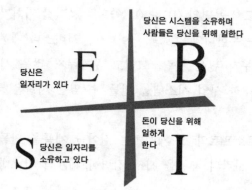

당신은 시스템을 소유하며
사람들은 당신을 위해 일한다

당신은
일자리가 있다

돈이 당신을 위해
일하게
한다

당신은 일자리를
소유하고 있다

대부분의 우리는 부자가 되고 갑부가 되는 비결이 이런 것이라는 얘기를 들었다.

    1 OPT(Other People's Time) : 다른 사람들의 시간
    2 OPM(Other People's Money) : 다른 사람들의 돈

OPT와 OPM은 사분면의 오른쪽 편에서 볼 수 있다. 대개의 경우 사분면의 왼쪽 편에서 일하는 사람들은 OP(다른 사람들)로서 시간과 돈을 제공한다.

아내와 내가 굳이 〈S〉 타입이 아닌 〈B〉 타입의 사업을 하려 했던 주된 이유는 〈다른 사람들의 시간〉을 이용하는 장기적인 혜택을 인식했기 때문이다. 성공한 〈자영업자〉가 되는 것의 한 가지 단점은 성공할수록 더 열심히 일해야 한다는 것이다. 다시 말해, 일을 잘하면 잘할수록 더 힘든 일과 더 오랜 시간이 기다린다.

〈B〉 타입의 사업을 구축하면 시스템을 개선하고 더 많은 사람들

을 고용해서 더 성공을 할 수 있다. 다시 말해, 일은 더 적게 하면서 더 많이 벌고 더 자유로운 시간을 즐길 수 있다.

이 책의 나머지 부분은 사분면의 오른쪽 편에서 필요한 여러 기술과 사고방식을 자세히 소개한다. 내 경험에 의하면, 오른쪽 편에서 성공하려면 다른 사고방식과 다른 기술적 능력이 필요하다. 사람들이 탄력성을 갖고 사고방식의 변화를 허락하면 더 큰 경제적 안정이나 자유를 달성하는 과정이 쉽다는 것을 알게 될 것이다. 다른 사람들에게는 그런 과정이 너무 어려울 수도 있다. 많은 사람들은 하나의 사분면, 하나의 사고방식에 고정되어 있기 때문이다.

적어도 당신은 왜 어떤 사람들은 더 적게 일하고, 더 많이 벌고, 더 적은 세금을 내고, 경제적으로 더 안정된 생활을 하는지 알 수 있을 것이다. 문제는 어느 사분면에서 언제 일해야 하는지 아는 것뿐이다.

〈현금흐름 사분면〉은 일련의 규칙들이 아니다. 이것은 그것을 사용하고자 하는 사람들에게 안내자에 불과하다. 이것은 아내와 내가 경제적으로 고생을 하다가 다시 경제적 안정으로, 이어서 경제적, 재정적 자유의 길로 가도록 안내했다. 우리는 평생 동안 아침에 일어나 돈을 위해 일해야만 하는 것을 원치 않았다.

부자들과 그 밖의 모든 사람들의 차이

몇 년 전에 나는 이런 기사를 읽었다. 즉, 대부분의 부자들은 수입의 70%를 〈I〉 사분면인 투자에서 얻고 30%만 〈E〉 사분면인 임금에서 얻는다는 것이다. 그리고 이들은 〈E〉인 경우에도 자기 사업체의 직원이었다.

그 밖의 대부분의 사람들인 가난한 사람들과 중산층은 수입의 80% 이상을 〈E〉나 〈S〉 사분면인 임금에서 얻고, 20% 미만만을 〈I〉 사분면인 투자에서 얻는다.

부자인 것과 갑부인 것의 차이, 그리고 〈부유함〉의 정의

나는 1장에서 아내와 내가 1989년에 이르러 백만장자가 되었다고 얘기했다. 하지만 우리가 경제적 자유를 얻은 것은 1994년에 가서의 일이었다. 부자인 것과 갑부인 것 사이에는 차이가 있다. 1989년에 이르러 우리의 사업은 많은 돈을 벌어주고 있었다. 우리 사업의 시스템은 우리의 추가적인 물리적 노력 없이도 성장하고 있었다. 그래서 우리는 돈은 더 벌면서 일은 적게 했다. 우리는 대부분의 사람들이 생각하는 경제적 성공을 달성했다.

그럼에도 우리는 그 사업에서 나오는 현금흐름을 더 가시적인 자산으로 바꾸어 추가적인 현금흐름을 만들어내도록 만들 필요가 있었다. 우리는 이미 성공적인 사업을 가꾸었고, 이제는 우리의 자산을 더 키워서 우리의 모든 자산에서 나오는 현금흐름이 지출보다 더 커지는 단계로 나아갈 시점이었다.

우리의 그림은 이런 모양을 하고 있었다.

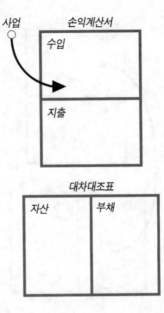

　1994년에 이르러 우리의 모든 자산에서 나오는 수동적 수입은 우리의 지출보다 더 커졌다. 그리고 우리는 이제 갑부가 되었다.

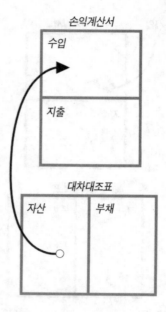

사실은 우리의 사업도 자산으로 볼 수가 있었다. 그것은 수입을 만들었고 상당한 물리적 투입 없이도 돌아갔기 때문이다. 하지만 우리는 더 나아가 부동산이나 주식 같은 가시적 자산을 확보해 지출을 넘어서는 수동적 수입을 올리고 싶었다. 그래야만 우리는 정말로 부자가 되었다고 말할 수 있었다. 우리의 자산 부분에서 나오는 수입이 그 사업에서 나오는 수입보다 더 커졌을 때, 우리는 파트너에게 그 사업을 팔았다. 그래서 우리는 갑부가 되었다.

부유함의 정의는 다음과 같다.

우리가 물리적으로 일하지 않으면서도 (혹은 우리 가족 가운데 누가 물리적으로 일하지 않으면서도) 삶의 질을 유지하면서 생활할 수 있는 날들(days)의 수(number).

예를 들어, 당신의 월간 지출이 1천 달러라고 가정하자. 그리고 저축으로 3천 달러를 갖고 있다고 하자. 그러면 당신의 부유함은 대략 3개월 혹은 90일이 된다. 부유함은 금액이 아닌 시간으로 측정된다.

1994년이 되면서 아내와 나는 (특별한 경제적 격변이 없는 한) 확실한 부자의 길로 들어섰다. 이제는 투자에서 나오는 수입이 월간 지출보다 더 컸기 때문이다.

결국에는 돈을 얼마나 버느냐가 중요한 것이 아니라 얼마나 많은 돈을 보유하는지, 그리고 그 돈이 얼마나 오래 일하게 하는지가 중요하다. 매일같이 나는 많은 돈을 벌면서도 그것을 모두 지출로 써버리는 사람들을 많이 본다.

이들은 돈이 생길 때마다 쇼핑을 하러 간다. 이들은 종종 더 큰 집이나 새 차를 산다. 그 결과 이들은 장기적으로 빚을 지고 더 힘들게 일한다. 그러면 자산 부분으로 들어갈 것은 전혀 남지 않는다. 마치 경제 설사약을 먹은 것처럼 돈은 순식간에 빠져나간다.

〈빨간 줄〉 근처에서 살다

자동차 업계에서는 종종 이런 얘기를 한다. 〈엔진을 (한계 속도)까지 올린다.〉 이 말의 뜻은 엔진의 RPM을 〈빨간 줄〉 근처까지 높인다는 것이다. 〈빨간 줄〉은 엔진이 폭발하지 않으면서 속도를 최대로 높일 수 있는 한계이다.

개인적인 재정상의 측면에서 보면, 부자이건 가난하건, 많은 사람들은 종종 경제적으로 〈빨간 줄〉 근처에서 산다. 이들은 아무리 많은 돈을 벌어도 들어오기가 무섭게 쓰곤 한다. 자동차의 엔진을 〈빨간 줄〉까지 올리면 엔진의 수명은 짧아진다. 개인적인 돈 문제에서도 같은 얘기가 성립된다.

의사로 일하는 내 친구들은 요즘에 아주 흔한 문제가, 힘든 일과 부족한 돈으로 야기되는 스트레스라고 말한다. 어떤 친구는 건강을 위협하는 가장 큰 원인이 이른바 〈지갑 속의 암(Cancer)〉이라고 지적한다.

사람들은 얼마를 벌건 간에 궁극적으로 그중에서 일부를 〈I〉 사분면에 투입해야 한다. 〈I〉 사분면은 특히 돈이 돈을 버는 방식을 다루고 있다. 혹은 돈이 일을 하게 되면서 우리는 일할 필요가 없는 방식이다. 그러나 다른 형태의 투자들도 있음을 인정해야 한다.

투자의 여러 형태들

사람들은 교육에 투자한다. 전통적인 교육은 중요하다. 교육을 잘 받을수록 돈을 벌 기회가 더 많기 때문이다. 대학에서 4년을 공부하면 수입 창출의 기회는 연간 2만4천 달러에서 5만 달러 이상으로 커질 수 있다. 평균적인 사람이 40여 년 동안 활동적으로 일한다고 할 때, 대학이나 그보다 높은 교육에 4년을 투자하는 것은 멋진 투자이다.

충성심과 힘든 노동도 다른 형태의 투자이다. 이를테면 기업이나 정부에서 평생을 근무하는 것이다. 그 대가로 우리는 계약을 통한 평생 연금의 보상을 받는다. 이것은 산업화 시대에는 인기가 높은 투자이지만 정보화 시대에는 낡은 것이다.

어떤 사람들은 대가족을 가꾸는 데 투자해서 그 대가로 노년에 아이들의 보호를 받는다. 이런 형태의 투자는 과거에는 일반적인 것이었지만, 지금은 경제적인 제약 때문에 가족이 부모들의 생활과 건강을 책임지는 것이 점점 더 어려워지고 있다.

정부 주도의 퇴직 프로그램인 사회보장과 의료보험은 (종종 봉급의 원천징수로 충당되는 것인데) 법으로 규정하는 또다른 형태의 투자이다. 하지만 인구 특성과 비용의 엄청난 변화 때문에 이런 형태의 투자는 원래의 약속 일부를 지키지 못할 수도 있다.

그리고 퇴직 후에 대비한 독립적인 투자 형태로는 개인적인 퇴직 계획들이 있다. 정부는 종종 이런 계획들을 권장하기 위해 고용인과 피고용인 모두에게 세금 혜택을 부여한다.

이런 것들도 모두 투자이기는 하지만, 〈I〉 사분면이 강조하는 투자는 일하는 기간 동안 계속해서 수입을 창출하는 투자이다. 따라서 〈I〉 사분면에서 활동하는 사람의 자격을 얻으려면 다른 사분면들에서 사용하는 것과 같은 기준들을 사용하라. 당신은 〈I〉 사분면에서 현재의 수입을 올리고 있는가? 다시 말해, 당신의 돈이 당신을 위해 일하면서 당신에게 현재의 수입을 창출해 주는가?

하나의 투자 대상으로 주택을 구입해 세를 놓는 사람을 보기로 하자. 임대료 수입이 주택을 유지하는 비용보다 많다면, 그 수입은 〈I〉 사분면에서 나오는 것이다. 저축에서 나오는 이자나, 주식과 채권에서 나오는 배당금으로 수입을 얻는 사람에게도 같은 얘기를 할 수 있다. 따라서 〈I〉 사분면의 필요 조건은 그 사분면에서 일하지 않고도 그곳에서 얼마나 많은 수입을 올리느냐이다.

연금 계좌에 정기적으로 돈을 넣는 것도 일종의 투자이며 현명한 일이다. 대부분의 우리는 퇴직을 하게 되면 그 시점부터 투자가로 여겨지기를 희망한다. 하지만 이 책에서 말하는 〈I〉 사분면은 일하는 시절에 투자해서 수입을 올리는 사람을 나타낸다. 실제로 대부분의 사람들은 연금 계좌에 〈투자〉하지 않고 있다. 대부분의 사람들은 연금 계좌에 돈을 〈저축〉하고 있다. 그러면서 그들은 은퇴할 때 그동안 넣은 돈보다 더 많은 돈이 나오기를 기대한다.

연금 계좌에 돈을 저금하는 사람들과 투자를 통해 돈을 적극적으로 사용해서 더 많은 돈을 수입으로 올리는 사람들 사이에는 차이가 있다.

그렇다면 주식 중개인은 투자가인가?

투자 업계에서 조언자나 컨설턴트로 일하는 많은 사람들은 그 정의상 〈I〉 사분면에서 수입을 올리는 사람들이라고 할 수 없다.

예를 들어, 대부분의 주식 중개인, 부동산 업자, 금융 컨설턴트, 은행가, 회계사들은 대체적으로 〈E〉 아니면 〈S〉 사분면에 속하는 사람들이다. 다시 말해, 그들의 수입은 전문적인 일에서 나오는 것이지 갖고 있는 자산에서 나오는 것은 아니다.

나에게는 주식 거래인인 친구들이 있다. 그들은 주식을 싸게 사서 비싸게 팔고 싶어한다. 실제로 이들의 직업은 〈거래〉로서, 소매점 주인이 도매 가격으로 물건을 사 소매 가격으로 파는 것과 비슷하다. 이들은 여전히 물리적으로 무슨 일을 해야만 돈을 벌 수 있다. 따라서 이들은 〈I〉 사분면보다는 〈S〉 사분면에 더 맞다고 할 수 있다.

이런 사람들 모두 투자가가 될 수 있을까? 답은 〈그렇다〉이다. 하지만 중요한 것은 수수료를 받거나, 시간 단위로 조언을 팔거나, 조언을 하고 봉급을 받거나, 싸게 사서 비싸게 팔려 하면서 돈을 버는 사람과, 좋은 투자를 알아내거나 만들어서 돈을 버는 사람과의 차이를 아는 것이다.

당신의 조언자들이 얼마나 좋은지 알아내는 한 가지 방법이 있다. 그들에게 수입의 몇 퍼센트가 조언에 대한 수수료나 요금에서 나오는지, 그리고 수동적 수입, 그러니까 투자나 그 밖에 갖고 있는 사업에서 나오는 수입은 얼마인지 묻는 것이다.

나에게는 공인 회계사로 일하는 친구들도 몇몇 있는데, 이 친구들의 말에 의하면, 많은 전문적 투자 컨설턴트들은 투자에서 나오는 수입이 거의 없다고 한다. 다시 말해, 〈그들은 입으로 하는 말을 실천하지 않는 것이다〉.

따라서 〈I〉 사분면에서 수입을 올리는 사람들의 주된 특징은 돈으로 돈을 벌려 하는 것이다. 이들은 그 일을 잘하면 수백 년 동안 돈이 자신과 자신들의 가족들을 위해 일하게 할 수 있다.

어떻게 돈으로 돈을 버는지 알고 아침에 일어나 일하러 가지 않아도 되는 분명한 이점 외에도, 돈을 위해 일해야만 하는 사람들에게는 가능하지도 않은 많은 세금 이점도 있다.

부자들이 더 부자가 되는 한 가지 이유는 그들은 때로 수백만 달러를 벌면서도 합법적으로 세금을 적게 내기 때문이다. 왜냐하면 그들은 〈수입〉 부분이 아닌 〈자산〉 부분에서 돈을 벌기 때문이다. 혹은 근로자가 아니라 투자가로서 돈을 벌기 때문이다.

돈을 위해 일하는 사람들은 종종 더 높은 비율로 세금을 낼 뿐더러 그런 세금은 봉급에서 떼어지므로 그만큼의 수입은 구경도 하지 못한다.

왜 더 많은 사람들이 투자가가 되지 않을까?

〈I〉 사분면은 적게 일하고, 더 많이 벌고, 세금을 덜 내는 사분면이다. 그런데 왜 더 많은 사람들이 투자가가 되지 않을까? 그것은 많은 사람들이 사업을 시작하지 않는 것과 같은 이유 때문이다. 그것을 한마디로 요약하면 〈위험(risk)〉 때문이다.

많은 사람들은 힘들게 번 돈을 투자했다가 회수하지 못하는 일을 겪고 싶어하지 않는다. 많은 사람들은 돈을 잃는 두려움이 너무 커서 투자하지 않거나 위험을 안고 싶어하지 않는다. 그 대가로 아무리 많은 돈을 벌 수 있다 해도 마찬가지이다.

할리우드의 어떤 명사는 언젠가 이렇게 얘기했다. 「내가 걱정하는 것은 투자 회수율이 아니라 투자의 회수이다」

돈을 잃는 두려움은 투자가들을 대략 네 부류로 나누는 것 같다.

1 위험을 극히 싫어해 안전하게만 살면서 돈을 은행에 넣는 사람.
2 투자를 누군가 다른 사람, 이를테면 금융 컨설턴트나 뮤추얼 펀드 관리자에게 맡기는 사람.

3 도박가.

4 투자가.

도박가와 투자가의 차이는 이런 것이다. 도박가에게 투자는 확률의 게임이다. 투자가에게 투자는 기술의 게임이다. 그리고 돈을 다른 사람에게 맡겨 투자하는 사람에게 투자는 종종 자신들이 배우고 싶지 않은 게임이다. 이런 사람에게 중요한 것은 금융 컨설턴트를 세심하게 고르는 것이다.

다음 장에서 일곱 단계의 투자가들을 보게 되는데, 그러면 이 문제를 좀더 자세히 알 수 있을 것이다.

투자에 관한 좋은 소식은 위험을 크게 줄이거나 혹은 제거할 수도 있다는 것이다. 그러면서도 여전히 높은 수익을 올릴 수 있다는 것이다. 문제는 게임을 아는 것이다.

진정한 투자가는 이런 얘기를 할 것이다. 「나는 얼마나 빨리 돈을 회수할 수 있으며, 초기 투자 금액을 회수한 후에 남은 평생 동안 얼마나 많은 수입을 올릴 수 있을까」

진정한 투자가는 얼마나 빨리 돈을 회수할 수 있는지 알고 싶어 한다. 연금 계좌를 갖고 있는 사람들은 몇 년 동안 기다려야만 돈을 회수할 수 있는지 알 수 있다. 이것은 전문적인 투자가와 퇴직 후를 위해 돈을 비축하는 사람 사이의 가장 큰 차이이다.

대부분의 사람들은 돈을 잃는다는 두려움 때문에 안정을 추구한다. 그러나 〈I〉 사분면은 많은 사람들이 생각하는 것처럼 그렇게 위험하지 않다. 〈I〉 사분면은 다른 사분면들과 비슷하다. 그것에는 나름의 기술과 사고방식이 있다. 〈I〉 사분면에서 성공하기 위한 기술들은 배우겠다는 의지와 시간만 있으면 배울 수 있다.

20C 연금 계획과 21C 연금 계획의 차이

1989년에 베를린 장벽이 무너졌다. 그것은 세계 역사에서 아주 중요한 사건이었다. 내가 볼 때 그 사건은 공산주의의 종말을 고하는 것 이상이었다. 그 사건은 산업화 시대의 공식적인 마감과 함께 정보화 시대의 시작을 알리는 것이었다.

콜럼버스의 1492년 항해는 산업화 시대의 시작과 대략 일치한다. 1989년의 베를린 장벽 붕괴는 그 시대의 마감을 알리는 사건이다. 어떤 이유에서인지 현대의 역사에서는 500년마다 엄청나게 중요한 사건들이 일어났다. 우리는 지금 그런 시기의 하나에서 살고 있다.

그런 변화는 이미 수억 인구의 경제적 안정을 위협했다. 대부분의 사람들은 아직 그런 변화의 경제적 충격을 알지 못하며, 많은 사람들은 알 수 있는 입장이 아니다. 이런 변화는 산업화 시대 연금 계획과 정보화 시대 연금 계획의 차이에서 발견된다.

내가 어렸을 때 부자 아버지는 내 돈으로 위험을 감수하고 투자하는 법을 배우라고 권유했다. 그분은 늘 이렇게 얘기했다. 「부자가 되고 싶다면 위험을 안는 법을 배울 필요가 있다. 다시 말하면 투자가가 되는 법을 배워야 한다는 것이다」

집에 와서 나는 진짜 아버지에게 부자 아버지의 얘기를 전했다. 우리는 투자하는 법을 배우며 위험 관리를 배운다는 얘기였다. 교육을 많이 받은 내 아버지는 이렇게 대답했다. 「나는 투자하는 법을 배울 필요가 없다. 나에게는 정부의 연금 계획이 있거든. 교원 노조에서 제공하는 연금도 있고, 확실한 사회보장 혜택도 있다. 그런데 왜 내 돈으로 위험을 안는 짓을 할 필요가 있겠니?」

교육을 많이 받은 아버지는 산업화 시대의 연금 계획을 믿었다. 이를테면 공무원 연금과 사회보장 같은 것이다. 그분은 내가 미국 해병대에 지원했을 때 기뻐했다. 그분은 내가 베트남에서 목숨을 잃을지도 모른다는 사실은 걱정하지 않고 이렇게 얘기했다. 「그곳에서 20년 간 복무하면 평생 동안 연금과 의료 혜택을 받게 된단다. 너한테는 얼마나 잘된 일이니?」

그런 연금 계획들은 아직도 유효하지만 이제는 공식적으로 낡은 것이 되었다. 기업이 우리의 퇴직 이후를 경제적으로 책임져 준다는 생각과 정부가 연금 제도를 통해 우리의 퇴직 이후의 생활을 돕는다는 생각은 이제 더 이상 설득력이 없다.

우리는 산업화 시대의 은퇴 계획인 〈규정된 혜택(Defined Benefit)〉 연금 계획에서 정보화 시대의 연금 계획인 〈규정된 공헌(Defined Contribution)〉 연금 계획으로 이동하고 있다. 그래서 우리는 이제 개인적으로 스스로 경제적, 재정적 책임을 져야 한다. 이런 변화를 알아차린 사람은 거의 없다.

산업화 시대의 〈규정된 혜택〉 연금 계획이 뜻하는 것은 기업이 근로자인 당신에게 규정된 액수의 돈을(대개는 매월) 평생 동안 보장한다는 것이었다. 이런 계획은 꾸준한 수입을 보장하기 때문에 사람들은 안정감을 느꼈다.

그러나 누군가 이런 계약을 바꾸었고, 기업들은 갑자기 사람들이 회사를 그만두었을 때 더 이상 금융상의 안정을 보장하지 않았다. 대신에 기업들은 〈규정된 공헌〉 은퇴 계획을 제공하기 시작했다. 〈규정된 공헌〉이 뜻하는 것은 사람들은 그들이 일하는 동안 기업과 함께 공헌한 만큼만 돌려받는다는 것이다. 다시 말해, 당신은 공헌한 것에 의해서만 연금을 받게 되는 것이다. 당신과 회사가 넣은 돈이 없으면 당신이 꺼내는 돈도 없는 것이다.

그리고 이보다 더 나쁜 것은, 당신과 회사가 그 연금 계좌에 넣는 돈도 당신이 그 돈을 찾아야 할 때쯤 그 돈이 존재한다는 보장은 더 이상 없다. 다시 말해, 어느 날 당신은 그 계좌에 백만 달러를 가질 수도 있는데, 갑자기 주식 시장이 무너지면 그 백만 달러는 절반이 되거나 아예 없어질 수도 있다. 평생 수입의 보장은 이제 사라졌다. 그리고 나는 이런 계획들을 갖고 있는 사람들 가운데 이런 변화의 의미를 아는 사람이 과연 얼마나 될지 궁금하다.

이것이 뜻하는 것은 65세에 은퇴해서 자신들의 〈규정된 공헌〉 계획에 의지해 살기 시작하는 사람들은 가령 75세에 돈이 바닥날 수도 있다는 것이다. 그렇게 되면 어떻게 해야 하는가? 이력서의 먼지를 털어내야 한다.

그리고 정부의 〈규정된 혜택〉 연금 계획은 어떠한가? 미국의 사회보장은 2032년이 되면 파산할 것이고 의료보험은 2005년이 되면 파산할 것이다. 전후 세대에게 그것이 필요하기 시작할 바로 그때에 말이다. 오늘날에도 사회보장은 수입의 측면에서 많은 것을 제공하지 않는다. 그런데 7천7백만의 전후 세대가 자신들이 넣은 그 돈을 원하기 시작할 때, 하지만 그 돈은 사라지고 없을 때, 그때는 어떻게 될 것인가?

너무나 많은 사람들이 정부에만 기대고 있다

내가 책을 쓰고 교육용 게임인 〈캐시플로(Cashflow)〉 같은 것을 만드는 이유는 우리가 산업화 시대의 끝에 와 있고 정보화 시대로 막 진입하고 있기 때문이다.

한 사람의 시민으로서 내가 걱정하는 것은 우리 세대부터 시작해 다음 세대는 산업화 시대와 정보화 시대의 차이에 적절히 대비하지 못하고 있다는 것이다. 그리고 그런 차이들 가운데 하나는 우리가 은퇴에 대비해 경제적으로 준비하는 법이다. 〈학교에 가서 안전하고 안정적인 직장을 얻어라〉는 말은 1950년 이전에 태어난 사람들에게는 좋은 말이었다. 오늘날 모든 사람은 학교에 가서 공부를 해 좋은 직장을 얻을 필요가 있다. 하지만 우리는 또 투자하는 법을 알 필요도 있다. 그리고 투자는 학교에서 가르치지 않는 과목이다.

산업화 시대의 유산들 가운데 하나는 너무 많은 사람들이 정부에 의존해 개인적 문제를 해결하려 한다는 점이다. 오늘날 우리는 개인적인 경제적 책임을 정부에 위임했기 때문에 한층 더 큰 문제들을 안고 있다.

앞으로 많은 사람들이 나름대로 정부의 지원을 기대할 것이다. 구체적으로는 공무원, 퇴역 군인, 우체국 직원, 혹은 교사 같은 공무원들이다. 그리고 사회보장과 의료보험을 기대하는 은퇴자들도 있다. 그리고 이들이 그것을 기대하는 것은 당연하다. 왜냐하면 대부분은 어떤 식으로든 그런 약속에 투자했기 때문이다. 아쉽게도 그동안 너무 많은 약속들이 있었고, 이제는 지불할 때가 되었다.

그리고 나는 그런 금융상의 약속들이 지켜질 수 있다고 생각하지 않는다. 정부가 세금을 한층 더 올려서 그런 약속들을 지키려 한다면, 탈출할 수 있는 사람들은 세금이 더 낮은 나라들로 탈출할 것이다.

투자가가 아니면서 투자하기

〈규정된 혜택〉에서 〈규정된 공헌〉 연금 계획으로의 변화는 전세계의 수백만 인구에게 투자가가 될 것을 강요하고 있다. 투자가 교육은 거의 없으면서 말이다. 그동안 재정적 위험을 피하면서 살았던 많은 사람들이 이제 그것을 안도록 강요당하고 있다. 금융상의 위험이 있는 미래, 더 많은 나이, 그리고 근로 능력의 상실 등. 대부분의 사람들은 은퇴할 때가 되어서야 자신들이 현명한 투자가였는지, 아니면 부주의한 도박가였는지 알게 될 것이다.

오늘날 주식 시장은 전세계의 관심사이다. 이런 상황은 많은 것들로 야기되었는데, 그중 하나는 투자가가 되려 애쓰는 비투자가들 때문이다. 이들이 밟는 금융상의 길은 이런 모양을 하고 있다.

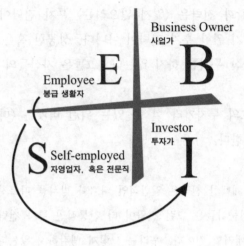

이런 사람들의 대다수는 봉급 생활자와 자영업자인 〈E〉와 〈S〉 사분면에 속하는 사람들로 성격상 안정 지향적인 사람들이다. 이런 이유로 그들은 안정적인 직장이나 안정적인 직업을 찾고, 자신들이 통제할 수 있는 작은 사업을 시작한다. 이들은 오늘날 〈규정된 공헌〉 은퇴 계획 때문에 〈I〉 사분면으로 이동하고 있다. 이들은 그곳에서 일하는 시절이 끝났을 때 〈안정〉을 찾고자 한다. 아쉽게도 〈I〉 사분면은 안정적이라고 알려져 있지 않다. 〈I〉 사분면은 위험의 사분면이다.

〈현금흐름 사분면〉의 왼쪽 편에 있는 너무 많은 사람들이 안정을 찾아오기 때문에, 주식 시장도 그런 식으로 반응한다. 이런 이유로 우리는 종종 다음과 같은 얘기들을 듣는다.

1 다각화(분산 투자)

안정을 추구하는 사람들은 〈다각화〉란 단어를 많이 사용한다. 왜 그럴까? 다각화 전략은 〈잃지 않으려는〉 투자 전략이기 때문이다. 이것은 이기기 위한 투자 전략이 아니다. 성공한 혹은 부자가 된 투자가들은 분산 투자를 하지 않는다. 그들은 자신들의 노력을 한 곳에 집중한다.

세계 최고의 투자가라 할 수 있는 워런 버펫은 〈다각화〉에 대해 이렇게 얘기한다.

> 우리가 채택한 전략은 일반적인 다각화 방식을 따르지 않는다. 그래서 많은 전문가들은 그런 전략이 더 전통적인 투자 전략보다 위험스런 것이라고 얘기할 것이다. 우리는 그렇게 생각하지 않는다. 우리는 포트폴리오 집중화 정책이 위험을 줄일 수 있다고 생각한다. 그렇게 하면 특정 사업에 대해 투자가가 생각하는 강도를 높일 수 있고 자신이 잘 아는 분야에 대해 더 편안함을 느낄 수 있다.

다시 말해, 워런 버펫은 몇몇 투자에 집중하는 포트폴리오 정책이 다각화보다 더 좋은 전략이라고 얘기하는 것이다. 그가 볼 때 집중화는 다각화보다 더 영리하게 투자하고 더 치밀하게 생각하고 행동하는 것을 요구한다. 그는 계속해서 일반 투자가들은 변동성이 위험스런 것이라고 생각하기 때문에 변동성을 피한다고 얘기한다. 워런 버펫은 대신에 이렇게 얘기한다. 「진정한 투자가는 오히려 변동성을 환영합니다」

아내와 나는 경제적인 문제로 인한 고생에서 벗어나 자유를 찾기 위해 다각화를 하지 않았다. 대신에 우리는 투자를 집중했다.

2 블루칩 주식

안정을 추구하는 투자가들은 대개 〈블루칩〉 주식들을 산다. 왜 그럴까? 그들이 보기에는 그것이 더 안전하기 때문이다. 그런 주식은 더 안전할 수도 있지만, 주식 시장은 그렇지 않다.

3 뮤추얼 펀드

투자를 제대로 모르는 사람들은 자기들보다 그 일을 더 잘하는 것으로 보이는 펀드 매니저에게 돈을 맡길 때 더 안정감을 느낀다. 그리고 이것은 전문적인 투자가가 되려는 의사가 없는 사람에게는 영리한 전략이다. 문제는 그런 전략은 영리한 것이기는 하지만 뮤추얼 펀드 역시 위험하기는 마찬가지라는 것이다.

오늘날 시장에는 천성적으로 안정 지향적이지만 변화하는 경제 상황 때문에 어쩔 수 없이 〈현금흐름 사분면〉의 왼쪽 편에서 오른쪽 편으로 이동해야 하는 수백만의 사람들이 있다. 〈현금흐름 사분면〉의 오른쪽 편에는 그들이 추구하는 안정은 존재하지 않는다고 할 수 있다. 그래서 나는 걱정을 한다. 많은 사람들은 안전하지 않은 연금 계획을 안전한 것이라고 생각한다. 시장이 무너지거나 큰 불황이 닥치면, 그들의 계획은 휴지가 될 수도 있다. 이들의 은퇴 계획은 우리 부모들의 계획만큼도 안전하지 못하다.

경제적 격변의 시대가 오고 있다

이제는 경제적인 격변이 코앞에 닥쳐 있다. 이와 같은 격변은 늘 구시대의 종말과 함께 신시대의 탄생을 예고했다. 매번 한 시대가 끝날 때마다 어떤 사람들은 앞으로 나아가고 어떤 사람들은 과거의 생각에 집착한다. 아직도 자신들의 경제적 안정이 기업이나 정부의 책임이라고 생각하는 사람들은 새로운 시대에서 실망하게 될 것이다. 그런 생각은 산업화 시대의 생각이지 정보화 시대의 생각은 아니다.

누구에게도 수정 구슬은 없다. 나는 많은 투자 소식지를 구독하고 있다. 그것들 모두가 나름대로 다른 얘기를 하고 있다. 어떤 것은 가까운 미래가 밝다고 얘기한다. 어떤 것은 시장 붕괴와 큰 불황이 임박했다고 얘기한다. 나는 객관성을 유지하기 위해 양쪽 얘기 모두에 귀를 기울인다. 양쪽 얘기 모두 귀를 기울일 근거가 있기 때문이다. 나는 점쟁이가 되어 미래를 예언하려 하지 않는다. 대신에 나는 사업가 그룹인 〈B〉와 투자가 그룹인 〈I〉 사분면 모두에서 계속 배움을 얻으며 앞으로의 일에 대비하려 애쓴다. 준비하는 사람은 경제가 어느 방향으로 가건, 언제 그런 일이 일어나건 번창할 수 있다.

과거의 역사에 비춰보면, 앞으로 75세까지 살 사람은 한 번의 공황과 두 번의 불황을 겪게 될 것이다. 우리 부모들은 이미 공황을 겪었지만, 전후 세대는 그것을 겪지 않았다. 아직은. 그리고 지난번 공황이 닥친 후로 대략 60년이 지났다.

오늘날 우리 모두는 안정적인 직장 이상의 것을 걱정할 필요가 있다. 우리는 또 장기적인 경제적 안정에 대해서도 걱정할 필요가 있다. 그리고 그런 책임을 기업이나 정부에 맡겨서는 안 된다는 생각이다. 기업들이 이제는 우리의 은퇴 생활에 책임이 없다고 얘기했을 때, 한 시대는 공식적으로 끝난 것이다. 그들이 〈규정된 공헌〉 은퇴 계획으로 이동했을 때, 그 속에 담긴 뜻은 이제는 우리가 각자의 은퇴에 투자할 책임이 있다는 것이다. 오늘날 우리 모두는 더 현명한 투자가가 되어야 한다. 우리 모두는 금융 시장의 요동에 한층 더 유념할 필요가 있다. 나는 당신이 다른 사람에게 돈을 맡겨 투자를 부탁하는 대신 투자가가 되는 법을 배우라고 권유한다. 당신이 그냥 뮤추얼 펀드나 중개인에게 돈을 맡기면 65세가 되어서야 그 사람이 제대로 일을 했는지 알 수 있게 될 수도 있다. 그들이 일을 엉망으로 했다면 당신은 남은 평생 동안 일을 해야만 할 수도 있다. 수백만의 사람들이 바로 그런 일을 해야만 할 것이다. 그때는 스스로 투자하거나 투자에 대해 배우는 것이 너무 늦을 것이기 때문이다.

위험을 피하지 말고 위험을 관리하는 법을 배워라

낮은 위험으로 높은 수익을 내는 투자는 가능하다. 당신이 해야 할 일은 어떻게 그렇게 되는지 배우는 것뿐이다. 그 일은 어렵지 않다. 사실 그것은 자전거 타는 법을 배우는 것과 비슷하다. 처음에는 넘어질 수도 있다. 하지만 얼마 후에는 더 이상 넘어지지 않고 투자는 제2의 천성이 될 것이다. 대부분의 우리가 자전거를 타는 것과 비슷하다.

〈현금흐름 사분면〉의 왼쪽 편에서 나타나는 문제는, 대부분의 사람들은 금융상의 위험을 피하기 위해 그곳에 간다. 나는 그런 금융상의 위험을 피하지 말고 위험을 관리하는 법을 배우라고 권유한다.

위험을 안아라

위험을 안는 사람들은 세상을 바꾼다. 위험을 안지 않고 부자가된 사람은 거의 없다. 너무나 많은 사람들이 정부에 의존해서 삶의위험을 없애려 하고 있다. 정보화 시대의 시작은 우리가 아는 거대정부의 종말이다. 거대 정부는 너무 값비싼 것이 되어버렸다. 아쉽게도 전세계의 수많은 사람들은 평생 연금 혜택에 의존하면서 경제적으로 뒤쳐질 것이다. 정보화 시대의 의미는 우리 모두가 더 자급적이 되고 성장해야 할 필요가 있다는 것이다.

〈열심히 공부해서 안전하고 안정적인 직장을 얻어라〉는 생각은산업화 시대에 태어난 생각이다. 우리는 더 이상 그 시대에 살고 있지 않다. 이제는 시대가 변하고 있다. 문제는 많은 사람들의 생각은변하지 않았다는 것이다. 그들은 아직도 무언가를 받을 자격이 있다고 생각한다. 많은 사람들은 아직도 〈I〉 사분면이 자신들의 책임이 아니라고 생각한다. 그들은 아직도 정부나 기업이나 노조나 뮤추얼 펀드나 가족들이 자신들이 은퇴하고 난 후 자신들을 돌볼 것이라고 생각한다. 나로서는 그들의 생각이 맞기를 바랄 수밖에 없다.

이 책은 〈현금흐름 사분면〉의 왼쪽 편에서 오른쪽 편으로 이동하기를 원하면서도 어디서부터 시작해야 할지 모르는 사람들을 돕기 위해 쓴 책이다. 누구든지 올바른 기술과 각오만 있다면 그런 이동을 할 수 있다.

당신이 이미 경제적 자유를 찾았다면 나는 이렇게 얘기한다. 〈축하합니다.〉 다른 사람들에게 자신이 밟은 길을 알려주고 안내를 원하면 안내해 주기 바란다. 안내는 하되 스스로 길을 찾도록 해야 한다. 경제적 자유로 가는 길은 여럿이기 때문이다.

어떤 결정을 하건 간에 이 점을 기억하기 바란다. 경제적 자유는 공짜일 수도 있지만 값싸게 찾아오지는 않는다. 자유에는 가격이 있다. 그리고 나에게는 그것이 그 정도의 값어치가 있다. 큰 비밀은 이것이다. 즉, 경제적 자유에는 돈도 필요하지 않고 좋은 제도권 교육도 필요하지 않다. 이것은 또 위험할 필요도 없다. 대신에 자유의 가격은 꿈과 소망, 그리고 길을 가면서 우리 모두에게 일어나는 실망을 극복할 수 있는 능력으로 측정된다. 당신은 그런 가격을 지불할 의사가 있는가?

내 아버지들 가운데 한 분은 그런 대가를 지불했고, 다른 한 분은 지불하지 않았다. 그분은 다른 종류의 대가를 지불했다.

제3장

왜 사람들은 〈자유〉보다 〈안정〉을 택할까

당신 상사의 일은 당신을 부자로 만드는 것이 아니다.
당신 상사의 일은 당신이 봉급을 제때 받도록 하는 것이다.
부자가 되는 것은 당신이 할 일이다.
그리고 그 일은 봉급을 받는 순간부터 시작된다.
당신의 돈 관리 기술이 엉망이라면 아무리 많은 돈을 받아도 소용이 없다.
지식과 자본도 없으면서 투자가가 되려는 것은 경제적 자살 행위이다.

내 두 아버지 모두 내가 대학에 가서 학위를 따도록 권유했다. 하지만 내가 학위를 받은 후에 그분들의 조언은 서로 달라졌다.

교육을 많이 받은 내 진짜 아버지는 늘 이렇게 충고했다. 「학교 가서 좋은 성적 올리고, 그런 후에는 안전하고 안정적인 좋은 직장을 얻어라」

그분이 권유한 삶의 길은 사분면의 왼쪽 편에 있는 것으로 봉급 생활자인 〈E〉 사분면에 속하는 삶이다.

반면 교육은 많이 받지 않았지만 부자였던 아버지는 사분면의 오른쪽 편을 강조했다. 즉, 「학교 가서 좋은 성적 올리고, 그런 후에 직접 회사를 차려라」

그분들의 조언은 서로 달랐다. 한 분은 안정적인 직장에 관심을 두었고, 다른 한 분은 경제적, 재정적 자유에 더 관심을 두었다.

왜 사람들은 안정적인 직장을 원할까

많은 사람들이 안정적인 직장을 원하는 주된 이유는 집과 학교에서 그렇게 하도록 배워왔기 때문이다.

수백만의 사람들은 계속해서 그런 조언을 따르고 있다. 우리 가운데 많은 이들은 어렸을 때부터 경제적 안정이나 자유보다는 안정적인 직장에 대해 생각하도록 교육받았다. 그리고 대부분의 우리는 집이나 학교에서 돈에 대해 거의 배우지 못했기 때문에 자연히 안정적인 직장에 한층 더 매달린다. 그러면서 경제적 자유는 생각하지 않는다.

〈현금흐름 사분면〉을 보면 왼쪽 편의 동기는 〈안정〉이고 오른쪽 편의 동기는 〈자유〉임을 알 수 있다.

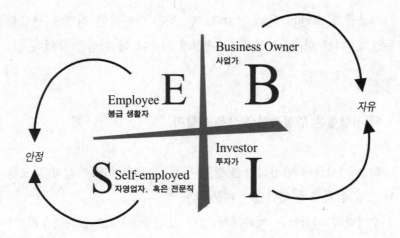

성공의 덫, 빚에 갇히다

인구의 80%가 사분면의 왼쪽 편에서 일하는 주된 이유는 학교에서 그 사분면에 대해서만 배웠기 때문이다. 이어서 그들은 학교를 떠난 후에 빚을 잔뜩 진다. 그들은 빚이 너무 많아 직장 내지는 직업적인 안정에 한층 더 집착할 수밖에 없다. 그래야만 빚을 갚을 수 있기 때문이다.

나는 종종 대학 졸업장을 받으면서 학자금 융자 청구서도 함께 받는 젊은 사람들을 만난다. 이들 중 몇몇은 대학 공부로 진 빚이 5만 달러에서 15만 달러에 이르는 것을 보고 우울증에 걸리기도 한다. 교육비를 댄 사람이 그들의 부모들이라면, 그때는 부모들이 몇 년 동안 경제적인 덫에 갇힌다.

최근에 나는 오늘날 대부분의 사람들이 학창 시절에 신용카드를 받고 평생 동안 빚을 지게 된다는 얘기를 들었다. 그렇게 되는 이유는 그들이 종종 산업화 시대에 일반화된 사고방식을 갖고 있기 때문이다.

산업화 시대에 교육을 받은 평균적인 사람들의 삶을 추적해 보면, 그들의 재정적인 상황은 종종 이렇게 돌아간다.

아이는 학교에 가서 졸업을 하고 직장을 얻는다. 그러고는 곧 약간의 돈을 손에 쥔다. 이 젊은 성인은 이제 그 돈으로 전셋집을 얻고, TV를 사고, 새 옷과 가구, 그리고 당연히 자동차를 산다. 그러면 이제 청구서가 날아들기 시작한다. 어느 날 이 젊은 성인은 특별한 사람을 만나고, 눈에서 불꽃이 튀고, 두 사람은 사랑에 빠져 결국 결혼을 한다. 한동안은 삶이 행복과 축복으로 이어지는 듯하다. 둘이 살아도 비용은 같기 때문이다. 이들은 이제 수입은 두 배가 되고 지불할 임대료는 하나뿐이다. 그래서 약간의 돈을 저축해 젊은 부부들의 꿈인 자신의 집을 사려한다. 두 사람은 집을 발견하고 저축한 돈에 손을 대 계약금을 지불한다. 그리고 나머지는 융자를 받는다. 새 집이 생겼기 때문에 새 가구들도 필요하다. 그래서 두 사람은 〈현금은 필요 없고 매달 조금씩 갚기만 하면 됩니다〉라는 마술의 단어로 광고하는 가구점을 찾는다.

사는 것은 너무도 즐겁다. 두 사람은 새 집을 보여주기 위해 친구들을 모두 불러 파티를 연다. 새 차와 새 가구, 그리고 새 장난감들도 보여준다. 두 사람은 이제 평생 동안 많은 빚을 지게 되는 터널로 접어든 것이다. 그러고는 곧 첫번째 아기가 태어난다.

교육을 잘 받고 열심히 일하는 이 평균적인 부부는 아이를 놀이방에 맡긴 후 죽어라고 일터로 가야만 한다. 이들은 이제 안정적인 직장이라는 그 덫에 갇히게 된다. 그렇게 하지 않으면 3개월도 못돼 재정적으로 파산할 것이기 때문이다. 이런 사람들은 종종 이렇게 얘기한다. 「나는 직장을 그만둘 수가 없어. 나에게는 갚아야 할 청구서들이 있다구」

내가 부자 아버지에게서 그렇게도 많은 것을 배운 한 가지 이유는 그분에게는 나를 가르칠 자유 시간이 많았기 때문이다. 그분은 더 성공할수록 더 많은 자유 시간과 돈이 생겼다. 사업이 더 잘되어도 그분은 더 열심히 일할 필요가 없었다. 그분은 그냥 고용한 전문 경영인에게 시스템을 확장하고 더 많은 사람을 채용해 그 일을 시키도록 하면 그만이었다. 투자 결과가 좋으면 그분은 다시 재투자를 해 더 많은 돈을 벌었다. 그분은 자신의 성공 때문에 더 많은 자유 시간을 얻었다. 부자 아버지는 자신의 아들과 내게 더 많은 시간을 쓰면서 자신이 사업과 투자에서 하는 모든 것을 우리에게 설명했다. 나는 학교에서 배우는 것보다 그분에게서 더 많은 것을 배웠다. 우리가 사분면의 오른쪽 편에 속하는 사업가 그룹인 〈B〉와 투자가 그룹인 〈I〉에서 열심히 일하면 이런 결과가 나타난다.

교육을 많이 받은 내 진짜 아버지도 열심히 일했지만, 그분은 사분면의 왼쪽 편에서 열심히 일했다. 그분은 열심히 일해서 승진을 하고 더 많은 책임을 떠맡게 되면서 아이들과 보낼 자유 시간은 점점 더 줄어들게 되었다. 그분은 아침 7시에 출근했고, 우리는 종종 그분을 볼 수가 없었다. 우리가 잠자리에 든 후에야 아버지가 집에 왔기 때문이다. 우리가 사분면의 왼쪽 편에서 열심히 일해 성공하면 이런 일이 일어난다. 성공은 점점 더 적은 시간을 갖다준다. 그 결과 돈은 더 벌지 몰라도.

〈금융 문맹〉인 가난한 아버지

사분면의 오른쪽 편에서 성공하려면 돈에 대한 지식이 필요하다. 나는 이것을 〈금융 지능〉, 혹은 〈금융 IQ〉라 부른다. 부자 아버지는 그것을 이렇게 정의했다. 「금융 지능은 돈을 얼마나 버는가보다는 얼마를 보관하고, 돈이 우리를 위해 얼마나 열심히 일하고, 얼마나 많은 세대 동안 그것을 보관하는가의 문제이다」

사분면의 오른쪽 편에서 성공하려면 금융 지능이 필요하다. 기본적인 금융 지능이 부족한 사람들은 대개의 경우 사분면의 오른쪽 편에서 살아남지 못한다.

부자 아버지는 돈에 대해서, 그리고 함께 일하는 사람들에 대해서 많은 것을 알았다. 그분은 그래야만 했다. 그분은 돈을 만들어야 했고, 가능한 적은 사람들을 관리해야 했고, 비용을 낮춰야만 했고, 수익은 높여야만 했다. 사분면의 오른쪽 편에서 성공하려면 이런 기술들이 필요하다.

부자 아버지는 나에게 이런 점을 강조했다. 그분은 집은 자산이 아니라 부채라고 얘기했다. 부자 아버지는 그것을 입증할 수 있었다. 그분은 우리에게 금융 지식을 가르쳐 우리가 숫자들을 읽을 수 있도록 했기 때문이다. 부자 아버지는 자유 시간을 갖고 자신의 아들과 나를 가르쳤다. 그분은 사람들을 잘 다뤘다. 그분은 일에서 얻은 기술을 가정 생활에도 적용시켰다.

교육을 많이 받은 내 아버지는 돈이나 일하는 사람들을 잘 관리하지 못했다. 그러면서도 그분은 그렇게 한다고 생각했다. 하와이 주의 교육감이었던 그분은 공무원으로 수백만 달러의 예산과 수천

명의 직원들이 있었다. 하지만 그분은 돈을 만들지 못했다. 그것은 세금을 내는 사람들의 돈이었고, 그분의 일은 그것을 모두 쓰는 것이었다. 그것을 모두 쓰지 않으면 다음해에 정부에서 주는 예산은 줄어들 것이다. 그래서 회계 연도가 끝날 때마다 그분은 그것을 모두 쓰기 위해 애를 썼다. 이것은 종종 더 많은 사람들을 고용해 다음해의 예산을 정당화한다는 뜻이었다. 우습게도 더 많은 사람들을 고용할수록 문제는 더 많아졌다.

어렸을 때 두 아버지를 보면서 나는 어떤 삶을 살 것인지 마음속으로 그리기 시작했다.

교육을 많이 받은 아버지는 책을 아주 많이 읽었다. 그래서 그분은 문맹은 아니었지만, 금융상으로는 문맹이었다. 그분은 숫자를 읽지 못했기 때문에 은행가와 회계사의 조언을 들어야만 했다. 그리고 그들은 아버지에게 집은 재산이고 가장 큰 투자라고 얘기했다.

이런 금융상의 조언 때문에, 교육을 많이 받은 내 진짜 아버지는 더 열심히 일했고 그러면서 점점 더 빚에 쪼들렸다. 열심히 일해서 승진할 때마다 그분의 봉급도 올랐고, 봉급이 오를 때마다 세금의 과표는 더 높아졌다. 더 높아진 과표 때문에, 그리고 1960년대와 1970년대에 고소득 근로자들의 세금은 아주 높았기 때문에, 그분의 회계사와 은행가는 더 큰 집을 사서 이자 지급을 떨쳐내라고 조언했다. 교육을 많이 받은 아버지는 더 많은 돈을 벌었지만, 그 결과는 더 높아진 세금과 더 많아진 부채뿐이었다. 그분은 더 성공할수록 더 열심히 일해야 했고, 자신이 사랑하는 사람들과 갖는 시간은 더 줄어들었다. 이윽고 아이들 모두가 독립을 했으며, 그분은 여전히 청구서를 지불하기 위해 열심히 일하고 있었다.

그분은 늘 승진을 하고 봉급이 오르면 모든 문제가 해결될 것이라고 생각했다. 하지만 돈을 더 많이 벌수록 같은 일이 더 많이 일어났다. 그분은 점점 더 빚에 쪼들렸고 더 많은 세금을 냈다.

그분은 더 쪼들릴수록 점점 더 안정적인 직장에 의존했다. 그분은 감정적으로 일에 더 집착하고 지불할 청구서가 더 많아질수록 아이들에게 〈안전하고 안정적인 직장을 얻어야 한다〉라고 권유했다.

그분은 불안감을 더 느낄수록 더 안정을 추구했다.

돈이라는 〈덫〉

내 아버지는 금융 보고서들을 읽을 수 없었기 때문에 자신이 더 성공할수록 빠져드는 돈의 덫을 볼 수 없었다. 나는 바로 이런 돈의 덫에 수백만의 성공적이고 열심히 일하는 다른 사람들이 빠지는 것을 보고 있다.

그렇게도 많은 사람들이 경제적으로 고생하는 이유는 그들이 돈을 벌 때마다 가장 큰 두 가지 지출도 늘어나기 때문이다. 즉,

1 세금
2 부채의 이자

게다가 정부에서 제공하는 세금 혜택은 종종 더 많은 빚을 지게 만든다. 그것을 보면 다소 의심이 가지 않는가?

부자 아버지는 금융 지능을 이렇게 정의했다. 「금융 지능은 돈을 얼마나 버는가보다는 얼마를 보관하고, 돈이 우리를 위해 얼마나 열심히 일하고, 얼마나 많은 세대 동안 그것을 보관하는가의 문제이다」

열심히 일한 많은 교육을 받은 아버지는 자신의 삶이 끝났을 때 그나마 남겨줄 수 있는 적은 돈마저 정부가 세금으로 거둬갔다.

많은 사람들은 자유와 행복을 향하여 나아간다. 문제는 대부분의 사람들은 사업가 그룹인 〈B〉와 투자가 그룹인 〈I〉 사분면에서 일하도록 훈련받지 않았다는 것이다. 이와 같은 훈련의 부족과 안정적인 직장에 대한 교육, 그리고 점점 더 늘어나는 빚 때문에 대부분의 사람들은 〈현금흐름 사분면〉의 왼쪽 편에서 경제적 자유를 찾는데 한계를 갖고 있다. 아쉽게도 경제적 안정이나 자유는 봉급 생활자인 〈E〉나 자영업자 그룹인 〈S〉 사분면에서는 거의 달성되지 않는다. 진정한 안정과 자유는 오른쪽 편에서 달성된다.

자유를 찾아 이 직장 저 직장 떠돌다

〈현금흐름 사분면〉이 유용한 한 가지 측면은 사람들의 삶을 관찰하거나 추적할 수 있다는 것이다. 많은 사람들은 안정이나 자유를 찾으면서 결국에는 이 직장 저 직장을 떠돌게 된다. 예를 들면, 내 고등학교 친구가 한 명 있다. 나는 그 친구에게서 5년에 한번 꼴로 소식을 듣는다. 그때마다 그 친구는 늘 완벽한 직장을 찾았다고 흥분한다. 그가 흥분하는 이유는 꿈의 직장을 찾았기 때문이다. 그 친구는 그 회사를 사랑한다. 그 회사는 멋진 일들을 하고 있다. 그 친구는 자기 일을 사랑하며 중요한 직함도 갖고 있다. 보수도 많고, 사람들도 좋고, 혜택도 근사하다. 그리고 승진의 기회도 근사하다. 한 4년 반쯤 후에 나는 다시 그 친구의 소식을 들었다. 하지만 이번에는 낙심하고 있었다. 그 친구가 일하는 회사는 부도가 났고 정직하지 못했다. 친구가 보기에 그 회사는 직원들을 존경심으로 대하지 않았다. 그 친구는 자신의 상사를 미워한다. 승진에서도 밀려났고 보수도 충분치 못하다. 그렇게 6개월이 지난 후에 그 친구는 다시 기뻐했다. 그가 기뻐한 이유는 다시 또 완벽한 직장을 찾았기 때문이다.

그 친구의 삶은 개가 자신의 꼬리를 쫓는 것과 비슷하다. 그것은 이런 모양을 하고 있다.

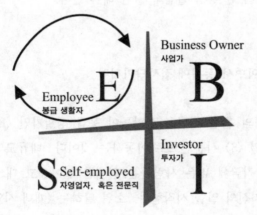

그의 삶은 이 직장 저 직장을 헤매는 것이다. 지금까지는 삶이 그런 대로 괜찮았다. 그 친구는 영리하고 매력적이고 사교적이기 때문이다. 하지만 시간이 가면서 상황은 변했고, 이제는 더 젊은 사람들이 그 친구의 자리를 위협하고 있다. 그에게는 저축한 돈도 몇 천 달러뿐이고, 퇴직 이후를 대비한 저금은 전혀 없고, 결코 영원히 소유할 수 없는 주택만 있다. 부양해야 할 가족이 있으며, 아이들 대학 등록금도 준비해야 한다. 막내 아이는 여덟 살로 전부인과 살고 있으며, 맏이는 열네 살로 그와 살고 있다.

그 친구는 나에게 늘 이렇게 말하곤 했다. 「나는 걱정할 필요가 없어. 나는 아직도 젊다구. 그러니까 나에게는 시간이 있다구」

지금도 그런 말을 할 수 있는지 궁금하다.

내가 볼 때 그 친구는 〈B〉나 〈I〉 사분면으로 빨리 이동하려는 진지한 노력을 할 필요가 있다. 새로운 태도와 새로운 교육 과정이 필요하다. 그 친구는 운이 좋아 복권에 당첨되거나 돈 많은 여자와 결혼하지 않는 한 평생 열심히 일만 해야 한다.

주방장이면서 동시에 접시 닦이까지

또 하나의 흔한 패턴은 사람들이 봉급 생활자인 〈E〉 사분면에서 자영업자인 〈S〉 사분면으로 이동하는 것이다. 대규모의 구조조정이 일어나는 작금에 많은 사람들은 낌새를 알아채고 대기업의 일자리를 떠나 자신의 일을 시작한다. 소위 말하는 〈재택 사업〉 붐이 일고 있다. 아주 많은 사람들이 〈자신의 사업을 시작한다〉, 〈자신의 일을 한다〉, 그리고 〈스스로 상사가 된다〉는 결정을 내렸다.

나는 특히 이 직종에 대해서 많은 생각을 한다. 내가 볼 때 〈S〉가 되는 것은 보상도 가장 클 수 있고 위험도 가장 클 수 있다. 나는 〈S〉 사분면이 가장 힘든 사분면이라고 생각한다. 실패의 비율은 높다. 그리고 성공한다 해도 성공은 실패보다 더 나쁠 수 있다. 왜냐하면 〈S〉로 성공하면 다른 어떤 사분면에 있는 경우보다 더 열심히 일해야 하기 때문이다. 그리고 아주 오랫동안 더 열심히 일하게 될 것이다. 성공하는 동안에는 그래야만 할 것이다.

〈S〉 사분면에 속하는 자영업자나 전문직 종사자들이 가장 열심히 일하는 이유는 대개 그들은 〈주방장이면서 접시닦이〉이기 때문이다. 이들은 더 큰 기업에서는 많은 관리자들과 직원들이 하는 그 모든 일을 혼자서 처리해야 한다. 갓 시작한 〈자영업자〉들은 종종 전화를 받고, 청구서를 지불하고, 세일즈 통화를 하고, 적은 예산으로 광고를 시도하고, 고객들을 다루고, 직원들을 고용하고, 또 해고하고, 직원들이 나타나지 않으면 빈 자리를 채우고, 세무원들과 얘기하고, 정부의 감독을 물리치고, 그 밖에도 온갖 일을 한다.

개인적으로 나는 누군가 자기 사업을 시작할 것이라고 얘기할 때마다 몸을 움츠린다. 나는 그들에게 성공을 기원하지만 많은 걱정도 한다. 나는 너무도 많은 〈E〉 사분면에 속하는 월급쟁이들이 평생 모은 돈이나 친구 혹은 가족에게서 빌린 돈을 갖고 사업을 시작하는 것을 보았다. 그렇게 한 3년 동안 고생하고 애쓴 후에 사업은 끝장나고, 이제 남는 것은 평생의 저축이 아니라 갚아야 할 빚뿐이다.

전국적으로 이런 유형의 사업 중에서 열의 아홉은 5년 내에 실패한다. 남은 하나 중에서 다시 열의 아홉은 다음 5년 내에 실패한다. 다시 말해, 소규모 사업 중에서 100에 99는 10년 내에 사라지고 만다.

내가 볼 때 처음 5년 동안 대부분이 실패하는 이유는 경험 부족과 자본 부족 때문이다. 살아 남은 하나가 다음 5년 동안에 종종 실패하는 이유는 자본의 부족 때문이 아니라 에너지의 부족 때문이다. 오랜 동안의 힘든 일이 마침내 에너지를 소진시키는 것이다. 많은 〈자영업자 혹은 전문직 종사자〉들은 그냥 탈진하고 만다. 그렇게도 많은 고학력의 전문가들이 회사를 바꾸거나, 무언가 새로운 것을 시작하거나, 혹은 죽는 것도 그 때문이다. 어쩌면 그래서 의사와 변호사들의 평균 수명이 대부분의 다른 사람들보다 더 짧은 것인지 모른다. 그들의 평균 수명은 58세인 반면 대부분의 다른 사람들은 70대까지 산다.

운이 좋아 살아 남은 사람들은 일찍 일어나 일터에 가고 평생 열심히 일하는 패턴에 익숙해진다. 그들은 그렇게 사는 법만 아는 것 같다.

내 친구의 부모님을 보면 그것을 알 수 있다. 그분들은 45년 동안 길 모퉁이에 있는 주류 판매점에서 오랜 시간을 일했다. 그 동네에 범죄가 늘면서 그분들은 문과 창문들에 강철봉을 설치해야만 했다. 그래서 이제는 은행에서 그러듯이 좁은 창구로 돈을 주고 받아야 한다. 나는 이따금씩 그곳을 지나며 그분들을 본다. 그들은 착하고 친절한 분들이지만, 나는 그분들이 사실상 감옥에 갇혀 아침 10시부터 새벽 2시까지 강철봉 너머로 응시하는 모습을 보면 슬퍼진다.

영리한 자영업자들은 김이 빠지기 전인 전성기에 에너지와 돈이 있는 누군가에게 사업체를 판다. 그들은 잠시 쉰 후에 다시 새로운 것을 시작한다. 그들은 계속해서 자기 일을 하며 그것을 사랑한다. 하지만 그들은 언제 나와야 할지 알아야만 한다.

아이들에게 주는 최악의 조언

당신이 1950년 이전에 태어났다면, 〈학교에 가서 좋은 성적 올리고, 그런 후에 안전하고 안정적인 직장을 얻거라〉라는 조언은 좋은 조언이다. 하지만 당신이 1950년 이후에 태어났다면, 그것은 나쁜 조언이다.

왜 그럴까?

그 답은 여기에서 찾을 수 있다.

1 세금

2 부채

〈E〉 사분면에서 수입을 올리는 사람들은 사실상 세금 혜택이 전혀 없다. 오늘날 직원이 된다는 것은 정부와 50 대 50의 파트너가 됨을 의미한다. 그러니까 결국에는 정부가 직원들 수입의 50% 이상을 갖고 간다는 뜻이며, 그중에서 상당 부분은 직원들이 만져보기도 전에 정부가 갖고 간다.

빚을 더 질 때만 정부가 세금 혜택을 준다는 점을 감안하면, 〈E〉 사분면과 〈S〉 사분면에서 경제적 자유를 얻는 것은 대부분의 사람들에게 사실상 불가능한 일이다. 나는 종종 회계사들이 〈E〉 사분면에서 더 많은 수입을 올리기 시작하는 고객들에게 더 큰 집을 사서 더 많은 세금 혜택을 받으라고 말하는 것을 듣는다. 이런 얘기는 〈현금흐름 사분면〉의 왼쪽 편에 있는 사람에게는 일리가 있을 수도 있지만 오른쪽 편에 있는 사람에게는 전혀 일리가 없다.

백만 달러를 번 부자가 세금을 전혀 내지 않았다?

세금은 현대 사회에서 꼭 필요한 것이다. 문제가 생기는 것은 세금이 지나치게 남용될 때이다. 다음 몇 년 동안 수백만의 전후 세대가 은퇴를 시작할 것이다. 이들의 역할은 납세자에서 은퇴자로 변해 사회보장 수혜자가 되는 것이다. 따라서 더 많은 세금을 걷어야만 이런 변화를 지탱할 수 있다. 미국을 비롯한 선진국들은 경제적으로 쇠퇴할 것이다. 돈이 있는 사람들은 그 돈을 환영하는 나라들로 떠날 것이다. 돈이 있다고 벌을 주는 나라는 떠날 것이다.

금년 초에 나는 어떤 신문 기자와 인터뷰를 했다. 인터뷰 동안에 그 사람은 내가 작년에 얼마나 많은 돈을 벌었는지 물었다. 나는 이렇게 대답했다. 「대략 백만 달러를 벌었습니다」

「그러면 세금은 얼마나 냈습니까?」 기자가 물었다.

「거의 내지 않았습니다」 내가 말했다. 「그 돈은 자본 소득으로 번 것이고, 나는 그런 세금을 영원히 연기할 수 있습니다. 나는 세 건의 부동산을 팔았고 미국의 세법 1031조의 교환 거래를 이용했습니다. 나는 그 돈을 만지지도 못했습니다. 나는 그것을 훨씬 더 큰 부동산에 재투자했습니다」 며칠 후에 그 신문은 이런 기사를 실었다.

〈백만 달러를 번 부자가 세금을 전혀 내지 않았다.〉

물론 나는 그런 식의 얘기를 했지만, 몇몇 단어들이 빠져 있어서 내용을 왜곡시켰다. 나로서는 그 기자가 악의를 품었는지, 혹은 단순히 미국의 세법 1031조를 제대로 이해하지 못했는지 알 수가 없다. 그 이유가 무엇이건, 그것은 사분면이 다르면 시각도 다르다는 전형적인 예를 보여준다. 이미 얘기했듯이 모든 수입이 같은 것은 아니다. 어떤 수입은 다른 수입보다 훨씬 더 적은 세금을 낸다.

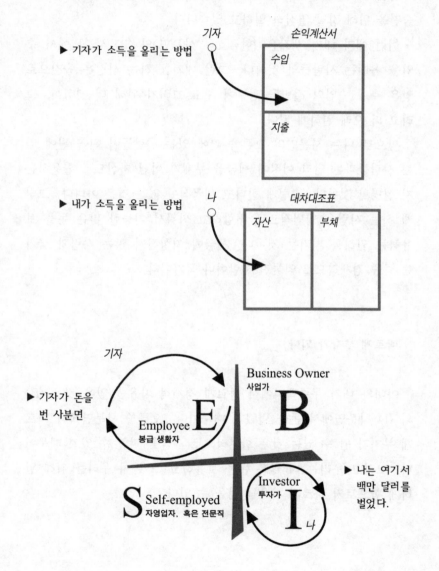

▶ 기자가 소득을 올리는 방법

기자 손익계산서

수입

지출

▶ 내가 소득을 올리는 방법

나 대차대조표

자산 부채

▶ 기자가 돈을 번 사분면

기자

Employee **E**
봉급 생활자

Business Owner **B**
사업가

S Self-employed
자영업자, 혹은 전문직

Investor **I**
투자가 나

▶ 나는 여기서 백만 달러를 벌었다.

그리고 나는 지금도 사람들이 이렇게 말하는 것을 듣는다. 「나는 승진을 위해 다시 학교에 가 더 공부를 할 생각입니다」혹은 「나는 승진을 위해 정말 열심히 일하고 있습니다」

이런 얘기 내지 생각은 〈현금흐름 사분면〉의 〈E〉 사분면에서 수입을 올리는 사람들의 것이다. 그런 얘기를 하는 사람은 승진으로 얻은 추가 수입의 절반을 정부에 주고 그러기 위해 더 열심히, 그리고 더 오래 일하게 된다.

앞으로 나는 사분면의 오른쪽 편에 있는 사람들이 왼쪽 편에 있는 사람들과는 달리 어떻게 세금을 부채가 아닌 자산으로 활용하는지 설명할 것이다. 그렇게 한다고 애국심이 없는 것은 아니다. 그렇게 하는 사람은 합법적으로 저항하고 싸워서 가능한 많은 돈을 보유하는 권리를 지키는 것이다. 세금에 저항하지 않는 사람과 국가는 종종 경제적으로 억눌린 사람이나 국가이다.

빠르게 부자가 되다

아내와 내가 무주택자에서 빠르게 경제적 자유를 얻은 것은 〈B〉와 〈I〉 사분면에서 돈을 벌었기 때문이다. 오른쪽 사분면에서 빠르게 부자가 될 수 있는 것은 합법적으로 세금을 피할 수 있기 때문이다. 그리고 우리는 더 많은 돈을 보유하고 그 돈이 우리를 위해 일하게 함으로써 빠르게 자유를 얻을 수 있다.

어떻게 자유를 얻는가

세금과 부채는 대부분의 사람들이 경제적 안정이나 경제적 자유를 얻지 못하는 두 가지 주된 이유이다. 안정이나 자유로 가는 길은 〈현금흐름 사분면〉의 오른쪽 편에서 발견된다. 우리는 안정적인 직장 이상의 것을 볼 필요가 있다. 이제는 〈경제적 안정〉과 〈경제적 자유〉의 차이를 알 때가 되었다.

다음과 같은 것들의 차이는 무엇인가

첫째, 안정적인 직장
둘째, 경제적인 안정
셋째, 경제적인 자유

이미 얘기했듯이, 교육을 많이 받은 내 아버지는 안정적인 직장에 집착했다. 그리고 그 세대 대부분의 사람들이 그러했다. 그분은 안정적인 직장이 경제적 안정을 뜻한다고 착각했다. 그러다가 직장을 잃고 다시 직장을 얻지 못했을 때 그것을 깨달았다. 부자 아버지는 한번도 안정적인 직장에 대해 얘기하지 않았다. 그분은 대신에 경제적, 재정적 자유에 대해 얘기했다.

우리가 바라는 그런 안정이나 자유를 얻으려면 〈현금흐름 사분면〉에서 볼 수 있는 패턴들을 잘 관찰할 필요가 있다.

첫째, 안정적인 직장의 패턴

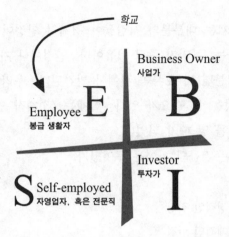

이런 패턴의 사람들은 종종 자기 일을 하는 데 뛰어나다. 많은 사람들은 학교에서 여러 해를 보내고 다시 또 직장 경력을 쌓기 위해 여러 해를 보낸다. 그러나 이들은 사업가 그룹인 〈B〉 사분면이나 투자가 그룹인 〈I〉 사분면에 대해서는 아는 것이 거의 없다. 이들은 안정적인 직장이나 직업에 대한 훈련만을 받았기 때문에 경제적으로 불안정을 느낀다.

경제적, 재정적으로 더 안정되려면 봉급 생활자 그룹인 〈E〉나 자영업자 그룹인 〈S〉 사분면에서 일하는 것 외에 사업가 그룹인 〈B〉나 투자가 그룹인 〈I〉 사분면에서도 교육을 받을 필요가 있다. 사분면의 양쪽 편 모두에서 자신들의 능력을 확신하게 되면 비록 돈이 없더라도 자연히 더 안정감을 느끼게 된다. 아는 것은 힘이다. 우리가 할 일은 그런 지식을 활용할 기회를 기다리는 것뿐이다. 그리고 그러면서 돈을 모으는 것이다.

그래서 조물주는 우리에게 두 개의 다리를 주었다. 다리가 하나뿐이라면 우리는 늘 뒤뚱거리고 불안할 것이다. 그러나 왼쪽과 오른쪽 양쪽을 갖고 있으면 더 안정감을 느낄 수 있다. 자신들의 직장이나 직업에 대해서만 아는 사람들은 다리가 하나뿐인 사람들이다. 이런 사람들은 경제적인 위기가 닥칠 때마다 다리가 둘인 사람들보다 더 뒤뚱거린다.

둘째, 경제적 안정의 패턴

아래 그림은 〈E〉 사분면에 속하는 사람들을 위한 경제적 안정의 모양이다.

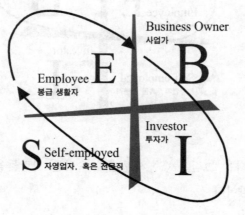

돈을 그냥 연금 통장에 넣고 최상을 바라는 대신에, 사람들은 투자가와 직원 모두로서 교육을 받아 더 자신감을 가질 수 있다. 우리

가 학교에서 안정적인 직장에 대해 배우는 것처럼, 나는 당신에게 전문적인 투자가가 되는 법을 배우라고 권유한다.

내가 자산 부분에서 백만 달러를 벌었지만 세금은 내지 않았다는 사실에 당혹감을 느낀 그 기자는 나에게 이런 질문은 결코 하지 않았다.「당신은 어떻게 백만 달러를 벌었습니까?」

내가 볼 때는 그것이 진짜 필요한 질문이다. 합법적으로 세금을 적게 내는 것은 쉬운 일이다. 하지만 백만 달러를 버는 것은 쉬운 일이 아니다.

경제적 안정으로 가는 두번째 길은 아래의 모양일 것이다.

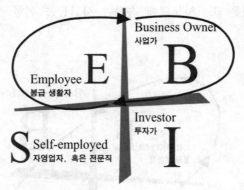

그리고 다음 그림은 〈S〉 사분면에 속하는 사람들을 위한 경제적 안정의 모양이다.

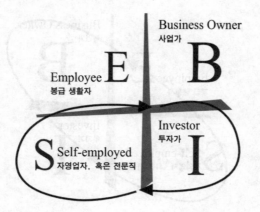

이것은 토머스 스탠리가 지은 『옆집에 사는 백만장자 *The Millionaire Next Door*』라는 책에서 설명한 패턴이다. 그 책은 아주 좋은 책이다. 평균적인 미국의 백만장자는 자영업을 하고, 검소하게 살고, 장기적인 투자를 한다. 위의 패턴은 그런 삶의 길을 보여준다.

〈S〉 사분면에서 〈B〉 사분면으로 가는 다음의 그림은 종종 빌 게이츠 같은 위대한 창업가들이 밟는 길이다. 이것은 가장 쉬운 길은 아니지만, 내가 볼 때는 가장 좋은 길의 하나이다.

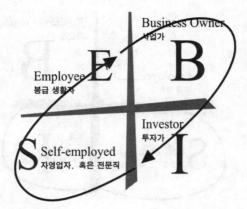

하나보다는 둘이 낫다

따라서 하나 이상의 사분면, 특히 왼쪽과 오른쪽 양쪽 모두에서 배움을 얻는 것은 한쪽 사분면에서만 좋은 것보다 훨씬 더 낫다. 나는 2장에서 이렇게 얘기했다. 즉, 평균적인 부자는 사분면의 오른쪽에서 70%를 벌고 왼쪽에서 30%를 번다고. 사람들은 얼마를 벌건 하나 이상의 사분면에서 일을 할 때 더 안정감을 느낀다. 경제적 안정은 〈현금흐름 사분면〉의 양쪽 모두에서 보루를 갖는 것이다.

〈현금흐름 사분면〉의 양쪽 모두에서 성공하는 것이 무엇인지 잘 보여주는 내 친구 둘이 있다. 이들은 굉장히 안정적인 직장을 갖고 있으며, 동시에 사분면의 오른쪽에서도 엄청난 경제적 부를 달성했다. 둘 모두 시 정부에서 일하는 소방수이다. 이들에게는 괜찮은 꾸준한 봉급과 멋진 혜택, 그리고 은퇴 계획이 있으며 일주일에 이틀만 일을 한다. 이들은 일주일에 3일은 전문적인 투자가로 일을 한다. 그리고 나머지 이틀은 쉬면서 가족과 함께 지낸다.

한 친구는 낡은 집을 사서 고친 후에 임대 수입을 올린다. 이 글을 쓰는 지금 그 친구는 45채의 집을 갖고 매달 1만 달러의 수입을 올린다. 그것은 부채, 세금, 유지비, 관리비, 그리고 보험료를 뺀 순수입이다. 이 친구는 소방수로서 3,500달러를 벌기 때문에, 모두 합하면 매월 1만3천 달러와 매년 15만 달러 이상의 수입을 올린다. 이 친구는 5년 후에 은퇴할 계획인데, 목표는 56세에 20만 달러 이상의 연수입을 올리는 것이다. 이 정도면 네 아이가 있는 공무원에게는 괜찮은 것이다.

또다른 친구는 시간이 나는 대로 기업들을 분석하고 주식과 옵션에서 상당한 장기적 포지션을 갖는다. 이 친구의 포트폴리오는 현재 3백만 달러 이상이다. 이것을 모두 현금으로 바꿔 연간 10%의 이자 수입을 올린다면, 이 친구는 특별한 시장의 변화가 없는 한 연간 30만 달러의 수입을 올릴 수 있다. 이번에도 두 아이가 있는 공무원에게는 괜찮은 것이다.

두 친구 모두 20년 동안의 투자에서 충분한 수입을 올리기 때문에 40세에 은퇴할 수도 있었다. 하지만 두 친구 모두 일을 즐기고 있으며 시 정부에서 주는 모든 혜택을 받는 은퇴를 원하고 있다. 그렇게 되면 이들은 사분면의 양쪽 모두에서 성공의 혜택을 누리기 때문에 자유를 얻을 것이다.

돈만으로는 안정을 얻을 수 없다

나는 연금 통장에 수백만 달러가 있으면서도 여전히 불안을 느끼는 많은 사람들을 만났다. 그들은 왜 그렇게 불안감을 느낄까? 왜냐하면 그 돈은 그들의 직업 내지 사업에서 나오는 것이기 때문이다. 이들은 종종 그 돈을 연금 계좌에 투자하고 있지만 투자에 대해서는 아는 것이 거의 없다. 그 돈이 사라지고 그들의 일하는 능력도 사라지면 어떻게 할 것인가?

큰 경제적 변화의 시기에는 늘 재산의 큰 이전이 있다. 당신에게 돈이 많지 않더라도 교육에 투자하는 것은 중요하다. 그런 때가 되면 당신은 더 잘 준비되어 있기 때문이다. 무지와 두려움에 사로잡히지 말라. 이미 얘기했듯이, 어떤 사람도 장래의 일을 예측할 수는 없다. 하지만 어떤 일이 일어나건 준비가 되어 있으면 이득을 얻을 수 있다. 따라서 우리는 지금 배움을 얻어야 한다.

셋째, 경제적 자유의 패턴

이것은 부자 아버지가 내게 권했던 공부 패턴이다. 이것은 진정한 경제적 자유로 가는 길이다. 왜냐하면 사업가 그룹인 〈B〉 사분면에서 사람들은 당신을 위해 일하고, 투자가 그룹인 〈I〉 사분면에서는 돈이 당신을 위해 일하기 때문이다. 당신은 자유롭게 일을 할 수도 있고 안 할 수도 있다. 당신은 이 두 사분면에 대한 지식으로 일에서 완전히 자유로운 상태가 될 수 있다.

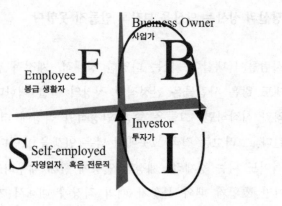

　정말로 부자인 사람들은 사분면의 이런 패턴을 갖고 있다. 이런 패턴으로 돈을 버는 사람은 마이크로소프트의 빌 게이츠, 뉴스 코퍼레이션의 루퍼트 머독, 버크셔 해서웨이의 워런 버펫, 그리고 로스 페로를 들 수 있다.

　한 가지 조심할 것은 있다. 〈B〉 사분면은 〈I〉 사분면과 무척 다르다. 나는 많은 성공한 〈B〉 사분면에 속하는 사람들이 수백만 달러에 사업체를 팔고 엄청난 돈을 버는 것을 보았다. 그들은 그런 돈이 금융 지능을 보여주는 것이라고 생각하는 경향이 있다. 그래서 그들은 용감하게 〈I〉 사분면으로 내려갔다가 모두를 잃곤 한다. 게임과 규칙은 모든 사분면에서 각각 다르다. 내가 무엇보다 먼저 배움을 얻으라고 얘기하는 것도 그 때문이다.

　경제적 안정의 경우와 마찬가지로, 두 사분면에 속해 있으면 경제적 자유의 세상에서 더 튼튼한 기반을 갖게 된다.

당신의 상사는 당신을 부자로 만들지 못한다

사람들이 택할 수 있는 다양한 경제적, 재정적 길들이 있다. 아쉽게도 많은 사람들은 안정적인 직장의 길을 택한다. 경제가 비틀거리기 시작하면, 그들은 종종 안정적인 직장에 더 필사적으로 매달린다. 그러고는 결국 그곳에서 남은 인생을 보낸다.

적어도 나는 경제적, 재정적 안정에 관해 배우라고 권유한다. 그래야만 호황기 때와 불황기 때의 직장에 대해서 자신감을 느끼고 투자하는 능력에 대해서 자신감을 느낀다. 진짜 투자가들은 불황기 때 더 많은 돈을 번다. 이들이 돈을 버는 이유는 비투자가들이 사실은 사야 할 때 겁을 먹고 팔기 때문이다. 내가 곧 닥칠 수도 있는 경제적 변화를 염려하는 것도 그 때문이다. 왜냐하면 변화는 재산이 이전됨을 의미하기 때문이다.

지금 일어나고 있는 경제적 변화는 부분적으로 기업들의 매각과 합병에서 비롯된다. 최근에 내 친구 하나가 자기 회사를 팔았다. 그는 회사를 판 날 은행 구좌에 1천5백만 달러 이상을 넣었다. 그 친구의 직원들은 새로운 직장을 찾아야만 했다.

눈물로 가득 찬 고별 파티에서 극심한 분노와 적개심이 팽배했다. 내 친구는 여러 해 동안 직원들에게 보수도 많이 주었지만, 대부분의 직원들은 처음 일했을 때보다 경제적으로 나아진 것이 없었다. 많은 사람들이 기업주는 부자가 되었지만 자신들은 그동안에 봉급이나 타고 청구서나 지불하면서 살았음을 깨달았다.

실제적으로 당신 상사의 일은 당신을 부자로 만드는 것이 아니다. 당신 상사의 일은 당신이 봉급을 제때 받도록 하는 것이다. 부자가 되는 것은 당신이 할 일이다. 그리고 그 일은 봉급을 받는 순간부터 시작된다. 당신의 돈 관리 기술이 엉망이라면 아무리 많은 돈을 받아도 소용이 없다. 당신이 돈을 현명하게 관리하고 〈B〉나 〈I〉 사분면에 대해 배움을 얻는다면, 그때는 당신도 많은 재산을 모을 수 있고 무엇보다 자유를 얻을 수 있다.

부자 아버지는 자신의 아들과 나에게 이렇게 말하곤 했다. 「부자들과 가난한 사람들의 차이가 있다면, 그것은 그들이 여유 시간에 무엇을 하는가에 있다」

나는 그 말에 동의한다. 사람들은 그 어느 때보다 더 바쁜 것 같다. 그리고 자유 시간은 점점 더 소중한 것이 되고 있다. 그러나 나는 이렇게 제안하고 싶다. 이왕 바쁠 거라면 사분면의 양쪽 모두에서 바쁘라고. 그렇게 하면 결국에는 더 많은 자유 시간과 더 많은 경제적 자유를 얻을 가능성이 높아진다. 직장에서 일할 때는 열심히 일을 하라. 근무 시간에 경제 신문 같은 것을 읽지 말라. 그러면 당신의 상사는 그것에 감사하고 당신을 더 존경할 것이다. 당신이 퇴근 후에 봉급과 여유 시간으로 하는 일이 당신의 미래를 결정할 것이다. 당신은 사분면의 왼쪽에서 열심히 일한다면 평생 열심히 일할 것이다. 그러나 사분면의 오른쪽에서 열심히 일하면 자유를 얻을 가능성이 있다.

내가 추천하는 길

나는 종종 사분면의 왼쪽에서 일하는 사람들로부터 이런 질문을

받는다. 「당신은 어떤 길을 추천하고 싶습니까?」 나는 부자 아버지
가 내게 추천했던 바로 그 길을 추천한다. 그것은 로스 페로와 빌
게이츠 같은 사람들이 걸었던 바로 그 길이다. 그 길은 이런 모양을
하고 있다.

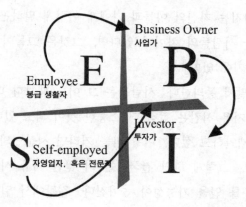

　나는 때때로 이런 불평을 듣는다. 「하지만 나는 투자가가 되고
싶은데요」
　그 말에 나는 이렇게 대답한다. 「그렇다면 〈I〉 사분면으로 가세
요. 당신에게 돈이 많고 자유 시간이 많다면 바로 〈I〉 사분면으로
가세요. 하지만 당신에게 시간과 돈이 충분치 않다면, 내가 추천하
는 그 길이 더 안전합니다」
　대개의 경우 사람들은 돈이나 시간이 충분치 않다. 그래서 그들
은 또다른 질문을 한다. 「왜죠? 왜 당신은 먼저 〈B〉 사분면을 추천
하죠?」
　이 설명은 대개 한 시간 정도 걸리며, 나는 이곳에서 길게 얘기

하지 않으려 한다. 하지만 나는 그 이유를 다음의 몇 줄로 요약하려 한다.

첫째, 경험과 교육

당신이 먼저 사업가인 〈B〉로 성공하면 강력한 투자가인 〈I〉로 발전할 가능성은 더 높다.

〈투자가〉들은 〈사업가〉들에 투자한다.

당신이 먼저 튼튼한 사업 감각을 익히면 더 나은 투자가가 될 수 있다. 당신은 다른 좋은 〈B〉 사분면의 사람들을 더 잘 알아낼 수 있다. 진짜 투자가들은 건실한 사업 시스템이 있는 성공적인 사업가들에게 투자한다. 시스템과 제품의 차이를 모르는, 혹은 훌륭한 리더십 기술이 부족한 〈E〉나 〈S〉에게 투자하는 것은 위험스런 일이다.

둘째, 현금흐름

당신에게 잘 돌아가는 사업체가 있으면, 그때는 충분한 자유 시간과 현금흐름으로 〈I〉 사분면의 변동성을 지탱할 수 있다.

나는 〈E〉나 〈S〉 사분면 출신의 사람들이 현금에 쪼들리는 것을 너무나 많이 보았다. 그들은 어떤 종류의 경제적 손실이건 감당할 여유가 없다. 한번 시장이 흔들리면 그들은 거의 끝장난다. 그들은 경제적으로 〈빨간 줄〉에서 살고 있기 때문이다.

실제로 투자는 자본과 지식 집약적이다. 때로는 많은 자본과 시간이 있어야 그런 지식을 얻을 수 있다. 많은 성공적인 투자가들은 여러 차례 실패한 후에 성공했다. 성공한 사람들은 성공이 빈약한 교사임을 알고 있다. 배움은 실수에서 비롯되는 것이다. 그리고 〈I〉

사분면의 실수에는 많은 비용이 따른다. 지식과 자본도 없으면서 투자가가 되려는 것은 경제적 자살 행위이다.

먼저 좋은 〈B〉가 되는 기술을 익히면 또 좋은 투자가로 나아가는 데 필요한 현금흐름을 만들 수 있다. 당신이 〈B〉로 만드는 사업은 당신에게 필요한 현금을 제공해 당신이 교육을 받아 좋은 투자가가 되는 것을 지원한다. 일단 성공적 투자가가 되는 데 필요한 교육을 얻게 되면 당신은 내가 한 말을 이해하게 될 것이다. 즉, 〈항상 돈이 있어야 돈을 버는 것은 아니다〉.

이제는 그 어느 때보다 〈B〉 사분면에서 성공하는 것이 더 쉬워졌다. 그동안 많은 신기술 발전으로 많은 것들이 더 쉬워진 것처럼, 신기술은 〈B〉 사분면에서 성공하는 것도 더 쉽게 만들었다. 물론 그것은 그냥 최저 임금의 직장을 얻는 것만큼 쉽지는 않다. 하지만 이제는 점점 더 많은 사람들이 사업가인 〈B〉로서 경제적 성공을 달성할 수 있는 시스템이 마련되었다.

제4장

사업가의 길로 가는 세 가지 방법

문제는 사업가인 〈B〉가 되는 〈장막 뒤의〉 상황들을 배울 만큼
충분한 특권이나 행운을 가진 사람들은 많지 않다는 것이다.
대부분 기업에서 하는 〈관리자 훈련 프로그램〉은 그 일부에 불과하다.
즉, 기업들은 우리가 관리자가 되는 법만 가르친다.
〈B〉가 되는 데 필요한 것을 가르치는 기업은 거의 없다.
관리자는 종종 부하 직원들을 열등한 사람들로 본다.

사업가 그룹인 〈B〉 사분면으로 이동할 때 기억할 것은 이것이다.
즉, 당신의 목표는 시스템을 소유하고 사람들이 당신을 위해 그 시
스템을 움직이게 하는 것이다. 시스템은 스스로 만들 수도 있고 돈
을 주고 살 수도 있다. 시스템은 당신이 〈현금흐름 사분면〉의 왼쪽
에서 오른쪽으로 안전하게 건너도록 하는 일종의 다리 역할을 한
다. 그러니까 경제적 자유로 건너가는 다리인 것이다.

오늘날 흔히 사용되는 사업 시스템에는 다음의 세 종류가 있다.

1 전통적 타입의 기업체: 당신이 직접 시스템을 개발한 것.
2 가맹점(franchise): 기존의 시스템을 사는 것.

3 네트워크 마케팅: 기존의 시스템에 들어가 그 일부가 되는 것.

각각의 시스템에는 나름의 강점과 약점이 있다. 그러나 모두가 결국에는 같은 일을 한다. 제대로 운영하면 각각의 시스템은 물리적 노력 없이도 소유자가 꾸준한 수입을 올리게 해준다. 일단 잘 돌아가면 말이다. 문제는 그것을 잘 돌아가게 하는 것이다. 사람들은 1985년에 우리에게 이렇게 물었다. 「당신은 왜 집이 없습니까?」그때마다 아내와 나는 이렇게 대답했다. 「우리는 집이 아니라 사업 시스템을 만들고 있습니다」

우리가 만들던 사업 시스템은 전통적 타입의 기업체와 가맹점의 혼성이었다. 이미 얘기했듯이 〈B〉 사분면에서는 시스템과 사람에 대한 지식이 모두 필요하다.

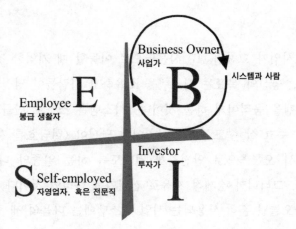

우리가 직접 시스템을 만들기로 한 결정은 많은 힘든 일을 필요로 했다. 나는 전에도 그런 길을 간 적이 있었고, 내가 만든 회사는

실패했다. 그 회사는 몇 년 동안 성공했지만 5년째 되던 해에 갑자기 무너졌다. 성공이 찾아왔을 때 우리는 적절한 시스템을 준비하지 못하고 있었다. 우리가 열심히 일하는 사람들이었음에도 그 시스템은 무너지기 시작했다. 우리는 마치 큰 요트를 타고 항해를 하다가 갑자기 요트에 구멍이 난 것 같은 기분이었다. 그리고 우리는 그 구멍을 찾을 수 없었다. 우리 모두 새는 곳이 어디인지 알아내려 애썼지만 알 수가 없었다. 그리고 우리는 구멍을 찾아내 고칠 때까지 충분히 빠르게 물을 퍼내지도 못했다. 설사 구멍을 찾았다 해도 그것을 막을 수 있을지는 확신하지 못했다.

둘 혹은 셋의 회사를 잃을지도 모른다

내가 고등학교에 다닐 때, 부자 아버지는 자신의 아들과 나에게 이렇게 얘기했다. 자신도 20대 시절에 회사를 잃은 적이 있다고. 「그것은 내 삶에서 가장 좋은 경험이면서 가장 나쁜 경험이기도 했지」 부자 아버지가 말했다. 「나는 그 상황을 무척 힘들어했지만 회사를 다시 일으켜 결국에는 큰 성공으로 만듦으로써 더 많은 것을 배웠다」

내가 직접 회사를 차릴 생각을 하고 있음을 알았던 부자 아버지는 이렇게 얘기했다. 「너는 둘 혹은 셋의 회사를 잃고 나서야 오래가는 성공적인 회사를 겨우 만들 수 있을 게다」

그분은 자신의 아들인 마이크가 자신의 제국을 넘겨받도록 훈련시키고 있었다. 나는 아버지가 공무원이었기 때문에 제국을 물려받지 못할 판이었다. 대신에 나는 직접 그것을 세워야만 했다.

「성공은 실패에 비하면 오히려 빈약한 교사이다」부자 아버지는 늘 그렇게 얘기했다. 「우리는 실패할 때 자신에 대해서 가장 많이 배운다. 그러니 실패를 두려워하지 말아라. 실패는 성공으로 가는 길의 일부이다. 실패하지 않고는 성공할 수도 없다. 실패를 해보지 않은 사람은 성공도 할 수 없다」

어쩌면 그것이 앞일을 예고한 것이었는지 모르겠다. 어쨌든 1984년에 무너진 회사는 나의 세번째 회사였다. 나는 수백만 달러를 벌었다가 수백만 달러를 잃었으며 처음부터 다시 시작했다. 그리고 그때 지금의 아내를 만났다. 나는 아내가 돈 때문에 결혼하는 것이 아님을 알 수 있었다. 그때 나는 돈이 거의 없었기 때문이다. 내가 네번째 회사를 만들 것이라고 얘기했을 때, 아내는 뒤로 물러서지 않았다.

「당신과 함께 회사를 만들겠어요」아내는 그렇게 얘기했다. 그리고 그 말을 실천으로 옮겼다. 또다른 파트너와 함께 우리는 전세계에 사무실이 열한 개가 있는 사업 시스템을 만들었다. 그 시스템은 우리가 일을 하건 안 하건 수입을 창출했다. 그것을 무에서 열한 개의 사무실로 키우는 데는 5년 동안의 피와 땀, 그리고 눈물이 필요했다. 하지만 결국에는 성공했다. 두 분 아버지 모두 나에게 만족했고 진심으로 축하했다(두 분 모두 내가 회사를 시작하면서 했던 이전의 실험들에서 많은 돈을 잃으셨다).

부자 아버지의 아들이자 내 친구인 마이크는 종종 나에게 이렇게 얘기했다. 「나는 네가 한 일이나 우리 아버지가 한 일을 나도 할 수 있을지 자신이 없어. 나는 그 시스템을 물려받았고, 내가 한 일은 그것의 운영법을 배운 것뿐이야」

나는 마이크도 성공적인 시스템을 만들었을 것이라고 확신한다. 왜냐하면 그는 자기 아버지에게서 많은 것을 배웠기 때문이다. 하지만 나는 마이크의 말을 이해한다. 무의 상태에서 회사를 세울 때 힘든 부분은 두 가지 큰 변수가 있다는 점이다. 즉, 시스템과 그 시스템을 만드는 사람들이다. 시스템과 사람들이 새기 시작하면 실패의 가능성은 높다. 때로는 새고 있는 것이 사람인지 시스템인지 아는 것조차 어렵다.

가맹점이 등장하기 전

부자 아버지가 나에게 사업가인 〈B〉가 되는 것에 대해 가르치기 시작했을 때, 당시에는 한 가지 종류의 사업만이 있었다. 그러니까 큰 사업체로서, 대개 마을을 지배하는 대규모 기업이었다. 하와이의 우리 마을에서는 사탕수수 농장이 거의 모든 것을 통제했다. 그들은 다른 큰 사업들도 통제했다. 그래서 결국에는 큰 사업체들과 그 사이에 낀 〈S〉 타입의 구멍가게 사업체들만 있었다.

그런 대규모 사탕수수 농장 같은 기업들에서 일하는 것은 부자 아버지와 나 같은 사람에게는 불가능한 일이었다. 일본인과 중국인, 그리고 원주민 같은 소수민들은 밭에서만 일했고 이사회에는 참석도 허락되지 않았다. 그래서 부자 아버지는 자신이 아는 모든 것을 시행착오를 통해 배울 수밖에 없었다.

내가 고등학교에 입학한 후에 소위 〈가맹점〉에 관한 이야기가 들리기 시작했다. 그러나 그런 것은 우리가 사는 작은 마을에는 들어오지 않았다. 우리는 맥도널드, KFC, 혹은 타코벨에 대한 얘기를 들은 적이 없었다. 그런 단어들은 내가 부자 아버지와 공부하던 시기에 우리가 사용하는 단어들이 아니었다. 마침내 그것들에 관한 소문을 듣기 시작했을 때 우리는 그것들이 〈불법적이고, 사기적이고, 위험한 것〉이라는 얘기를 들었다. 부자 아버지는 그런 소문을 듣자마자 즉시 캘리포니아로 날아갔다. 소문을 믿기보다는 직접 가맹점들을 확인하기 위해서였다. 다시 돌아왔을 때 부자 아버지는 이렇게만 얘기했다. 「가맹점은 미래의 물결이다」 그러고는 그런 가맹점 두 개의 권리를 매입했다. 가맹점이 널리 퍼지면서 부자 아버지의 재산은 급격하게 늘었다. 부자 아버지는 다른 사람들에게 그런 권리들을 팔아 그들도 나름대로 사업을 시작하도록 만들었다.

나도 그런 권리를 사야 하는지 물었을 때 부자 아버지는 이렇게 대답했다. 「아니다. 너는 벌써 직접 사업 시스템을 만드는 법을 아주 많이 배웠다. 이제 그것을 멈추면 안 된다. 가맹점은 직접 시스템을 만들고 싶지 않거나 만드는 법을 모르는 사람들을 위한 것이다. 게다가 너에게는 가맹점 권리를 사는 데 필요한 25만 달러가 없잖니」

오늘날 길 모퉁이에 맥도널드나 버거킹, 혹은 피자헛이 없는 도시를 생각하기는 쉽지 않다. 하지만 그리 오래지 않은 과거에는 그런 것들이 존재하지 않았다. 그리고 나는 그런 시절을 기억할 만큼 충분히 나이를 먹었다.

⟨B⟩ 사분면으로 빠르게 갈 수 있는 세 가지 방법

나는 이런 식으로 사업가인 ⟨B⟩가 되는 법을 배웠다. 즉, 나는 부자 아버지의 견습생이 되었다. 그분의 아들과 나는 둘다 봉급 생활자인 ⟨E⟩로서 ⟨B⟩가 되는 법을 배우고 있었다. 그리고 이것은 많은 사람들이 배우는 방식이다.

문제는 ⟨B⟩가 되는 ⟨장막 뒤의⟩ 상황들을 배울 만큼 충분한 특권이나 행운을 가진 사람들은 많지 않다는 것이다. 대부분 기업에서 하는 ⟨관리자 훈련 프로그램⟩은 그 일부에 불과하다. 즉, 기업들은 우리가 관리자가 되는 법만 가르친다. ⟨B⟩가 되는 데 필요한 것을 가르치는 기업은 거의 없다.

사람들은 종종 ⟨B⟩ 사분면으로 가는 여정에서 자영업자인 ⟨S⟩ 사분면에 갇히곤 한다. 이런 일이 일어나는 주된 이유는 그들이 충분히 강한 시스템을 개발하지 않기 때문이다. 그래서 그들은 결국 그 시스템의 필수적인 일부가 되고 만다. 성공적인 ⟨B⟩ 사분면의 사람들은 자신들의 참여 없이도 돌아가는 시스템을 개발한다.

당신이 ⟨B⟩ 사분면으로 빠르게 갈 수 있는 세 가지 방법이 있다.

첫째, 스승을 찾는다.

부자 아버지는 나의 스승이었다. 스승이라 함은 우리가 원하는 것을 이미 달성한 사람, 그리고 그 일을 성공적으로 한 사람을 말한다. 조언자를 찾지 말라. 조언자는 하는 법만 알려줄 뿐 실제로 자신은 하지 않은 사람이다. 대부분의 조언자들은 ⟨S⟩ 사분면에 있다. 세상에는 당신에게 ⟨B⟩나 ⟨I⟩가 되는 법을 알려주려 애쓰는 수

많은 〈S〉들이 있다. 부자 아버지는 조언자가 아니라 스승이었다. 부자 아버지가 나에게 준 멋진 가르침 하나는 이런 것이었다.

「네가 어떤 조언을 받고 있는지 유념해라. 물론 마음을 늘 열어야 한다. 그러나 먼저 그 조언이 어느 사분면에서 나오는 것인지부터 알아야만 한다」

부자 아버지는 시스템에 대해서, 그리고 사람들의 리더가 되는 법에 대해서 가르쳤다. 그분은 사람들의 관리자가 되는 법은 가르치지 않았다. 관리자는 종종 부하 직원들을 열등한 사람들로 본다. 하지만 리더는 종종 더 똑똑한 사람들을 이끌어야 한다.

시스템에 대해 배우는 전통적인 한 가지 방식은 유명한 경영대학원에서 MBA를 취득하고 기업체에서 빠르게 승진하는 것이었다. MBA가 중요한 이유는 회계의 기본들을 배우고 금융상의 숫자들이 어떻게 사업 시스템에 관련되는지 배우기 때문이다. 그러나 MBA 학위가 있다고 해서 자동적으로 완전한 사업 시스템으로 이어지게 될 그 모든 시스템의 운영 능력이 있다는 말은 아니다.

큰 회사에서 그 모든 시스템에 대해 배우려면 그곳에서 10년 내지 15년을 지내며 모든 사업의 다양한 측면을 배울 필요가 있다. 그렇게 하고 나면 그때는 회사를 떠나 직접 회사를 차릴 수 있다. 성공적인 기업에서 일하는 것은 스승에게서 돈을 받고 배우는 것과 비슷하다.

스승이 있고 수년 동안의 경험이 있다 해도 이 첫번째 방법은 노동 집약적이다. 직접 자신의 시스템을 만들기 위해서는 수많은 시행착오, 만만치 않은 법률 비용, 그리고 서류 업무가 필요하다. 그리고 이 모든 것은 당신이 사람들을 개발하려 애쓰는 같은 기간에 일어난다.

둘째, 가맹점을 산다.

시스템에 대해 배우는 또다른 방식은 가맹점을 사는 것이다. 가맹점을 사는 것은 〈시험되고 입증된〉 사업 시스템을 사는 것이다. 우리 주위에는 세계적으로 유명한 우수한 가맹점들이 많이 있다.

가맹점을 사는 것은 직접 시스템을 만들지 않고 대신에 사람들을 개발하는 데 집중하는 것이다. 시스템을 사면 〈B〉가 되는 법을 배울 때 한 가지 큰 변수를 넘어갈 수 있다. 은행들이 가맹점에는 돈을 빌려주고 작은 신설 사업체에는 돈을 빌려주지 않는 이유는 은행들이 시스템의 중요성을 인식하고 좋은 시스템이 있으면 위험을 줄일 수 있다고 믿기 때문이다.

가맹점을 살 때는 한 가지 주의할 점이 있다. 자영업자인 〈S〉가 되어 스스로 자기 일을 하지 않는 것이다. 가맹점 시스템을 살 때는 봉급 생활자인 〈E〉가 되어야 한다. 그 사람들이 하라고 하는 대로만 해야 한다. 가맹점을 파는 사람과 사는 사람이 치고 받으면서 싸우는 것보다 더 비극적인 것은 없다. 이런 싸움이 일어나는 이유는 가맹점을 사는 사람들이 자기 방식대로 하려 하면서 시스템을 만든 사람이 원하는 방식을 따르지 않기 때문이다. 자기 방식대로 하고 싶다면 시스템과 사람을 완전히 숙지한 후에 그렇게 해야 한다.

교육을 많이 받은 내 아버지는 비싼 값을 치르고 유명한 아이스크림 가맹점을 샀음에도 실패했다. 시스템 자체는 훌륭했음에도 아버지 사업은 실패하고 말았다. 내가 볼 때 그 가맹점이 실패한 이유는 아버지와 파트너로 일했던 사람들이 모두 〈E〉와 〈S〉로서, 상황이 나쁘게 돌아갈 때 어떻게 할지를 모르고 모기업의 지원을 요청하지 않았기 때문이다. 결국에는 그 파트너들이 자기들끼리 싸웠고, 사업은 무너지고 말았다. 그들은 진정한 사업가인 〈B〉는 시스템 이상이라는 것을 잊었다. 시스템을 운영하는 사람들도 중요하다는 점을 간과한 것이다.

은행은 시스템이 없는 사람에게는 돈을 빌려주지 않는다

은행이 시스템이 없는 작은 사업체에 돈을 빌려주지 않는다면, 당신도 그렇게 해야 할까? 거의 매일 사람들은 사업 계획을 갖고 나를 찾아와 자신의 사업 계획에 대한 자금을 모으려 한다.

대개의 경우 나는 한 가지 주요 이유 때문에 그들을 거절한다. 자금을 모으는 그 사람들은 제품과 시스템의 차이를 모르고 있다. 내 친구들 가운데 어떤 이들(밴드의 가수들)은 새로운 음악 CD를 개발하는 데 돈을 투자하라고 요구하며, 어떤 이들은 세상을 바꾸기 위해 새로운 비영리 단체를 만드는 데 도움을 요청한다. 나는 그들의 계획, 제품이나 사람은 좋아할 수도 있지만 그들이 사업 시스템을 만들고 운영하는 데 경험이 없으면 거절하고 만다.

단지 노래를 할 수 있다고 해서 마케팅 시스템, 금융과 회계 시스템, 판매 시스템, 사람들을 고용하고 해고하는 시스템, 법률 시스템, 그 밖에 사업을 띄우고 성공시키는 데 필요한 여러 시스템을 이해한다는 말은 아니다.

어떤 사업이 살아 남아 번창하려면 그 모든 시스템의 전부가 제대로 기능력과 설득력을 갖추어야 한다. 예를 들어, 비행기는 시스템들의 시스템이다. 비행기가 뜨기는 하지만 가령 연료 시스템이 고장나면 사고가 일어날 수밖에 없다. 사업에서도 마찬가지이다. 당신이 알고 있는 시스템이 문제를 일으키는 것은 아니다. 당신이 모르는 시스템이 사고를 일으키는 것이다.

인체 역시 시스템들의 시스템이다. 대부분의 우리는 인체 시스템의 어느 하나가 고장 나서 사랑하는 사람이 죽는 것을 본 적이 있다. 이를테면 혈액 시스템이 고장 나서 다른 모든 시스템들로 질병이 퍼지는 것처럼 말이다.

이런 이유로 입증되고 확인된 사업 시스템을 만드는 것은 쉽지 않다. 우리가 잊고 있는, 혹은 관심을 두지 않는 시스템이 고장을 일으키고 실패를 초래한다. 이런 이유로 나는 새로운 제품이나 아이디어가 있는 〈E〉나 〈S〉에는 좀처럼 투자하지 않는다. 전문적인 투자가들은 입증된 시스템이 있고 그 시스템의 운영법을 아는 사람들이 있을 때 투자한다.

이처럼 은행들이 입증되고 확인된 시스템에만 돈을 빌려주고 그것을 운영할 사람을 본다면, 당신도 같은 일을 해야만 한다. 그래야만 현명한 투자가가 될 수 있다.

셋째, 네트워크 마케팅을 한다.

이것은 종종 직접 유통 시스템이라고도 불린다. 가맹점의 경우처럼 법적인 시스템은 처음에 네트워크 마케팅을 불법화하려 했다. 새로운 시스템이나 아이디어는 종종 〈이상하고 의심스런 것〉으로 분류되는 이런 시기를 거치곤 한다. 하지만 그 후 몇 년 간 나는 네트워크 마케팅으로 이뤄지는 다양한 시스템들을 연구했다. 그리고 나는 몇몇 친구들이 이런 형태의 〈B〉에서 성공하는 것을 지켜보았다.

나는 네트워크 마케팅을 조사하기 시작한 후에 이런 사실을 알게 되었다. 즉, 진지하고 근면하게 성공적인 네트워크 마케팅 사업을 만드는 사람들은 많이 있다. 나는 이런 사람들을 만났을 때 그들의 사업이 다른 사람들의 삶과 경제적 미래에 끼치는 영향을 보았다. 나는 네트워크 마케팅 시스템의 가치를 정말로 인정하기 시작했다. 적절한 가입비를 내면 사람들은 기존의 시스템에 가입해서 즉시 자기 사업을 시작할 수 있다. 컴퓨터 산업의 기술적 발전 때문에 이런 조직들은 완전히 자동화되어 있다. 그래서 골치 아픈 서류 업무, 주문 처리, 유통, 회계와 사후 처리는 거의 전적으로 네트워크 마케팅 소프트웨어 시스템들이 관리한다. 새로운 유통업자들은 이런 자동화된 사업 기회를 공유해 사업을 구축하는 데 모든 노력을 기울이면서, 작은 사업을 시작하는 데 따르는 그 모든 골칫거리를 걱정하지 않아도 된다.

내 오랜 친구 중에 1997년에 부동산에서 수십 억 달러 이상의 거래를 했던 친구가 있다. 그런데 이 친구가 최근에 네트워크 마케팅 유통업자로 가입해서 자기 사업을 구축하기 시작했다. 나는 그 친구가 그렇게도 열심히 네트워크 마케팅 사업을 구축하는 것을 보고 놀랐다. 그 친구에게는 돈이 전혀 필요하지 않기 때문이었다. 내가 그 친구에게 이유를 물었을 때, 그 친구는 이런 식으로 설명했다.

「나는 학교에 가서 공부를 해 CPA가 되었고 금융 분야에서 MBA를 취득했지. 내가 어떻게 그렇게 부자가 되었는지 사람들이 물을 때, 나는 내가 하는 수백만 달러 규모의 부동산 거래에 대해 얘기하고 내가 매년 부동산에서 얻는 수십만 달러의 수동적 수입에 대해 얘기하곤 하지. 그러면 사람들은 종종 뒤로 발을 빼거나 얼굴을 돌리곤 해. 우리 모두 그들이 내가 하는 것처럼 수백만 달러의 부동산 거래를 할 가능성은 거의 전무함을 알고 있지. 그에 필요한 교육적 배경은 차치하고라도, 그들에게는 투자할 여유 자본이 없는 거지. 그래서 나는 내가 부동산에서 개발한 같은 수준의 수동적 수입을 그들도 달성하도록 도울 수 있는 방법을 찾기 시작했지. 다시 학교에 가 6년을 더 보내고 부동산 투자에 12년을 보낼 필요가 없게 말이지. 나는 네트워크 마케팅이 사람들에게, 그들이 전문적인 투자가가 되는 법을 배우는 동안, 그들을 지원해 줄 수동적 수입을 올릴 기회를 제공한다고 믿어. 이런 이유로 나는 사람들에게 네트워크 마케팅을 권유하고 있지. 설사 돈이 없더라도 〈땀 흘려 번 돈〉을 5년 간 투자하고 충분한 수동적 수입을 올려서 투자를 시작할 수 있거든. 그들은 자신들의 사업을 개발함으로써 자유 시간을 갖고 배울 수 있으며 투자할 자본을 모을 수 있는 거지」

내 친구는 몇몇 조사를 한 후에 유통업자로서 네트워크 마케팅 회사에 들어갔다. 그리고 자신과 함께 투자하려는 사람들과 함께 네트워크 마케팅 사업을 시작했다. 그 친구는 현재 자신의 투자 사업만큼이나 네트워크 마케팅 사업을 잘하고 있다.

많은 유명한 가맹점들은 사는 데 드는 비용이 백만 달러가 넘는다. 네트워크 마케팅은 개인적 가맹점을 사는 것과 비슷하며, 그 비용은 종종 2백 달러도 되지 않는다.

나는 네트워크 마케팅의 상당 부분이 힘든 일임을 잘 안다. 하지만 어느 사분면이건 성공은 힘든 일을 요구한다. 나는 개인적으로 네트워크 마케팅 유통업자로서 수입을 올리고 있지는 않다. 나는 몇몇 네트워크 마케팅 회사와 그들의 보상 계획을 조사했다. 나는 조사를 하면서 몇몇 회사에 가입했는데, 그것은 그들의 제품이 너무 좋았고 내가 그것들을 소비자로서 사용했기 때문이다.

그러나, 내가 당신에게 사분면의 오른쪽 편으로 넘어가는 데 도움이 되는 좋은 조직을 찾는 것과 관련해 조언을 줄 수 있다면, 그 열쇠는 그 조직이 제공하는 제품보다는 교육에 있다. 어떤 네트워크 마케팅 조직은 당신이 친구들에게 그들의 시스템을 팔게 하는 데만 관심이 있다. 그리고 어떤 조직은 당신을 교육시키고 당신의 성공을 돕는 데 기본적인 관심이 있다.

나는 네트워크 마케팅에 대한 조사를 통해 두 가지 중요한 사항을 발견했다. 당신은 성공적인 〈B〉가 되는 데 필수적인 이 사항들을 그들의 프로그램을 통해서 배울 수 있다.

첫째, 당신은 성공하려면 거절당하는 두려움을 극복하는 법을 배워야 하고, 다른 사람들이 당신에 대해 어떤 얘기를 하는지 걱정하는 일을 멈출 필요가 있다. 나는 자신들이 무언가 다른 일을 할 때 친구들이 그 일에 대해 왈가왈부하는 것 때문에 그냥 물러서는 사람들을 많이 만났다. 나도 그랬기 때문에 잘 알고 있다. 작은 마을에 살았기 때문에 모두가 서로에 대해 잘 알았다. 누군가 내가 하는 일을 좋아하지 않으면, 마을 전체가 그 얘기를 들었고 모두가 참견했다.

내가 곧잘 나에게 얘기하는 멋진 구절 하나는 이것이다. 「당신이 나에 대해 생각하는 것은 내가 알 바가 아니다. 가장 중요한 것은 내가 내 자신에 대해 생각하는 것이다」

부자 아버지가 나에게 4년 동안 제록스 사에서 일하도록 권유한 한 가지 이유는 그분이 복사기를 좋아해서가 아니라 내가 수줍음과 거절의 두려움을 극복할 것을 원했기 때문이다.

둘째, 사람들을 리드하는 법을 배워라. 여러 부류의 사람들과 일하는 것은 사업에서 가장 힘든 부분이다. 내가 만난 사람들 중에 사업에서 성공한 사람들은 천성적으로 리더인 사람들이다. 사람들과 어울리고 그들을 고취시키는 능력은 아주 소중한 기술이다. 그런 기술은 또 배울 수도 있다.

이미 얘기했듯이, 왼쪽 사분면에서 오른쪽 사분면으로 이동하는 것은 무엇을 하느냐의 문제이기보다 어떤 사람이 되어야 하느냐의 문제이다. 거절을 다루는 법과 다른 사람들이 당신에 대해 생각하는 것에 대해 영향받지 않는 법, 그리고 사람들을 리드하는 법을 배워라. 그러면 당신은 성공할 수 있다.

시스템은 자유로 가는 다리이다

나는 다시는 집 없는 무주택자가 되고 싶지 않다. 그러나 그 경험은 아내와 나에게는 정말 소중한 것이었다. 오늘날 자유와 안정은 우리가 갖고 있는 것보다 우리가 신념으로 할 수 있다고 아는 것에서 비롯된다.

그때 이후로 우리는 부동산 회사, 석유 회사, 광산 회사, 그리고 두 교육 회사를 만들거나 개발하는 것을 도왔다. 그리고 성공적인 시스템을 만드는 법을 배우는 과정은 우리에게 도움이 되었다. 그렇지만 나는 누구에게도 정말로 그런 경험을 하고 싶지 않는 한 그런 과정을 권유하고 싶지 않다.

몇 년 전까지만 해도 어떤 사람이 〈B〉 사분면에서 성공할 가능성은 용감하거나 부자인 사람들에게만 주어졌다. 아내와 나는 용감한 사람들이었을 것이다. 왜냐하면 우리는 절대로 부자가 아니었기 때문이다. 그렇게도 많은 사람들이 사분면의 왼쪽 편에 잡혀 있는 것은 스스로 시스템을 개발하는 데 관련된 위험이 너무 크다고 느끼기 때문이다. 그들에게는 안전하고 안정적인 직장에 남는 것이 더 영리한 일이다.

오늘날 무엇보다도 빠른 기술 변화 덕분에 성공적인 사업가가 되는 데 관련된 위험은 크게 줄었다. 그리고 스스로 사업 시스템을 소유할 수 있는 기회는 사실상 모두에게 주어졌다.

가맹점과 네트워크 마케팅은 직접 시스템을 개발하는 일의 힘든 부분을 제거했다. 우리는 입증된 시스템을 살 권리를 얻었고, 그래서 이제는 사람들을 개발하기만 하면 된다.

이런 사업 시스템을 다리로 생각하라. 당신이 〈현금흐름 사분면〉의 왼쪽 편에서 오른쪽 편으로 안전하게 건너가는 길을 제공하는 다리. 그러니까 경제적 자유로 가는 다리인 것이다.

다음 장에서는 사분면의 오른쪽 나머지 절반, 즉 투자가인 〈I〉에 대해서 설명할 것이다.

제5장

투자가들의 7단계 유형

제1단계: 투자할 돈이 전혀 없는 사람
제2단계: 돈을 빌려 신나게 쓰기만 하는 사람
제3단계: 저축만 하는 사람
제4단계: 영리한 척하는 투자가
제5단계: 장기적인 투자가
제6단계: 능숙한 투자가
제7단계: 자본가

부자 아버지는 언젠가 나에게 이렇게 물었다.

「경마에 배팅하는 사람과 주식을 고르는 사람의 차이는 무엇일 것 같니?」

나는 〈모른다〉고 대답했다.

「큰 차이는 없다」 부자 아버지는 그렇게 말했다. 「하지만 절대로 주식을 사는 사람이 되지 말아라. 네가 자라서 되어야 할 사람은 중개인들이 팔고 다른 사람들이 사는 주식을 만드는 사람이다」

오랫동안 나는 부자 아버지의 말이 무슨 뜻인지 잘 몰랐다. 그러다가 다른 사람들에게 투자를 가르치기 시작하면서 나는 비로소 여러 유형의 투자가를 이해하게 되었다.

이 장에 대해서는 존 벌리에게 고마움을 표한다. 금융 컨설턴트였던 그는 투자가들을 여섯 단계로 나누는 방법을 개발했다. 그는 투자 방법의 정교함과 개인적 특성의 차이를 기준으로 그렇게 나누었다. 나는 그의 기준을 검토하고 확장해 일곱번째 단계를 추가했다.

나는 이런 방법과 〈현금흐름 사분면〉을 함께 사용해 사람들에게 투자를 가르치는 데 도움을 얻었다. 당신은 각 단계들을 보면서 당신 주변에 있는 사람 중에서 그 단계에 속하는 사람을 생각하게 될 것이다. 그리고 각 단계에 해당된다고 생각되는 사람들을 생각해 보길 바란다. 당신이나 당신 주변 사람 중 누가 여기에 속하는지 말이다. 이 일곱 단계를 세심하게 읽기 바란다.

일곱 단계의 투자가

제1단계: 투자할 돈이 전혀 없는 사람

이런 사람에게는 투자할 것이 전혀 없다. 이들은 버는 대로 모두 쓰거나 버는 이상으로 쓴다. 소위 〈부자들〉 가운데도 이 범주에 속하는 사람들이 많은데, 그들은 버는 것만큼, 혹은 그 이상 쓰기 때문이다. 아쉽게도 성인 인구의 절반 가량이 이 단계에 속해 있다.

제2단계: 돈을 빌려 신나게 쓰기만 하는 사람

이런 사람은 돈을 빌려서 경제적 문제를 해결한다. 이들은 종종 빌린 돈으로 투자도 한다. 이들이 생각하는 금융 계획은 갑에게서 빼앗아 을에게 지불하는 것이다. 이들은 타조처럼 머리를 모래 속에 묻고 삶을 살아간다. 그렇게 모든 것이 잘되기를 바라고 기도한다. 이들에겐 몇몇 자산이 있을 수도 있지만, 현실은 이들의 부채 수준이 너무 높다는 것이다. 대개의 경우 이들은 돈을 잘 모르고 자신들의 지출 습관도 잘 모른다.

이들이 갖고 있는 어떤 자산이 있다 해도 그것에는 부채가 붙어 있다. 이들은 충동적으로 신용카드를 사용하며 그런 부채를 장기적인 주택 융자로 전환해 신용카드 빚을 해소하고 다시 돈을 쓰기 시작한다. 이들이 소유한 주택의 가치가 올라가면, 이들은 다시 그것을 담보로 은행에서 돈을 대출받거나 더 크고 더 비싼 집을 산다. 그러면서 이들은 부동산 시세가 늘 오르기만 한다고 생각한다.

이들의 관심을 끄는 것은 〈선금은 조금만 내고 매월 조금씩 갚아 나가세요〉라는 문구이다. 이들은 종종 가치가 하락하는 (성인용) 장난감을 구입한다. 이를테면 요트, 수영장, 멋진 휴가, 혹은 자동차 등이다. 이들은 가치가 떨어지는 이런 장난감을 자산으로 분류한다. 그러고는 다시 더 많은 대출을 받으려고 은행에 갔다가 왜 거절을 당하는지 의아해한다.

쇼핑은 이들이 좋아하는 운동이다. 이들은 필요하지 않은 것들을 사면서 스스로 이렇게 얘기한다. 「야, 사자구. 나는 저것을 가질 권리가 있어」 혹은 「나는 그만한 값어치가 있어」 혹은 「지금 저것을 사지 않으면 저렇게 좋은 가격에 다시는 사지 못할 거야」혹은 「지금 세일 중이야」혹은 「내가 가져보지 못한 것을 아이들에게는 갖게 해주고 싶어」

이들은 빚을 장기적으로 분산시키는 것이 영리한 일이라고 생각한다. 그러면서 스스로 더 열심히 일해 언젠가는 빚을 갚을 것이라고 착각한다. 이들은 버는 대로 모두 쓰고 때로는 그 이상으로 쓴다. 이들은 소위 소비자로 알려져 있다. 가게 주인과 자동차 세일즈맨들은 이런 사람들을 너무도 좋아한다. 이들은 돈이 있으면 써야만 한다. 그리고 돈이 없으면 빌려서라도 쓴다.

자신의 문제가 무엇인지 질문을 받을 때 이들은 돈을 충분히 못 버는 것이라고 대답한다. 이들은 돈만 더 있으면 문제가 해결된다고 생각한다. 이들은 아무리 많은 돈을 벌어도 점점 더 빚을 질 뿐이다. 대부분의 이들은 지금 버는 돈이 불과 어제만 해도 자신들에게 큰 돈 내지는 꿈의 돈이었음을 잊곤 한다. 하지만 이제는 그런 꿈의 수입을 달성했어도 여전히 돈은 충분치 않다.

이들은 자신들의 수입 내지는 수입의 부족보다 돈에 대한 습관이 더 문제일 수도 있음을 보지 못한다. 일부는 결국 자신들의 상황이 구제불능임을 은밀히 인식하고 포기해 버린다. 그래서 이들은 머리를 더 깊이 박고 계속해서 같은 일을 반복한다. 이들이 돈을 빌리고, 쇼핑을 하고, 지출하는 습관은 통제불능이다. 우울할 때 먹어야만 욕구가 해소되는 사람들처럼, 이들은 우울할 때 돈을 써야만 욕구가 해소된다. 이들은 돈을 쓰고, 다시 우울해지고, 그러면서 더 많은 돈을 쓴다.

이들은 종종 돈을 놓고 사랑하는 사람들과 다툰다. 그럴 때마다 이들은 이것 혹은 저것을 사야만 하는 이유를 강변한다. 이들은 언젠가는 기적처럼 돈 문제가 해결될 것이라고 애써 믿는다. 혹은 늘 충분한 돈이 있어서 원하는 것은 무엇이든 살 수 있다고 믿으려 애쓴다.

이 단계의 투자가는 종종 부자로 보일 수 있다. 이들에게는 큰 집과 멋진 자동차가 있을 수도 있다. 하지만 자세히 보면 이들은 빌린 돈으로 구매한다. 이들은 또 많은 돈을 벌 수도 있지만 한번만 발을 헛디디면 경제적 재앙을 맞게 된다.

전에 사업을 했던 어떤 사람이 내 강좌에 등록했다. 이 사람은 이른바 〈신나게 벌고 신나게 쓴다〉는 부류의 사람이었다. 이 사람은 몇 년 동안 잘 나가는 보석 체인점들을 갖고 있었다. 하지만 한번 불경기가 닥치자 사업은 망해 버렸다. 빚도 여전히 남았다. 그리고 6개월도 안 돼 그 빚이 이 사람을 잡아먹기 시작했다. 이 사람은 새로운 해결책을 찾기 위해 내 강좌에 등록했는데 자신과 아내가 〈제2단계〉 유형의 투자가라는 사실을 인정하려 들지 않았다.

이 사람은 사업가 그룹인 〈B〉 사분면 출신으로 투자가 그룹인 〈I〉 사분면에서 부자가 되고 싶어했다. 이 사람은 자기가 한때 성공한 사업가였고 같은 방식을 사용해 투자함으로써 경제적 자유의 길로 나아갈 수 있다고 착각했다. 이것은 사업가들이 자동적으로 성공적인 투자가가 될 수 있다고 생각하는 전형적인 경우였다. 사업의 규칙들이 투자의 규칙들과 늘 같은 것은 아니다.

이런 투자가들은 변하지 않으면 암울한 경제적 미래를 맞게 된다. 그렇지 않으면 그런 습관을 지탱해 줄 돈 많은 사람과 결혼하거나.

제3단계: 저축만 하는 사람

이런 사람들은 〈작은〉 액수의 돈은 (대개는) 정기적으로 저축한다. 이들의 돈은 수익률은 낮아도 안전한 금융 상품에 들어간다.

이들은 종종 투자보다는 소비를 위해 저축한다(이를테면 새 TV, 자동차, 혹은 휴가 등을 위해 저축한다). 이들은 현금으로 지불하는 것을 믿는다. 이들은 신용과 부채를 두려워한다. 대신에 이들은 은행에 있는 돈의 〈안전성〉을 좋아한다.

이들은 오늘날의 경제적 환경에서 저축은 (인플레와 세금을 감안하면) 마이너스의 수익을 낳는다는 얘기들 듣고도 여전히 많은 위험을 안지 않으려 한다. 이들은 종종 안정성을 너무도 좋아하기 때문에 평생 보험 같은 것을 들곤 한다.

이 그룹의 사람들은 종종 푼돈을 아끼기 위해 가장 소중한 자산인 시간을 낭비한다. 이들은 신문에서 할인 쿠폰을 오리는 데 몇 시간을 소비하며 슈퍼마켓에서도 사람들을 밀치고 할인 혜택을 받기 위해 난리를 친다.

이들은 푼돈을 아끼는 대신 그 시간에 투자하는 법을 배울 수도 있었다. 이들이 1954년에 존 템플턴의 펀드에 1만 달러를 넣은 후 잊고 있었다면, 그 돈은 1994년에 240만 달러가 되었을 것이다. 혹은 이들이 1969년에 조지 소로스의 퀀텀 펀드에 1만 달러를 넣었다면, 그 돈은 1994년에 2,210만 달러가 되었을 것이다. 대신에 이들은 두려움과 위험은 피하고 계속해서 안정을 추구하기 때문에 평생 은행 정기 예금 같은 저수익 투자 상품에 돈을 넣는다.

이런 사람들은 종종 이렇게 얘기한다. 「한푼을 아끼면 한푼을 버는 거예요」 혹은 「나는 아이들을 위해 저축하고 있습니다」 하지만 실제로는 종종 무언가 깊은 불안감이 이들과 이들의 삶에 흐르고 있다. 그리고 이들은 종종 자신과 자신이 사랑하는 사람들을 〈사실상 속이고〉 있다. 이들은 〈제2단계〉 투자가의 정반대라고 할 수 있다.

돈을 아끼는 것은 농업 시대에는 좋은 생각이었다. 하지만 산업 시대로 진입한 후에는 영리한 선택이 아니다. 그냥 돈을 아끼기만 하는 것은 정부가 통화 발행을 남발해 인플레 시대로 접어든 후에는 한층 더 나쁜 선택이었다. 물론 우리가 디플레 시대로 접어든다면 그들은 승자가 될 수도 있다. 하지만 그것은 그때도 화폐 가치가 전과 같아야만 한다.

저축을 하는 것은 좋은 일이다. 우리는 6개월 내지 1년 동안의 생활비는 현금으로 갖고 있어야 한다. 하지만 그 후에는 은행에 있는 돈보다 훨씬 더 수익도 높고 안전한 투자 수단들이 있다. 남들은 15% 이상을 버는데, 은행에 돈을 넣고 5%의 이자만 받는 것은 현명한 투자 전략이 아니다.

그렇지만 투자를 배우고 싶지 않고 계속해서 경제적으로 위험에 대한 두려움을 느끼며 산다면, 그때는 저축이 투자보다 더 나은 선택이다. 돈을 그냥 은행에 넣어두면 많은 생각을 할 필요가 없다. 그리고 은행에서는 당신을 환영할 것이다. 왜 그러지 않겠는가? 은행은 당신이 저축하는 1달러를 기본으로 해서 10달러 내지 20달러를 빌려주고 최고 19%의 이자를 받는다. 그러고는 돌아서서 당신에게는 5% 미만의 이자를 지급한다. 그러니까 우리 모두 은행가가 되어야 한다.

제4단계: 영리한 척하는 투자가

이 그룹에는 세 종류의 투자가들이 있다. 이 단계의 투자가는 투자할 필요성을 알고 있다. 이들은 이런 저런 개인 연금이나 국민 연금 등에 가입할 수도 있다. 때로 이들은 외부 투자가로서 뮤추얼 펀드, 주식, 채권, 혹은 유한 회사에 투자하기도 한다.

일반적으로 이들은 건실한 교육을 받은 지적인 사람들이다. 이들은 이른바 〈중산층〉의 3분의 2를 차지하고 있다. 그러나 이들은 투자에 관해서는 교육을 받지 못했다. 혹은 투자 업계에서 말하는 〈능숙함〉이 부족하다. 이들은 대체적으로 기업의 연간 보고서나 사업 설명서를 읽지 않는다. 어떻게 그럴 수 있을까? 이들은 재무제표를 읽는 훈련을 받지 못했다. 이들에게는 금융 지식이 부족하다. 이들은 상당 수준의 대학 교육을 받은 경우도 많다. 그리고 어떤 사람들은 의사 혹은 회계사일 수도 있다. 하지만 승자와 패자가 갈리는 투자 세계에 대해서는 공식적인 교육이나 훈련을 받은 경우가 드물다.

이 단계의 투자가들을 다시 셋으로 나눌 수 있다. 이들은 종종 영리한 사람들로 교육도 잘 받았고 상당한 수입을 올린다. 그리고 투자도 한다. 그렇지만 나름의 차이는 있다.

4-1 단계: 돈에는 신경 쓰고 싶지 않은 사람들

이 단계에 있는 사람들은 〈신경 쓰고 싶지 않다〉 그룹을 구성한다. 이들은 돈을 이해하지도 못하며 이해하고 싶지도 않다고 생각한다. 이들은 다음과 같은 얘기를 한다.

「나는 원래 숫자에는 밝지 못해」

「나는 투자에 대해서는 절대 이해하지 못할 거야」

「나는 너무 바빠」

「서류 업무가 너무 많아」

「그것은 너무 복잡해」

「투자는 너무 위험해」

「돈에 대해서는 전문가에게 맡기는 게 더 낫다니까」

「재테크는 너무 골치 아픈 일이야」

「우리 집의 투자는 내 아내(남편)가 하고 있어」

이런 사람들은 돈을 그냥 묵혀두고 은퇴 계획에는 거의 손을 대지 않거나, 혹은 〈다각화(분산 투자)〉를 권유하는 금융 컨설턴트에게 맡겨버린다. 이들은 경제적 미래에 대해서는 신경 쓰지 않으면서 매일 열심히 일만 하고 이렇게 얘기한다. 「적어도 나에게는 퇴직 이후에 대한 계획은 있어」

그러고는 퇴직한 후에야 그동안의 투자를 보곤 한다.

4-2 단계: 투자에 냉소적인 사람들

두번째 그룹은 〈냉소주의자〉 그룹이다. 이들은 왜 투자를 하면 안 되는지 온갖 이유를 댄다. 이런 사람들이 주위에 있으면 위험하다. 이들은 종종 지적으로 보이고, 권위를 갖고 얘기하며, 자기 분야에서 성공적이다. 그러나 겉으로는 지적이지만 실제로는 겁쟁이다. 이들은 우리가 어떻게 투자에서 〈사기를 당하는지〉 자세하게 얘기할 수 있다. 주식이나 그 밖의 다른 투자에 대한 이들의 얘기를 들어보면 끔찍한 생각, 때로는 두렵고 의심스런 생각을 갖게 된다. 이들이 가장 자주 사용하는 단어들은 다음과 같은 것이다. 「전에 한번 되게 당했지. 다시는 그렇게 당하진 않을 거야」

하지만 이상하게도, 바로 이 냉소주의자들은 종종 양떼처럼 시장을 따라간다. 이들은 직장에서 늘 신문의 경제면이나 경제신문을 읽는다. 이들은 신문을 읽고 나서 자신들이 아는 것을 커피 타임에 남들에게 얘기한다. 이들의 얘기에는 가장 최근에 등장한 투자 용어들과 전문 용어들이 가득하다. 이들은 큰 건들에 대해 얘기하지만 한번도 대박을 잡은 적은 없다. 이들은 신문의 머릿기사를 장식하는 주식을 찾으며 기사 내용이 좋으면 주식을 사는 적도 많다. 문제는 이들이 너무 늦게 산다는 것이다. 신문에서 정보를 얻으면 너무 늦기 때문이다. 정말로 영리한 투자가들은 신문에 나기 전에 벌써 사두었다. 냉소주의자들은 그것을 모르고 있다.

나쁜 소식이 전해지면 이들은 비판하면서 이렇게 얘기한다. 「나는 그것을 알고 있었어」 이들은 자신들이 게임에 참여하고 있다고 생각한다. 하지만 사실은 한켠에 서 있는 구경꾼에 불과하다. 이들은 종종 게임에 들어가고 싶어하지만 마음 깊은 곳에서는 상처받는 일을 너무도 두려워한다. 이들에게는 재미보다 안정이 더 중요하다.

심리학자들의 설명에 의하면, 냉소적 태도는 두려움과 무지의 결합이라고 한다. 이런 결합은 다시 거만함을 야기시킨다. 이들은 종종 뒤늦게 변화된 시장에 들어간다. 자신들의 투자 결정이 옳은 결정이라는 집합적 내지는 사회적 입증을 기다리기 때문이다. 이들은 사회적 입증을 기다리기 때문에 시장의 최고치에서 뒤늦게 사고 시장의 바닥에서 판다. 때로는 시장이 무너진 후에 팔기도 한다. 그렇게 비싸게 사서 아주 싸게 판 후에는 다시 〈사기를 당했다〉고 얘기한다. 절대로 일어나지 않기를 바라는 그 모든 것이 계속해서 일어나는 것이다.

전문적인 거래인들은 종종 냉소주의자들을 〈돼지〉라고 부른다. 이들은 요란스럽게 소리를 지르다가 스스로 도살장으로 달려간다. 이들은 비싸게 사서 싸게 판다. 왜 그럴까? 이들은 너무 〈영리해서〉 조심성이 지나치기 때문이다. 이들은 영리하지만 위험을 안는 것과 실수를 하는 것을 너무도 두려워한다. 그래서 이들은 더 열심히 공부하고 더 영리해지려 한다. 이들은 아는 것이 많을수록 보는 위험도 많다. 그래서 이들은 한층 더 열심히 공부한다. 이들은 냉소적인 조심성 때문에 너무 오래도록 기다린다. 이들이 시장에 나타날 때는 마침내 욕심이 두려움을 압도할 때이다. 이들은 다른 돼지들과 함께 먹을 것을 찾으러 왔다가 도살을 당한다.

그러나 냉소주의자의 가장 나쁜 점은 자신들의 두려움과 지성으로 위장된 것으로 주위 사람들을 전염시키는 것이다. 이들은 투자가 왜 성공할 수 없는지 얘기할 수 있다. 하지만 어떻게 성공할 수 있는지는 얘기할 수 없다. 학계, 관계, 종교계, 그리고 언론계에는 이런 사람들이 무척 많다. 이들은 금융 재앙이나 잘못된 일에 대해 듣는 것을 좋아한다. 그래야 〈얘기를 퍼뜨릴〉 수 있기 때문이다. 이들은 금융상의 성공에 대해서는 할 얘기가 별로 없다. 냉소주의자는 잘못된 일을 지적하는 데 더 뛰어나다. 이들은 그런 식으로 자신들의 지식 부족, 혹은 용기 부족을 덮으려 한다.

적어도 돈에 대해서 냉소주의자들은 말할 자격이 없다. 비록 그들이 영리하고 교육 수준이 높다 해도 말이다. 이런 사람들의 얘기 때문에 경제적인 꿈을 포기해서는 안 된다. 물론 투자 업계에는 사기꾼 같은 사람들이 적지 않다. 하지만 어떤 업계는 안 그런가?

적은 돈으로 적은 위험만을 안고 빨리 부자가 되는 것은 가능하다. 하지만 그것이 가능하려면 나름대로 숙제를 해야 한다. 당신이 해야 할 한 가지 일은 열린 마음을 유지하고 사기꾼은 물론 냉소주의자들도 조심하는 것이다. 그들 모두 금융적으로 위험한 사람들이다.

4-3 단계: 구제불능의 도박꾼들

이 단계의 세번째 그룹은 〈도박꾼〉 그룹이다. 전문적인 거래인들은 이 그룹도 〈돼지〉라고 부른다. 그러나 〈냉소주의자〉는 지나치게 조심스러운 반면, 이 그룹은 조심성이 너무 없다. 이들이 주식 시장과 같은 투자 시장을 보는 방식은 라스베이거스의 도박장을 보는 방식과 비슷하다. 운만 좋으면 되는 것이다. 주사위를 던지고 기도나 하는 것이다.

이 그룹은 일련의 거래 규칙이나 원칙을 갖고 있지 않다. 이들은 〈거물들〉처럼 행동하고 싶어한다. 그렇게 자신과 남들을 속이다가 돈을 따거나 모두 잃는다. 대개는 후자의 결과를 빚는다. 이들은 투자의 〈비밀〉 내지는 〈열쇠〉를 찾으려 한다. 이들은 늘 새롭고 흥미로운 투자 방법을 찾으려 한다. 이들은 장기적인 노력과 공부보다는 〈비결〉이나 〈지름길〉을 찾으려 한다.

이들은 현물, 공모주, 싸구려 주식, 가스와 석유, 소떼, 그 밖의 세상에 알려진 온갖 투자에 성급하게 뛰어든다. 이들은 〈능숙한〉 투자 기법인 마진, 콜, 그리고 옵션 등을 사용하기를 좋아한다. 이들은 선수들이 누구인지, 그리고 누가 규칙을 만드는지 알지도 못하면서 〈게임〉에 뛰어든다.

이런 사람들은 인류 역사상 가장 나쁜 투자가들이다. 이들은 늘 〈홈런〉을 치려고 기를 쓴다. 하지만 대개는 〈삼진 아웃〉을 당한다. 이들은 상황이 어떠냐는 질문을 받을 때마다 〈대략 본전이야〉 혹은 〈약간 올랐어〉라고 대답한다. 하지만 실제로는 돈을 잃었다. 그것도 많은 돈을 잃었다. 이런 유형의 투자가는 돈을 잃는 경우가 90% 이상이다. 이들은 손실에 대해서는 얘기하지 않는다. 이들은 6년 전에 기록한 〈끝내주는〉 전과만 기억한다. 이들은 자신들이 영리하다고 생각하면서 운이 좋았을 뿐이라는 점은 인정하지 않는다. 이들은 〈큰 건 하나〉만 터지면 만사 OK라고 생각한다. 우리 사회는 이런 사람을 〈구제불능의 도박꾼〉이라고 얘기한다. 깊이 들여다보면 이들은 투자에 관해서 게으른 사람들이다.

제5단계: 장기적인 투자가

장기적인 투자가는 투자의 필요성을 분명하게 알고 있다. 이들은 자신들이 내린 투자 결정에 적극적으로 참여한다. 또 장기적인 투자 계획을 세워서 경제적, 재정적 목표들을 달성한다. 이들은 교육에 투자를 한 후에 실제로 투자를 한다. 이들은 주기적인 투자의 이점을 살리며 가능할 때는 세금의 이점이 있는 투자를 한다. 무엇보다 이들은 유능한 금융 컨설턴트에게서 조언을 구한다.

이런 유형의 투자가는 우리가 대규모 투자가로 생각하는 그런 사람이 아님을 기억하라. 이들은 전혀 그렇지 않다. 이들은 부동산, 사업, 현물, 그 밖의 흥미로운 투자 수단에 투자하는 경우가 많지 않다. 오히려 이들은 피델리티의 마젤란 펀드를 운용하는 피터 린치나 워런 버펫 같은 투자가들이 추천하는 보수적이고 장기적인 방식을 따른다.

당신이 아직 장기적인 투자가가 아니라면 가능한 빨리 그렇게 되라. 이것은 무슨 뜻일까? 자리에 앉아 투자 계획을 짜라는 얘기다. 자신의 지출 습관을 통제하라. 부채와 채무를 최소화하라. 분수에 맞게 살고 분수를 늘려라. 현실적인 수익률로 한 달에 얼마를 몇 달 동안 투자해야 목표에 도달할 수 있는지 알아보라. 이를테면 이런 목표들이다. 당신은 언제 일을 그만둘 계획인가? 당신은 한 달에 얼마만큼의 돈이 필요할 것인가?

장기적인 계획을 짜서 소비자 부채를 줄이고 그러면서 (주기적인 방식으로) 일정액의 돈을 유명한 뮤추얼 펀드에 넣기만 해도 풍요로운 은퇴의 길을 닦을 수 있다. 될수록 일찍 시작하고 계속해서 관심을 가져야 한다.

이 단계에서는 간단한 방식을 사용하라. 목표를 너무 높게 잡지 말라. 복잡한 투자는 잠시 잊어라. 그냥 튼튼한 주식과 뮤추얼 펀드만 하라. 폐쇄형 뮤추얼 펀드를 어떻게 사는지 빨리 배워라. 시장보다 앞서려 하지 말라. 재산 축적이 아닌 보호의 수단으로 보험을 현명하게 이용하라. 하지만 〈100% 안전한 투자〉는 없음을 명심하라. 지수 펀드에도 나름의 내재적인 비극적 결함들이 있다.

더 이상 〈큰 건〉을 기다리지 말라. 작은 건들로 〈게임〉에 들어가라(가령 내가 처음에 했던 작은 콘도는 불과 몇 달러만으로도 가능한 투자였다). 처음에는 옳고 그른 것에 대해 걱정하지 말라. 그냥 시작하라. 일단 돈을 좀 넣으면 많은 것을 배우게 된다. 시작은 조금만 해도 좋다. 돈이 들어가면 지능이 빠르게 높아지는 경향이 있다. 두려움과 망설임은 발전을 막는 것이다. 당신은 언제든지 더 큰 게임으로 올라갈 수 있다. 하지만 큰 건을 하려고 기다리다가 잃게 되는 시간과 배움은 결코 만회할 수 없다. 기억하라. 작은 건들은 종종 더 큰 건들로 이어진다. 하지만 당신은 시작해야만 한다.

오늘 시작하라. 기다리지 말라. 신용카드는 잘라 버려라. 〈성인용 장난감〉을 없애버리고 바가지를 씌우지 않는 좋은 뮤추얼 펀드에 투자하라. 사랑하는 사람들과 함께 앉아 계획을 짜라. 금융 컨설턴트를 찾아가거나 도서관에 가서 금융 계획에 관한 책을 읽어라. 그리고 직접 돈을 넣어서(한 달에 50달러라도 좋다) 시작하라. 오래 기다릴수록 가장 소중한 자산의 하나를 더 낭비하게 된다. 눈에 보이지 않는 시간이라는 소중한 자산 말이다.

한 가지 흥미로운 점은, 〈제5단계〉는 대부분의 미국 백만장자들이 탄생된 곳이다. 『옆집에 사는 백만장자』라는 책은 평균적인 백만장자들이 포드 타우루스를 몰고, 기업체를 소유하고, 분수에 맞게 산다고 얘기하고 있다. 그들은 투자에 대해 공부하거나 배우며, 계획을 짜고, 장기적으로 투자한다. 그들은 투자를 할 때 환상적인, 위험스런, 혹은 기가 막힌 것을 하지 않는다. 이들은 정말로 보수적이며 균형 잡힌 금융 습관으로 결국에는 부자가 되고 성공한다.

위험을 좋아하지 않고 투자를 공부하는 데 많은 시간을 쓰기보다 자신들의 직업이나 직장에 집중하고 싶은 사람들에게 〈제5단계〉는 경제적으로 풍요로운 삶을 살기 위해 필수적인 것이다. 이런 사람들은 금융 컨설턴트들의 조언을 구하는 것이 한층 더 중요하다. 그들은 당신이 투자 전략을 개발하고 장기적인 투자 전략을 활용해 바른 길로 들어서는 데 도움을 준다.

이 단계의 투자가는 인내심이 있고 시간의 이점을 활용한다. 일찍 시작해서 정기적으로 투자하면 엄청난 재산을 모을 수 있다. 그러나 늦게 시작하면, 가령 45세가 지난 후에 시작하면, 이 단계는 효과가 없을 수도 있다. 특히 지금부터 2010년까지는 더욱 그럴 것이다.

제6단계: 능숙한 투자가

이들은 더 공격적이고 위험스런 투자 전략을 추구할 〈여유〉가 있다. 왜 그럴까? 왜냐하면 이들에게는 좋은 돈 습관과 건실한 투자 재원, 그리고 투자 지식도 있기 때문이다. 이들은 그 게임에 초보자가 아니다. 이들은 한 가지에 집중하고 대개는 분산 투자하지 않는다. 이들은 지속적인 관점에서 승리한 오랜 기록이 있다. 그리고 이들은 이미 충분한 실패를 경험해서 실수를 하고 그것에서 배울 때만 얻을 수 있는 지혜를 갖고 있다.

이들은 종종 〈소매〉가 아닌 〈도매〉로 투자를 하는 사람들이다. 이들은 직접 거래 건수를 만들어 스스로 사용한다. 혹은 충분한 지식과 경험이 있어서 〈제7단계〉의 친구들이 만든 후에 투자 재원을 모으는 거래들에 참여할 수 있다.

무엇이 〈능숙한〉 투자가인지를 결정할까? 〈능숙한〉 투자가는 직업이나 사업, 혹은 퇴직금에서 비롯된 건실한 금융적 기반이 있거나 건실하고 보수적인 투자의 기반이 있다. 이들은 개인적인 부채/자본 비율을 제대로 통제한다. 그러니까 지출보다 수입이 훨씬 더 많다. 이들은 투자 업계에 대한 교육 수준이 높고 적극적으로 새로운 정보를 찾는다. 이들은 조심스럽지만 냉소적이지는 않으며 열린 마음을 유지한다.

이들은 투기적 벤처에서 전체 자본금의 20%가 안 되는 위험을 감수한다. 이들은 종종 작게 시작해서 적은 금액을 투자한다. 그렇게 해서 주식, 사업 인수, 부동산 거래, 혹은 경매 입찰 등의 투자 업계에서 배움을 얻으려 한다. 이들은 20%를 잃더라도 상처를 입지 않으며 생계를 유지한다. 이들은 그런 손실을 교훈으로 삼고 배움을 얻는다. 그리고 다시 게임에 들어가 더 많이 배운다. 이들은 실패가 성공의 한 과정임을 알고 있다. 이들도 잃는 것을 싫어하지만 두려워하지는 않는다. 이들은 잃고 나서 힘을 얻어 앞으로 나아간다.

이런 단계에 도달하면 수익률이 25%에서 무한대인 거래를 스스로 만들 수 있다. 이들이 능숙한 투자가로 분류되는 이유는 여유돈이 있고, 직접 선발한 전문적 조언가들의 팀이 있고, 그것을 입증할 과거의 기록이 있기 때문이다.

앞에서도 언급했듯이, 이 단계의 투자가들은 직접 거래를 만든다. 어떤 사람들은 컴퓨터를 가게에서 사지만 어떤 사람들은 부품을 구입해 직접 시스템을 조립하는 것처럼, 〈제6단계〉의 투자가들은 다양한 부품을 조립해서 직접 투자를 엮어낸다.

이들은 경기가 나쁘거나 시장이 나쁠 때 오히려 성공의 기회는 더 많음을 알고 있다. 이들은 남들이 시장에서 빠져나올 때 들어간다. 이들은 대개 빠져나올 때를 알고 있다. 이 단계에서는 시장에 들어가는 것보다 퇴장 전략이 더 중요하다.

이들은 자신들의 투자 〈원칙〉과 〈규칙〉을 철저히 지킨다. 이들이 선택하는 투자 수단은 부동산, 할인된 채권, 사업체, 혹은 공모주나 신주일 수도 있다. 이들은 일반적인 사람들보다 더 큰 위험을 안지만 도박은 혐오한다. 이들에게는 계획이 있고 구체적인 목표가 있다. 이들은 매일같이 공부한다. 이들은 신문을 읽고, 간행물을 읽고, 투자 소식지를 구독하고, 투자 세미나에 참석한다. 이들은 자신들의 투자 관리에 적극적으로 참여한다. 이들은 돈을 이해하며 어떻게 돈이 자신을 대신해 일하게 하는지 알고 있다. 이들의 목적은 무엇보다 자산을 늘리는 것이다. 이들은 소득을 재투자해서 더 큰 자산 기반을 구축한다. 이들은 강력한 자산 기반을 구축해 많은 현금흐름이나 높은 수익을 올리고 세금 노출은 최소화하는 것이 장기적으로 많은 재산을 모으는 첩경임을 알고 있다.

이들은 종종 이런 정보를 아이들에게 가르치고 가족의 재산을 다음 세대에 물려준다. 이들은 개인적으로 소유하는 것이 거의 없다. 어떤 것도 이들의 이름으로는 찾아낼 수 없다. 그것은 세금 목적 때문이기도 하고 부자에게서 빼앗아 가난한 사람들에게 주어야 한다고 믿는 로빈 후드의 후손들에게서 보호하기 위한 것이기도 하다. 그러나 아무것도 소유하지 않음에도 불구하고 이들은 기업체를 통해 모든 것을 통제한다. 이들은 자신들의 자산을 소유하는 법적인 단체들을 통제한다.

이들에게는 개인적인 이사회가 있어서 자산 관리를 도와준다. 이들은 조언을 구하고 배움을 얻는다. 이런 비공식적 이사회는 일단의 은행가, 회계사, 변호사, 그리고 중개인들로 구성되어 있다. 이들은 건실한 전문적 조언에 약간의 지출을 함으로써 재산을 늘릴 뿐 아니라 가족, 친구, 소송, 그리고 정부로부터 재산을 보호하기도 한다. 이들은 이승을 떠난 후에도 여전히 재산을 통제한다. 이들은 종종 〈돈의 청지기〉라고 불린다. 이들은 죽은 후에도 계속해서 자신들이 만든 돈의 운명을 좌우한다.

제7단계: 자본가

이 단계의 투자 수준에 도달한 사람은 세상에 별로 없다. 미국에서는 백 사람 가운데 한 사람 미만이 진정한 자본가이다. 이들은 대개 뛰어난 〈사업가〉이면서 동시에 〈투자가〉이다. 이런 사람은 사업과 투자 기회를 동시에 만들 수 있기 때문이다.

자본가의 목적은 다른 사람들의 돈, 다른 사람들의 재능, 그리고 다른 사람들의 시간을 통합적으로 지휘해 더 많은 돈을 만드는 것이다. 이들은 종종 미국을 비롯한 앞선 국가들이 엄청난 경제적 힘을 갖도록 만든 〈한 나라를 움직이고 흔드는 사람들〉이다. 이를테면 케네디, 록펠러, 포드, J. 폴 게티즈, 혹은 로스 페로 같은 사람을 들 수 있다. 바로 이런 자본가들이 자금을 공급해 일자리를 만들고, 사업을 일으키고, 상품을 생산해 나라를 번창시킨다.

〈제6단계〉의 투자가들은 대개 자신들의 돈을 이용해 자신들의 포트폴리오를 만들 목적만으로 투자를 한다. 반면에 진정한 자본가는 다른 사람들의 재능과 자금을 이용해 자신들과 남들을 위해 투자한다. 진정한 자본가는 투자를 창출해 그것을 시장에 판다. 진정한 자본가는 돈이 없어도 돈을 벌 수 있다. 왜냐하면 이들은 다른 사람들의 돈과 다른 사람들의 시간을 이용할 줄 알기 때문이다. 〈제7단계〉의 투자가들은 다른 사람들이 사는 투자를 창출한다.

이들은 종종 다른 사람들을 부자로 만들고, 일자리를 창출하고, 무언가를 일으킨다. 진정한 자본가는 경제가 좋을 때도 잘하지만 경제가 나쁠 때는 더 부자가 된다. 자본가들은 경제적 혼란이 새로운 기회를 뜻함을 알고 있다. 이들은 대체로 어떤 프로젝트, 제품, 기업, 혹은 국가에 대중보다 한 발 앞서 참여한다. 신문에서 어떤 나라가 곤경에 처했거나 전쟁이나 재앙에 처했다는 기사를 읽을 때, 진정한 자본가는 이미 그곳에 가 있거나 곧 들어갈 것임을 알게 된다. 진정한 자본가는 사람들이 〈거기 가지 마, 그 나라, 혹은 그 사업은 혼란을 겪고 있어, 너무 위험해〉라고 얘기할 때 이미 그곳에 들어간다.

수익률은 100%에서 무한대까지 가능하다. 이들은 어떻게 위험을 관리하는지, 그리고 어떻게 돈 없이 돈을 버는지 알기 때문이다. 이들이 그렇게 할 수 있는 것은 돈은 유형의 물체가 아니라 머리에서 만들어진 아이디어에 불과함을 알기 때문이다. 이들도 남들처럼 두려움을 느끼지만 그런 두려움을 흥미로 바꿀 수 있다. 이들은 두려움을 새로운 지식과 새로운 재산으로 바꾼다. 이들에게 삶이라는 게임은 돈이 돈을 버는 게임이다. 이들은 다른 어떤 게임보다 돈 버는 게임을 좋아한다. 골프보다, 정원 가꾸기보다, 혹은 빈둥거리기보다. 이 게임은 그들에게 삶을 제공한다. 이들은 돈을 벌건 잃건 늘 이렇게 얘기한다. 「나는 이 게임이 너무 좋아」 그래서 이들은 자본가가 된다.

〈제6단계〉의 투자가들처럼 이 단계의 투자가들도 뛰어난 〈돈의 청지기들〉이다. 이 단계의 사람들을 조사하면 대개는 친구, 가족, 교회, 그리고 재단에 푸짐하게 기부하는 것을 볼 수 있다. 미국에서 유명한 교육 재단을 설립한 유명한 사람들을 한번 보라. 록펠러는 시카고 대학의 설립을 도왔고, J.P. 모건은 돈 말고도 하버드에 영향을 끼쳤다. 이 밖에도 자신들이 설립을 도운 교육 재단에 이름까지 기부한 자본가들로는 밴더빌트, 듀크, 그리고 스탠포드 등이 있다. 이들은 산업뿐 아니라 교육에서도 위대한 선장으로 이름을 남겼다.

오늘날 존 템플턴 경은 종교적이고 영적인 활동에 많은 지원을 한다. 그리고 조지 소로스는 자신이 믿는 대의명분에 수억 달러를 기부한다. 이 밖에도 포드 재단과 게티 재단이 있으며, 테드 터너는 유엔에 수십 억 달러를 주기로 약속했다.

이와 같이 우리의 학교, 정부, 교회, 그리고 언론에 있는 많은 지적인 냉소주의자들과 비판가들이 얘기하는 것과 달리 진정한 자본가는 단순한 산업의 선장 이상으로 우리 사회에 공헌했고, 일자리를 제공했고, 많은 돈을 벌었다. 많은 냉소주의자들의 주장과 달리 세상이 더 좋아지려면 지금보다 더 많은 자본가가 필요하다.

실제로는 자본가보다 냉소주의자들이 훨씬 더 많다. 냉소주의자들은 더 많은 소음을 내고 수백만의 사람들이 두려움을 느끼게 한다. 그들은 자유보다 안정을 추구한다. 내 친구인 케네스 커닝햄은 늘 이렇게 얘기한다. 「나는 냉소주의자의 동상이 세워진 것을 본 적이 없어. 냉소주의자가 설립한 대학도 본 적이 없구」

이 책을 계속 읽기 전에

이것으로 〈현금흐름 사분면〉의 설명 부분은 완성된다. 이 마지막 장에서 우리는 투자가 그룹인 〈I〉 사분면을 다루었다. 앞으로 가기 전에 나는 당신에게 또 하나의 질문을 던진다.

당신은 어떤 단계의 투자가입니까?

당신이 정말로 진지하게 빨리 부자가 되고 싶다면 이 일곱 단계를 읽고 또 읽어라. 나는 이 단계들을 읽을 때마다 내 자신이 조금씩 각 단계에 있음을 본다. 나는 강점만 보는 것이 아니라, 나를 뒤로 잡아당기는 〈품성의 결함들〉도 본다. 멋진 경제적 부를 만들려면 강점을 강화시키고 약점은 고쳐야 한다. 그리고 그렇게 하려면 먼저 약점을 인식하고 약점이 없는 체하지 말아야 한다.

우리 모두는 최고의 우리들만 생각하고 싶어한다. 나는 평생 〈제7단계〉의 자본가가 되고 싶어했다. 나는 이것이 부자 아버지가 주식을 고르는 사람과 경마에 배팅하는 사람의 유사점을 설명했을 때부터 내가 되고 싶어했던 것임을 알았다. 하지만 나는 이 리스트의 여러 단계들을 공부한 후에 나를 뒤로 잡아당기는 품성의 결함들을 볼 수 있었다. 비록 지금은 〈제7단계〉의 투자가로 활동하고 있지만 나는 아직도 이 일곱 단계를 읽고 또 읽으며 스스로 발전하기 위해 노력한다.

나는 〈4-3 단계〉에서 압박의 시기에 종종 흉칙한 머리를 들곤 하는 내 자신의 결함들을 발견했다. 내 안의 도박꾼은 좋은 것이면서도 좋지 않은 것이었다. 그래서 나는 아내와 친구들의 도움, 그리고 추가적인 학습으로 즉시 내 결함들을 고치고 그것들을 강점으로 바꾸기 시작했다. 그 결과 나는 〈제7단계〉의 투자가로서 효율성이 한층 더 높아졌다.

다시 여러분에게 질문을 던진다.

당신은 가까운 장래에 어느 단계의 투자가가 되고 싶거나 되어야 한다고 생각하십니까?

두번째 질문에 대한 답이 첫번째 질문에 대한 답과 같다면, 당신은 자신이 원하는 곳에 있는 것이다. 투자가가 되는 것에 대해 지금 있는 곳에 만족한다면, 이 책을 더 읽을 필요는 많지 않을 것이다. 예를 들어, 당신이 지금 건실한 〈제5단계〉의 투자가인데 〈제6단계〉나 〈제7단계〉의 투자가가 될 생각이 없다면, 더 이상 읽을 필요는 없다. 삶에서 가장 큰 기쁨 중의 하나는 지금 있는 곳에 만족하는 것이다. 축하한다!

또 하나의 경고

누구든지 〈제6단계〉나 〈제7단계〉의 투자가가 될 목표를 갖고 있다면 먼저 〈제5단계〉의 투자가로서 능력을 개발해야 한다. 〈제5단계〉를 건너뛰고는 〈제6단계〉나 〈제7단계〉로 갈 수가 없다. 누구든지 〈제5단계〉의 능력 없이 〈제6단계〉나 〈제7단계〉의 투자가가 되려는 사람은 〈제4단계〉의 투자가인 것이다. 즉 도박꾼인 것이다!

당신이 아직도 경제적으로 더 많은 것을 알고 싶어한다면, 그리고 계속해서 경제적 자유를 추구하는 데 관심이 있다면, 이 책을 읽길 바란다. 다음의 장들은 기본적으로 〈B〉와 〈I〉 사분면에 있는 사람들의 특성에 초점을 맞출 것이다. 당신이 배우게 될 것은 어떻게 사분면의 왼쪽 편에서 오른쪽 편으로 쉽게, 그리고 낮은 위험으로 이동하는가이다.

더 읽기 전에 마지막으로 한 가지 질문이 더 있다. 무주택자에서 10년도 안 돼 백만장자가 되기 위해 아내와 나는 어느 단계의 투자가가 되어야만 했을까? 그 답은 다음 장에서 찾게 될 것이다. 다음 장에서 나는 경제적 자유로 가는 내 개인적 여행에서 얻은 몇몇 배움의 경험을 소개할 것이다.

제6장
돈은 눈으로 보는 것이 아니다

사람들은 눈으로 95%를 투자하고 5%만 머리로 투자한다.
사람들은 부동산이나 주식을 본 후에 종종 피상적으로
대충 눈으로 보는 것이나, 중개인이 얘기하는 것이나, 혹은
동료 직원의 귀뜸에 근거해서 결정을 내린다.
그들은 종종 이성적으로가 아니라 감정적으로 사곤 한다.
그래서 그들은 투자가가 되지 못하고 결국에는
몽상가, 환상가, 도박꾼, 혹은 사기꾼이 되버리고 만다.
투자는 위험한 것이 아니다. 오히려 배우지 않는 것이 위험한 것이다.

　1974년 후반에 나는 와이키키 주변에 있는 작은 아파트를 최초의 투자 자산 가운데 하나로 구입했다. 가격은 5만6천 달러였고 평범한 건물에 있는 침실 두 개 욕실 하나짜리 아파트였다. 그것은 완벽한 임대 아파트였고…… 나는 그것이 금방 임대될 것임을 알았다.

　나를 차를 몰고 부자 아버지의 사무실로 갔다. 그러고는 신이 나서 부자 아버지에게 그 아파트 건을 얘기했다. 부자 아버지는 계약 서류를 훑어보고 즉시 나를 보며 이렇게 물었다. 「너는 한 달에 얼마의 돈을 잃고 있니?」

　「한 달에 백 달러 정도입니다」 내가 말했다.

　「웃기지 말아라」 부자 아버지가 말했다. 「나는 숫자들을 모두 보

지 않았어도 서류만 보고서도 네가 그보다 훨씬 더 많이 잃고 있다는 것을 알 수 있다. 게다가 돈을 잃는 곳에 투자하는 바보가 어디 있단 말이냐?」

「글쎄요, 그 아파트는 좋아 보였습니다. 저는 그 아파트가 좋은 거래가 될 수 있다고 생각했습니다. 약간만 손을 보면 새것이나 마찬가지일 거예요」

「아무리 그래도 돈을 잃을 수는 없다」 부자 아버지가 비판했다.

「글쎄요, 부동산 중개인은 매달 돈을 잃는 것에 대해서는 걱정하지 말라고 얘기했습니다. 몇 년만 있으면 그 아파트 값은 배가 될 것이고, 게다가 제가 잃는 돈에 대해 정부가 세금 혜택을 줄 거라고 얘기했습니다. 저는 오히려 그렇게 좋은 거래를 다른 사람이 먼저 했을까 봐 염려했습니다」

부자 아버지는 자리에서 일어나 사무실 문을 닫았다. 그것은 내가 일장 훈계를 들을 것이고 중요한 교훈을 배울 것이라는 의미였다. 나는 전에도 그런 식의 교육 과정을 거친 적이 있었다.

「그러면 한 달에 얼마의 돈을 잃고 있느냐?」 부자 아버지가 다시 물었다.

「한 달에 백 달러 정도입니다」 나는 불안하게 대답했다.

부자 아버지는 머리를 흔들면서 서류를 검토했다. 이제 교육이 시작될 것이었다. 그날 나는 돈과 투자에 대해서 그전 27년 동안 배웠던 것보다 더 많은 것을 배웠다. 부자 아버지는 내가 적극적으로 나서서 자산에 투자한 것을 기뻐했다. 하지만 나는 경제적 재앙이 될 수도 있는 몇몇 중대한 실수를 했다. 그러나 바로 그 투자에서 배운 교훈들은 다음 몇 년 동안 나를 백만장자로 만들었다.

사람들은 눈으로 95% 투자하고 5%만 머리로 투자한다

「그것은 눈으로 보는 것이 아니다」부자 아버지가 말했다. 「하나의 부동산은 하나의 부동산이다. 기업의 주식 증서는 기업의 주식 증서이고 그런 것들은 볼 수가 있다. 하지만 정말 중요한 것들은 볼 수 없는 것들이다. 거래, 계약, 시장, 관리, 위험 요인, 현금흐름, 기업의 구조, 세법, 그 밖의 많은 보이지 않는 것들이 좋은 투자인지 나쁜 투자인지를 결정한다」

부자 아버지는 이어서 내가 한 계약을 몇몇 질문으로 묵살해 버렸다. 「왜 그렇게 높은 이자를 내려 하느냐? 너의 투자 수익률은 얼마인 것 같으냐? 이 투자가 장기적인 경제적 전략에 어떻게 합치하느냐? 어떤 임대 요인을 이용하느냐? 관리 비용은 계산했느냐? 어떤 비율을 이용해서 수리비를 계산했느냐? 시 정부가 그 지역의 도로들을 재정비할 것이라는 발표는 들었느냐? 그 건물 바로 앞으로 큰 신작로가 나게 된다. 주민들은 일년짜리 그 사업을 피해 이사하고 있다. 그런데 너는 그것을 알았느냐? 지금은 시장 흐름이 좋은데, 왜 그런지 알고 있느냐? 그리고 언제까지 그런 흐름이 계속될 것으로 보느냐? 그 아파트를 임대하지 못하면 어떻게 되느냐? 그럴 경우에 그것은 얼마나 갈 것이며 너는 또 얼마나 갈 것이냐? 그리고 도대체 어떤 생각으로 돈을 잃는 것이 좋은 거래라고 결론을 내렸느냐?」

「그것은 좋은 거래인 것 같았습니다」나는 낙심한 표정으로 대답했다.

부자 아버지는 미소를 지으면서 자리에서 일어나 내 손을 흔들었다. 「네가 행동했다는 것이 나는 기쁘다」부자 아버지가 말했다.

「대부분의 사람들은 생각만 하고 행동은 하지 않는다. 무언가를 하면 실수를 하게 된다. 그리고 우리는 실수에서 가장 많이 배운다. 정말로 중요한 것은 교실에서 배울 수 없음을 기억해라. 그것은 행동하고, 실수하고, 그런 후에 개선해 가면서만 배울 수 있다. 바로 그때 지혜를 얻게 된다」

나는 기분이 좀더 나아졌다. 그리고 이제는 배울 준비가 되어 있었다.

「대부분의 사람들은 눈으로 95%를 투자하고 5%만 머리로 투자한다」 부자 아버지가 말했다.

계속해서 부자 아버지가 설명했다. 사람들은 부동산이나 주식을 본 후에 종종 피상적으로 대충 눈으로 보는 것이나, 중개인이 얘기하는 것이나, 혹은 동료 직원의 귀뜸에 근거해서 결정을 내린다. 그들은 종종 이성적으로가 아니라 감정적으로 사곤 한다.

「그런 이유로 투자가 열 명 가운데 아홉 명은 돈을 벌지 못한다」 부자 아버지가 말했다. 「그렇다고 꼭 돈을 잃는 것은 아니지만 벌지도 못한다. 말하자면 본전치기를 하면서 벌기도 하고 잃기도 한다는 거지. 왜 그런가 하면 그들은 눈과 감정으로 투자를 하지 머리로는 투자하지 않기 때문이다. 많은 사람들은 빨리 부자가 되고 싶어 투자를 한다. 그래서 그들은 투자가가 되지 못하고 결국에는 몽상가, 환상가, 도박꾼, 혹은 사기꾼이 되버리고 말지. 세상에는 그런 사람들이 무척 많다. 이제 자리에 앉아 네가 산 이 거래를 다시 훑어보자. 나는 네가 어떻게 그것을 이기는 거래로 바꿀 수 있는지 가르치겠다. 나는 네가 눈으로 볼 수 없는 것을 마음으로, 머리로 보도록 가르치겠다」

지는 게임을 이기는 게임으로

다음날 아침 나는 그 부동산 중개인을 찾아가 계약을 파기하고 재협상을 했다. 그것은 유쾌한 과정은 아니었지만 나는 많은 것을 배웠다.

사흘 후에 나는 다시 부자 아버지를 보러 갔다. 가격은 여전히 같았고 중개인은 수수료를 모두 챙겼다. 그 사람은 힘들게 일했기 때문에 그럴 자격이 있었다. 그러나 가격은 여전히 같았지만 투자 조건들은 크게 달랐다. 이자율과 지불 조건, 그리고 상환 기간을 재협상함으로써 나는 이제 돈을 잃는 것이 아니라 매달 80달러의 순수익을 올릴 수 있었다. 나는 시장이 나빠지면 임대료를 낮추고도 돈을 벌 수 있었다. 그리고 시장이 더 좋아지면 당연히 임대료를 올릴 것이다(하와이의 와이키키 주변에서 아파트, 그들이 말하는 콘도미니엄을 확보해 세를 놓는 사람들이 적지 않은데, 이들이 세를 놓는 대상은 주로 하와이에 휴가를 온 관광객들이라는 점을 감안하라——옮긴이).

「나는 네가 한 달에 적어도 150달러는 잃을 것이라고 추산했다」부자 아버지가 말했다. 「어쩌면 더 많을지도 모른다. 네가 계속해서 한 달에 150달러를 잃었다면, 네 봉급과 지출을 감안할 때, 너는 그런 계약을 몇 개나 할 수 있겠니?」

「끽해야 하나죠」내가 대답했다. 「대개의 경우 나는 한 달에 150달러를 잃을 수가 없습니다. 내가 원래의 그 계약서에 서명했다면 매달 경제적으로 고생을 했을 거예요. 세금 혜택을 받은 후에도 그랬을 거구요. 어쩌면 그 거래에 투자하기 위해 부업을 해야만 했을

지도 모르죠」

「그러면 이제는 80달러의 플러스 현금흐름이 나오는 이런 계약을 몇 개나 할 수 있겠니?」 부자 아버지가 물었다.

나는 미소를 지으면서 이렇게 대답했다. 「내가 할 수 있는 만큼 많이 할 수 있죠」

부자 아버지는 고개를 끄덕이면서 수긍했다. 「이제 밖으로 나가 할 수 있는 만큼 많이 해라」

몇 년 후에 하와이의 부동산 가격은 천정부지로 치솟았다. 그러나 나에게는 가치가 올라가는 부동산이 하나가 아닌 일곱 이상이 있었다. 이것은 약간의 금융 지능이 보여주는 힘이다.

당신은 그것을 할 수 없다?

내 첫번째 부동산 투자에서 한 가지 중요한 측면은 이것이었다. 즉 내가 새로운 제안을 갖고 부동산 중개인에게 다시 갔을 때, 그 사람은 내게 이런 얘기만 했다. 「당신은 그것을 할 수 없어요」

가장 오랜 시간이 걸린 것은 그 중개인에게 내가 원하는 것을 우리가 어떻게 할 수 있는지 생각해 보도록 설득하는 일이었다. 어찌되었건 나는 그 첫번째 투자에서 많은 교훈을 배웠다. 그리고 그런 교훈들 가운데 하나는 누군가 우리에게 〈당신은 그것을 할 수 없다〉고 얘기할 때 그들은 손가락 하나로 우리를 가리킬 수도 있지만, 손가락 셋은 바로 자신들을 향하고 있다는 점이다.

부자 아버지는 나에게 이렇게 가르쳤다. 「〈그것을 할 수 없다〉고

해서 반드시 〈할 수 없는〉 것은 아니다. 그보다는 오히려 그런 말을 하는 〈그들이야말로 해낼 수 없다〉」

백여 년 전에도 이런 예가 있었는데, 그때 사람들은 라이트 형제에게 이렇게 얘기했다. 「당신들은 그것을 할 수 없습니다」 다행히도 라이트 형제는 그 말을 귀담아듣지 않았다.

1조4천억 달러가 주인을 찾고 있다

매일 1조4천억 달러가 지구 궤도를 돌고 있다. 그리고 점점 더 그 액수가 많아지고 있다. 과거의 그 어느 때보다 많은 돈이 만들어지고 있으며 우리가 사용할 수 있다. 문제는 돈은 눈으로 볼 수 없다는 것이다. 그래서 사람들은 돈을 찾을 때 눈으로 아무것도 볼 수가 없다. 대부분의 사람들은 매달 받는 월급으로 살려고 애를 쓴다. 그러나 매일 1조4천억 달러가 지구 주위를 돌면서 그것을 원하는 사람을 찾고 있다. 그것을 보살피고, 기르고, 돌보는 법을 아는 사람을 찾고 있다. 당신이 돈을 보살필 줄 아는 사람이라면, 돈은 당신에게 모여들고 당신 손에 들어온다. 사람들은 당신에게 돈을 가지라고 애원할 것이다.

하지만 당신이 돈을 돌보는 법을 모른다면, 돈은 당신에게서 멀어질 것이다. 금융 지능에 대한 부자 아버지의 정의를 기억하라. 「금융 지능은 돈을 얼마나 버는가보다는 얼마를 보관하고, 돈이 우리를 위해 얼마나 열심히 일하고, 얼마나 많은 세대 동안 그것을 보관하는가의 문제다」

머리로 돈을 보도록 하라

「평균적인 사람은 투자할 때 95%는 눈으로 하고 5%만 머리로 한다」 부자 아버지가 말했다. 당신이 사분면의 사업가 그룹인 〈B〉와 투자가 그룹인 〈I〉 편에서 전문가가 되고 싶다면 5%만 눈으로, 나머지 95%는 마음으로 보도록 훈련해야 한다. 이어서 부자 아버지는 이렇게 설명했다. 「마음으로 돈을 보도록 훈련하는 사람들은 그렇지 못한 사람들에게 엄청난 힘을 갖고 있다」

부자 아버지는 내가 누구에게서 경제적 조언을 들어야 하는지 강조했다. 「대부분의 사람들이 경제적으로 고생하는 이유는 역시 정신적으로 돈에 장님인 사람들로부터 조언을 듣기 때문이란다. 그것은 바로 장님이 장님을 이끄는 그런 경우이지. 돈이 오게 하려면 돈을 보살피는 법을 알아야만 한다. 돈이 먼저 머릿속에 있지 않으면 손에 붙을 수가 없다. 돈이 손에 붙지 않으면 돈과 돈이 있는 사람들은 너에게서 멀어진단다」

그렇다면 머리로 돈을 볼 수 있도록 훈련시키는 첫번째 단계는 무엇일까? 그 답은 쉽다. 그 답은 금융 지식이다. 그것은 자본주의의 단어들과 숫자 시스템을 이해하는 능력에서 시작된다. 그런 단어들과 숫자들을 이해하지 못하면 당신은 외국어를 말하는 거나 다름없다고 할 수도 있다. 그리고 많은 경우에 각각의 사분면은 하나의 외국어를 대변한다.

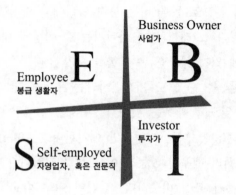

위의 〈현금흐름 사분면〉을 보면 각각의 사분면은 서로 다른 나라이다. 그 각각은 같은 단어들을 사용하지 않는다. 그리고 그런 단어들을 이해하지 못하면 당신은 숫자들을 이해할 수 없다.

예를 들어, 어떤 의사가 이렇게 얘기한다. 「당신의 수축혈압은 120이고 확장혈압은 80입니다」 이 말은 좋다는 뜻인가, 나쁘다는 뜻인가? 이것만 알면 건강에 대해서는 모든 것을 알게 되는 것일까? 그 답은 당연히 〈아니오〉이다. 하지만 그것은 출발점이 된다.

적어도 우리는 같은 단어들을 말하고 같은 숫자들을 사용하기 시작한다. 그리고 바로 이곳에서 금융 지능의 기반인 금융 지식이 시작된다. 그것은 단어들과 숫자들을 아는 것부터 시작된다.

앞의 의사는 자영업자 그룹인 〈S〉 사분면에서 말하고 있으며, 다른 사람은 투자가 그룹인 〈I〉 사분면의 단어들과 숫자들로 말하고 있다. 그들은 이를테면 서로 다른 외국어를 말하고 있다.

나는 누군가 이렇게 얘기할 때 동의하지 않는다. 「돈이 있어야 돈을 벌 수 있다구요」

내가 볼 때 돈으로 돈을 버는 능력은 단어와 숫자를 이해하는 데서부터 시작된다. 그래서 부자 아버지는 늘 이렇게 얘기했다. 「돈이 먼저 머릿속에 있지 않으면 손에 붙을 수가 없다」

머리가 돈을 볼 수 있도록 훈련시키는 두번째 단계는 진짜 위험이 무엇인지 알도록 배우는 것이다. 투자는 위험한 것이라고 사람들이 내게 말할 때, 나는 이렇게만 얘기한다. 「투자는 위험한 것이 아닙니다. 오히려 배우지 않는 것이 위험한 것입니다」

투자는 비행기 조정 비슷하다. 당신이 비행 학교에 다니면서 여러 해 동안 경험을 얻었다면, 그때는 비행기 조정이 재미있고 흥미로운 것이 된다. 하지만 당신이 비행 학교에 다니지 않았다면, 나는 비행기 조정을 다른 누군가에게 맡기라고 권유한다.

당신에게 조언을 해주는 사람은 딱 당신만큼만 똑똑하다

부자 아버지는 어떤 경제적 조언도 없는 것보다는 나은 것이라고 굳게 믿었다. 그분은 열린 마음을 갖고 있었다. 그분은 예의가 바르고 많은 사람들의 얘기를 귀담아들었다. 하지만 종국에는 자신의 금융 지능에 의존해 결정을 내리곤 했다. 「네가 아는 것이 전혀 없을 때, 그때는 어떤 조언도 없는 것보다는 낫다. 하지만 네가 나쁜 조언과 좋은 조언의 차이를 알 수 있을 때, 그때는 어떤 조언이라도 무조건 듣는 것이 오히려 더 위험한 것이다」

부자 아버지는 대부분의 사람들이 경제적으로 고생하는 이유는 부모에게서 아이들에게로 전해진 잘못된 금융 정보에 의존하기 때문이라고 굳게 믿었다. 그리고 대부분의 사람들은 경제적으로 온전한 가족에서 자라지 않는다. 「나쁜 경제적 조언은 당연히 위험한 것인데, 대부분의 나쁜 조언은 가정에서 전달된다」 부자 아버지는 종종 그렇게 말했다. 「그건 부모들이 얘기하는 것 때문이 아니라 부모들이 행동하는 것 때문이지. 아이들은 말보다는 행동을 보고 배운단다」

부자 아버지는 이렇게 얘기했다. 「우리의 조언자들은 우리만큼만 똑똑하다. 우리가 똑똑하지 않으면 그들은 우리에게 많은 것을 얘기해 주지 않는다. 우리가 경제적으로 아는 것이 많으면, 유능한 조언자들은 우리에게 더 세련된 경제적 조언을 해줄 수 있다. 우리가 경제적으로 너무 순진하면, 그들은 법적으로도 안전하고 안정적인 금융 전략들만 제공할 수밖에 없다. 우리가 능숙하지 못한 투자가라면, 그들은 위험이 낮고 수익이 낮은 투자밖에 제시할 수 없다. 그들은 종종 능숙하지 않은 투자가들에게 다각화(분산 투자)를 권한다. 굳이 시간을 내서 우리를 가르치려는 조언자는 별로 없다. 그들에게도 시간은 돈이기 때문이지. 따라서 우리가 스스로 책임을 지면서 경제적으로 배움을 얻고 돈을 잘 관리할 때, 그때는 유능한 조언자가 몇몇 사람만 볼 수 있는 투자와 전략에 대한 정보를 준다. 하지만 먼저 우리는 우리 몫의 공부를 해야만 한다. 항상 기억해라. 너에게 주언을 해주는 조언자는 딱 너만큼만 똑똑하다」

그들은 거짓말을 하는 것이 아니다,
다만 진실을 얘기하지 않을 뿐이다

부자 아버지에게는 거래를 해야 할 몇몇 은행가가 있었다. 그들은 그분의 금융팀에서 중요한 일부를 구성했다. 부자 아버지는 자신의 은행가들과 친했고 그들을 존경했지만 자신의 이익 극대화를 위해서는 그들을 관찰해야 한다고 믿었다. 그분은 은행가들도 그들 자신의 이익 극대화를 추구한다고 생각했다.

내가 1974년에 그 투자 경험을 한 후에 부자 아버지는 이렇게 물었다. 「은행가가 너의 집이 자산이라고 얘기할 때, 그들은 너에게 진실을 얘기하는 거라고 생각하니?」

대부분의 사람들은 경제적으로 무지하고 돈의 게임을 잘 모른다. 그래서 그들은 종종 자신들이 믿곤 하는 사람들의 의견과 조언을 받아들여야 한다. 당신이 경제적으로 똑똑하지 않다면 당신이 경제적으로 똑똑하다고 신뢰하는 사람의 말을 들을 필요가 있다. 많은 사람들은 자기 자신보다 누군가 다른 사람의 권유에 기반해 투자하거나 돈을 관리한다. 그러나 그것은 위험한 일이다.

은행가가 당신의 집이 자산이라고 얘기할 때, 그들은 사실 거짓말을 하는 것은 아니다. 그들은 다만 전체적인 진실을 얘기하지 않을 뿐이다. 당신의 집은 자산이기는 하지만, 그들은 그것이 누구의 자산인지 얘기해 주지 않는다. 당신이 금융 보고서를 읽을 수 있다면 당신의 집이 당신의 자산이 아님을 아는 것은 쉽다. 당신의 집은 은행의 자산이다. 부자 아버지가 이 책의 전편인 『부자 아빠 가난한 아빠』에서 자산과 부채에 대해 내린 다음의 정의를 기억하라.

「자산은 내 호주머니에 돈을 넣는 것이다」

「부채는 내 호주머니에서 돈을 빼가는 것이다」

사분면의 왼쪽 편에 있는 봉급 생활자와 자영업자들은 그런 차이를 굳이 알 필요가 없다. 대부분의 그들은 안정적인 직장이 있고 자기들 것이라고 믿는 멋진 집이 있으면 행복을 느낀다. 그들은 자신들이 통제한다고 믿으면서 자랑으로 여기는 그 집의 주택 융자금을 갚는 한은 누구도 그것을 앗아가지 않는다고 생각한다. 그러면서 그들은 열심히 융자금을 갚는다.

그러나 사분면의 오른쪽 편에 있는 사업가와 투자가들은 그런 차이를 알 필요가 있다. 경제적으로 똑똑하고 영리하다는 것은 돈의 큰 그림을 이해할 수 있다는 뜻이다. 경제적으로 영리한 사람들은 주택 융자금이 자신의 대차대조표에서 자산이 아닌 부채로 나타난다는 것을 안다. 당신의 주택 융자금은 실제로 마을 건너편에 있는 은행가의 대차대조표에서 자산으로 나타난다.

당신의 대차대조표

자산	부채
	주택 융자금

누구든지 회계학을 공부한 사람이면 대차대조표(balance sheet)는 균형(balance)을 이루어야만 함을 잘 안다. 하지만 그것은 어디

에서 균형을 이루는가? 그것은 사실 당신의 대차대조표에서는 균형을 이루지 않는다. 당신이 은행의 대차대조표를 본다면, 그것은 숫자들이 정말로 얘기하는 이야기가 된다.

은행의 대차대조표

자산	부채
당신의 주택 융자금	

이제 그것은 균형을 이룬다. 이제 그것은 설득력을 갖는다. 이것은 〈B〉와 〈I〉의 회계학이다. 하지만 이런 방식은 기본적인 회계학에서는 가르치지 않는다. 당신은 회계학에서 당신 집의 〈가치〉를 자산으로, 그리고 주택 융자금을 부채로 나타낼 것이다. 또 한 가지 중요한 점은 당신 집의 〈가치〉는 시장과 함께 요동하는 하나의 변동요소인데, 당신의 주택 융자금은 시장의 영향을 받지 않는 확정된 부채라는 점이다. 반면에 〈B〉와 〈I〉에게는 당신 집의 〈가치〉가 자산으로 여겨지지 않는다. 왜냐하면 그것은 현금흐름을 만들지 않기 때문이다.

융자금을 모두 갚고 나면 어떻게 되는가

많은 사람들은 나에게 이렇게 묻는다. 「내가 융자금을 모두 갚으면 어떻게 되는 거죠? 그러면 내 집은 내 자산이 되는 건가요?」

그러면 나는 이렇게 대답한다. 「대부분의 경우에 그 답은 여전히 〈아니오〉입니다. 그것은 여전히 부채입니다」

내가 그렇게 대답하는 데는 몇 가지 이유가 있다. 그중에서 하나는 유지비와 기타 경비 때문이다. 실물 재산은 자동차와 비슷하다. 설사 그것을 공짜로 소유한다 해도 여전히 운영비는 들어간다. 그리고 일단 잘못되기 시작하면 모든 것이 잘못되기 시작한다. 그리고 대개의 경우 사람들은 세금을 내고 난 후의 돈을 갖고 집과 자동차의 수리비를 지불한다. 〈B〉와 〈I〉 사분면에 있는 사람은 실물 재산이 플러스의 현금흐름을 통해 수입을 창출할 때만 그것을 자산으로 취급한다.

그러나 주택이 (융자가 없는 경우에도) 여전히 부채인 주요 이유는 우리가 여전히 그것을 소유하지 않기 때문이다. 실제로 우리가 그것을 소유한다 해도 정부는 여전히 세금을 물린다. 실물 재산에 대한 세금 납부를 한번 중단해 보라. 그러면 다시 그런 재산의 실제 소유주가 누구인지 알게 될 것이다.

부동산은 아직도 왕실(?)의 소유다

다시 말하지만, 돈을 볼 수 있으려면 눈이 아닌 마음으로, 머리로 보아야 한다. 그리고 마음과 머리를 훈련시키려면 단어들의 진정한 정의와 숫자들의 시스템을 알아야 한다.

이제 당신은 자산과 부채의 차이를 알아야 한다. 그리고 〈담보

융자(mortgage)〉와 〈금융(finance)〉의 정의를 알아야 한다. 전자는
〈죽을 때까지의 계약〉을 뜻하고, 후자는 〈벌칙〉을 뜻한다(〈mort〉는
〈죽음〉을 뜻하고 〈gage〉는 〈약속〉을 뜻한다. 예를 들면 mortality와
engagement를 들 수 있다. finance의 어원은 〈벌금〉이라는 뜻의〈fine〉
으로 보인다——옮긴이). 이제 당신은 〈부동산(real estate)〉이라는
말의 어원을 배울 것이다. 그리고 요즘 인기를 얻고 있는 〈파생상품
(derivative)〉에 대해서도 배울 것이다. 많은 사람들은 〈파생상품〉이
새로운 것이라고 생각하지만 사실은 아주 오래된 것이다.

〈파생상품〉에 대한 간단한 정의를 내려보면, 무언가 다른 것에서
비롯되는 또다른 무엇이다. 파생상품의 한 가지 예가 오렌지 주스
이다. 오렌지 주스는 오렌지의 파생상품이다.

전에만 해도 나는 부동산(real estate)의 뜻이 〈진짜인(real)〉 것, 혹
은 무언가 가시적인 것이라고 생각했다. 부자 아버지는 그것이 사
실은 스페인어인 〈real〉에서 비롯된 것이며 〈real〉의 뜻은 〈royal〉이
라고 설명했다. 예를 들어 〈El Camino Real〉은 〈왕실의 길(the
royal road)〉이라는 뜻이다. 그리고 부동산(real estate)의 뜻은 왕
실의 재산(royal' s estate)이다.

농업 시대가 끝나고 산업화 시대가 시작된 1500년경에 권력의 이
동이 일어났다. 이제는 더 이상 권력이 토지와 농업에 기반하지 않
았다. 군주들은 토지 개혁으로 인한 농부들의 토지 소유라는 시대
변화에 적응해야 할 필요성을 느꼈다. 그래서 왕족들은 파생상품을
만들었다. 이를테면 토지 소유에 대한 〈세금〉과 평민들의 토지 소유
를 경제적으로 지원하는 〈융자〉 같은 것이었다. 세금과 융자가 파생
상품인 이유는 그것들이 토지에서 파생하는 것이기 때문이다. 당신

의 은행가는 담보 융자를 파생상품이라고 얘기하지 않을 것이다. 그들은 그것이 토지로 〈확보되어 있다〉고 얘기할 것이다. 말은 다르지만 뜻은 비슷하다. 이처럼 왕족들은 이제 더 이상 돈이 토지에 있는 것이 아니라 토지에서 비롯되는 〈파생상품〉에 있는 것임을 안 후에 은행들을 만들어 늘어나는 사업을 다루도록 했다. 지금도 토지가 부동산으로 불리는 이유는 우리가 아무리 많은 돈을 지불해도 그것을 실제로 소유할 수는 없기 때문이다. 그것은 아직도 〈왕실〉의 소유인 것이다.

8만 달러의 이자는 30년 동안 8% 이율로 13만 달러

부자 아버지는 자신이 지불하는 이자를 하나하나 세심하게 계산했고 끝까지 협상했다. 그분은 나에게 이런 질문을 던졌다. 「은행가가 너에게 연간 이자율이 8%라고 얘기할 때, 너는 그 말을 정말로 믿니?」 나는 우리가 숫자를 읽는 법을 배운다면 그렇지 않음을 알게 되리라 믿는다.

가령 당신이 10만 달러의 주택을 사는데 2만 달러를 선금으로 내고 나머지 8만 달러를 8%의 이율로 30년 동안 은행에서 빌린다고 하자.

당신은 5년이 지나면 은행에 모두 35,220달러를 지불할 것이다. 31,276달러를 이자로 내고 원금 상환은 3,944달러밖에 안 될 것이다.

당신이 그 빚을 상환 기간인 30년 동안 갚는다면, 당신은 모두 211,323달러를 원금과 이자로 지불할 것이다. 여기에서 원래의 대출

금인 8만 달러를 빼면 이자로 지불한 돈은 모두 131,323달러가 될 것이다. 그리고 그 211,323달러에는 재산세와 융자금의 보험료는 들어 있지 않다.

우습게도 131,323달러는 8만 달러의 8%보다 더 많은 것으로 보인다. 그것은 30년에 걸친 160%의 이자로 보인다. 이미 얘기했듯이, 그들은 거짓말을 하고 있는 것이 아니다. 그들은 다만 전체적인 진실을 얘기하지 않고 있을 뿐이다. 그리고 당신이 숫자를 읽지 못하면 그것을 절대로 알 수 없을 것이다. 그리고 당신이 주택에 만족한다면 절대로 상관하지 않을 것이다. 하지만 당연히 업계에서는, 몇 년 지나면 당신이 새 집, 더 큰 집, 혹은 별장을 원하거나 융자를 갱신할 것임을 알고 있다.

은행 업계에서는 〈평균 7년〉을 담보 대출의 수명으로 사용한다. 무슨 말인가 하면, 은행들은 평균적인 사람은 7년마다 새 집을 사거나 재융자를 받을 것으로 기대한다. 그리고 이 경우에는 은행들이 원래의 8만 달러를 7년마다 43,291달러의 이자를 붙여 돌려받을 것으로 기대한다는 뜻이 된다.

그리고 이런 이유로 그것은 〈담보 융자〉라고 불린다. 이 말은 〈죽을 때까지의 계약〉인 프랑스어 〈mortir〉에서 비롯된 것이다. 실제로 대부분의 사람들은 계속해서 열심히 일하고, 봉급을 인상받고, 새로운 담보 융자로 새 집을 살 것이다. 뿐만 아니라, 정부는 세금 혜택을 주어 납세자들이 더 비싼 집을 사도록 권장한다. 그렇게 해서 더 많은 재산세를 받겠다는 것이다.

사람들은 신용카드 빚이 있을 때 융자 회사에 달려가 주택 융자금을 재대출받아 신용카드 빚을 청산하면서 자신들이 똑똑하다고 느낀다.

그로부터 몇 주 후에 그들은 쇼핑을 갔다가 새 옷이나 새 잔디깎이를 보거나, 아이들에게 새 자전거가 필요하다고 느끼거나, 혹은 그동안 힘들게 일했으니 휴가를 떠날 필요가 있다고 생각한다. 그들에게는 이제 연체 대금이 하나도 없는 깨끗한 신용카드가 생긴 것이다. 혹은 다른 카드의 빚을 갚고 새 카드를 발급받은 것이다. 그들은 높은 신용을 갖게 되었고, 그래서 빚을 갚았고, 이제는 가슴이 콩닥콩닥 뛰면서 스스로 이렇게 얘기한다. 「야, 그거 사라구. 너는 그것을 가질 자격이 있어. 매달 조금씩 갚아나가면 되는 거야」

이제 감정이 이성을 압도하며, 깨끗한 새 신용카드가 주머니에서 나온다.

이미 얘기했듯이, 은행가들이 당신의 집은 자산이라고 얘기할 때, 그들은 거짓말을 하는 것이 아니다. 정부가 당신이 지는 빚에 세금 혜택을 줄 때, 그것은 그들이 당신의 경제적 미래를 걱정하기 때문이 아니다. 정부는 자신들의 경제적 미래를 걱정하고 있다. 그래서 당신의 은행가, 회계사, 변호사, 그리고 학교 선생님들이 당신에게 당신의 집은 자산이라고 얘기할 때, 그들은 그것이 누구의 자산인지 얘기하지 않을 뿐이다.

은행은 당신의 저축을 필요로 하지 않는다

아는지 모르겠지만, 당신이 집을 사서 빚을 더 질 때는 세금 혜택을 받지만, 저축을 할 때는 세금 혜택을 받지 못한다. 당신은 왜 그런지 생각해 본 적이 있는가?

나도 정확한 답은 모르지만 추측은 할 수 있다. 한 가지 큰 이유는 당신의 저축은 은행들에게는 부채이기 때문이다. 왜 그들이 당신이 은행에 돈을 넣도록 권장하는 법을 통과시키라고 정부에 요구하겠는가, 그런 돈은 그들에게 부채가 되는데?

게다가 은행들은 당신의 저축을 필요로 하지 않는다. 그들은 많은 예금을 필요로 하지 않는다. 왜냐하면 그들은 돈을 적어도 10배로 키울 수 있기 때문이다. 당신이 은행에 1달러짜리 지폐 한 장만 넣어도 은행은 법적으로 10달러까지 대출을 할 수 있다. 그리고 중앙은행이 부과하는 준비금 한계에 따라 20달러까지도 대출을 할 수 있다. 그러니까 당신의 1달러는 갑자기 10달러 이상으로 커지게 된다. 그것은 마술이다! 부자 아버지가 나에게 그것을 보여주었을 때, 나는 그런 개념과 사랑에 빠졌다. 그때 나는 내가 원하는 것은 은행을 갖는 것이지, 학교에 가서 은행가가 되는 법을 배우는 것이 아님을 알 수 있었다.

뿐만 아니라, 은행은 당신에게 그 1달러에 대해 5%의 이자만 지급하면 될 것이다(한국으로 치면 8% 가량의 이자——옮긴이). 당신은 소비자로서 안정감을 느끼게 된다. 은행이 당신의 돈에 대해 나름의 돈을 지불하기 때문이다. 은행들은 이것을 좋은 고객 관계로 본다. 왜냐하면 당신은 그들에게 돈을 맡기고 다시 와서 그 돈을 빌릴수도 있기 때문이다. 은행들은 당신이 돈을 빌리기를 원한다. 그러면 빌린 돈에 대해 9% 이상의 이자를 물릴 수 있기 때문이다. 당신은 맡긴 돈 1달러에 대해 5%를 벌 수도 있지만, 은행은 당신의 1달러가 창출하는 10달러의 부채에서 9% 이상을 벌 수 있다. 최근에 나는 8.9%의 이자율을 선전하는 새로운 신용카드를 받았다. 하지만 당신이 그 멋진 광고에 있는 법적인 용어들을 이해한다면, 그것은 실제로 23%의 이자율을 교묘히 감추고 있는 것임을 이해할 것이다. 당연히 그 신용카드는 절반으로 쪼개져 다시 우송되었다.

당신에게 빚이 너무 많으면 세상은 당신의 모든 것을 앗아간다

1974년에 부자 아버지가 화를 냈던 것은 그 게임이 나에게 불리하게 진행되었고 나는 그것을 몰랐기 때문이다. 나는 그 부동산 투자에 손을 대어 돈을 잃는 포지션을 취했다. 그러면서도 나는 그것이 이기는 포지션이라고 착각을 했다.

「나는 네가 게임에 참여한 것이 기쁘다」부자 아버지가 말했다. 「하지만 누구도 그 게임의 본질을 너에게 얘기하지 않았다. 그래서 너는 지는 팀 쪽으로 끌려가고 말았다」

부자 아버지는 이어서 게임의 본질을 설명했다. 「자본주의라는 게임의 본질은 이것이다. 〈누가 누구에게 빚을 지고 있는가?〉」

일단 게임의 본질을 알면 나는 더 좋은 선수가 될 수 있다고 부자 아버지는 말했다. 그 게임으로 망조가 드는 그런 사람이 되는 것이 아니라.

「네가 빚을 진 사람이 많을수록 너는 더 가난하다」부자 아버지는 그렇게 얘기했다. 「그리고 너에게 빚진 사람이 많을수록 너는 더 부유하다. 이것이 그 게임이다」

이미 얘기했듯이, 나는 열린 마음을 유지하려고 애를 썼다. 그래서 나는 잠자코 앉아 부자 아버지의 설명을 들었다. 그분은 악의로 그 얘기를 하는 것이 아니었다. 그분은 다만 자신이 알고 있는 게임을 설명할 뿐이었다.

「우리는 모두 누군가에게 빚을 지고 있다. 문제는 그 빚이 균형을 벗어날 때 일어난다. 아쉽게도 이 세상의 가난한 사람들은 그 게임으로 많은 멍이 들었단다. 그들은 종종 많은 빚을 지곤 한다. 가난한 나라들 역시 같은 상황이지. 세상은 가난한 사람, 약한 사람, 경제적으로 무지한 사람들에게서 빼앗아간다. 너에게 빚이 너무 많으면, 세상은 너에게서 있는 모든 것을 앗아간다. 너의 시간, 너의 노동, 너의 집, 너의 삶, 너의 자신감, 그리고 네가 허락하면 너의 자존심까지 앗아간다. 나는 이 게임을 만들지 않았다. 그리고 규칙들을 만들지도 않는다. 그러나 나는 그 게임을 알고는 있다. 그리고 나는 그 게임을 잘한다. 나는 그 게임을 너에게 설명할 것이다. 나는 네가 그 게임을 하는 법을 알기를 원한다. 그렇게 해서 게임을 숙지하고 나면 네가 아는 것을 갖고 무엇을 할지 결정할 수 있단다」

돈을 버는 것은 일반 상식이다. 그러나 돈에 대해서는 일반 상식이 일반적으로 적용되지 않는다

다시 1974년으로 돌아가 내가 그 5만6천 달러짜리 임대 아파트를 사는 법을 배우고 있을 때, 부자 아버지는 나에게 어떻게 거래를 만드는지에 관해 중요한 교훈을 가르쳤다.

「〈누가 누구에게 빚을 지고 있는가?〉 이것이 게임의 본질이다」부자 아버지가 말했다. 「그리고 누군가 빚의 형태로 너에게 달라붙어 있다고 치자. 그것은 친구 열 명과 저녁을 먹으러 가는 것과 비슷하다. 너는 화장실에 갔다가 돌아온다. 청구서는 그곳에 있지만 친구 열 명은 모두 가고 없는 꼴이다. 네가 그 게임을 하려면 그 게임을 배워야 하고, 규칙을 알아야 하고, 같은 언어를 사용해야 하고, 누구와 게임을 하고 있는지 알아야 한다. 그렇지 않으면 네가 그 게임을 하는 것이 아니라 그 게임에 휘둘림을 당할 것이기 때문이다」

처음에 나는 부자 아버지의 얘기를 듣고 화가 났다. 하지만 나는 경청하면서 최대한 이해하려고 했다. 마침내 부자 아버지가 그것을 내가 이해할 수 있는 것으로 풀어서 설명했다. 「너는 풋볼 경기를 아주 좋아하지?」부자 아버지가 물었다.

나는 고개를 끄덕였다. 「저는 그 게임을 아주 좋아합니다」

「음, 돈은 내 게임이다」부자 아버지가 말했다. 「나는 돈 게임을 아주 좋아한다」

「하지만 많은 사람들에게 돈은 게임이 아니잖아요」내가 말했다.

「그 말은 맞다」부자 아버지가 말했다. 「대부분의 사람들에게 돈은 생존이다. 대부분의 사람들에게 돈은 할 수 없이 해야 하는 생존의 게임이다. 그리고 그들은 그것을 너무도 싫어하지. 아쉽게도 우리가 더 문명화될수록 돈은 한층 더 우리 삶의 일부가 된다」

부자 아버지는 〈현금흐름 사분면〉을 그렸다.

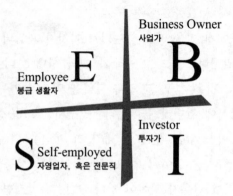

　「이것을 그냥 테니스 코트, 풋볼 경기장, 혹은 축구 경기장으로 보아라. 네가 돈 게임을 할 계획이라면 어느 팀에 들어가고 싶으냐? E, S, B, 혹은 I 중에서 말이다. 혹은 코트의 어느 편에 들어가고 싶으냐? 오른쪽 편이냐 왼쪽 편이냐?」

　나는 사분면의 오른쪽 편을 가리켰다.

　「그래, 잘했다」 부자 아버지가 말했다. 「그렇기 때문에 너는 그 게임을 하러 경기장에 나가서 어떤 중개인이 30년 동안 매월 150달러를 잃는 것이 좋은 거래라고 얘기하는 것을 믿어서는 안 된다. 돈을 잃는 것에 대해 정부가 세금 혜택을 줄 것이고, 그가 보기에 부동산 가격은 올라갈 것이라는 이유를 대면서 하는 그런 말은 절대로 믿어서는 안 된다. 그런 사고방식으로는 그 게임을 도저히 할 수가 없다. 물론 그런 의견은 현실로 나타날 수도 있지만, 그것은 사분면의 오른쪽 편에서 게임이 이뤄지는 방식이 절대 아니다. 누군가 너에게 부채를 지고, 그 모든 위험을 안고, 그 대가를 지불하라고 얘기한다. 사분면의 왼쪽에 있는 사람들은 그것이 좋은 아이디어라고 생각한다. 하지만 오른쪽에 있는 사람들은 그렇지 않다」

나는 약간 몸을 떨었다.

「그것을 내 방식대로 보거라」부자 아버지가 말했다. 「너는 하늘에 떠 있는 그 임대 아파트 5만6천 달러를 기꺼이 내려고 하고 있지. 하지만 그것은 부채를 사는 계약을 하는 거다. 너는 그 모든 위험을 안는 거지. 임차인은 네가 그곳에서 사는 데 드는 비용보다 더 적은 금액을 임차료로 지불한다. 따라서 너는 그 사람의 주거에 보조금을 지불하는 셈이 된다. 네가 볼 때 그것은 설득력이 있니?」

나는 고개를 가로 저었다. 「아니요」

「나는 이런 식으로 게임을 한다」부자 아버지가 말했다. 「이제부터 너는 부채와 위험을 네가 안으면 보상을 받아야 한다. 알겠니?」

나는 고개를 끄덕였다.

「돈을 버는 것은 일반 상식이다」부자 아버지가 말했다. 「그것은 어려운 학문이 아니다. 그러나 아쉽게도 돈에 대해서는 일반 상식이 일반적으로 적용되지 않는다. 은행가는 너에게 부채를 안으라고 얘기한다. 그들은 근본적인 경제적 의미가 전혀 없는 어떤 것에 대해 정부가 세금 혜택을 줄 것이라고 얘기한다. 그리고 부동산 중개인은 네가 지불하는 것보다 더 적게 지불할 임차인을 찾을 수 있으니까, 자기가 볼 때는 그 가격이 올라갈 것이니까 계약서에 서명하라고 얘기한다. 그것이 너에게 설득력을 갖는다면, 너와 나는 똑같은 일반 상식을 공유하고 있는 게 아니다」

나는 그냥 그곳에 서 있었다. 나는 그분이 얘기한 모든 것을 들었다. 그리고 나는 내가 볼 때 좋은 거래인 것 같은 그것 때문에 너무 흥분해서 논리적인 판단을 전혀 하지 못했음을 인정해야만 했다. 나는 그 계약을 분석하지 못했다. 그 계약이 좋아 〈보였기〉 때문에, 나는 욕심과 흥분으로 감정적으로 되었다. 그리고 나는 숫자들과 단어들이 나에게 얘기하려 하는 것을 더 이상 들을 수 없었다.

바로 그때 부자 아버지는 자신이 늘 사용하는 중요한 규칙을 나에게 설명했다.「너의 수익은 네가 살 때 만들어진다. 결코 네가 팔 때 만들어지는 것이 아니다」

부자 아버지는 자신이 어떤 부채나 위험을 안더라도 그것은 그것을 사는 날부터 의미가 있어야 함을 분명하게 지적했다. 그것은 경제가 나빠져도 의미가 있어야만 했고 경제가 좋아져도 의미가 있어야만 했다. 부자 아버지는 미래에 대한 수정 구슬 예측이나 무의미한 세금 혜택에는 관심을 두지 않았다. 그분은 경제적으로 좋을 때와 나쁠 때 모두 의미를 갖는 거래를 추구했다.

나는 부자 아버지가 보는 것과 같은 방식으로 돈의 게임을 이해하기 시작했다. 그리고 돈의 게임은 다른 사람들이 우리에게 빚지게 되는 것을 보고 우리가 누구에게 빚지게 되는지 조심하는 것이었다. 지금도 나는 부자 아버지의 얘기를 듣고 있다.「너는 위험과 부채를 안으면 반드시 보상을 받아야 한다」

부자 아버지에게도 부채는 있었지만, 그분은 언제 그것을 안아야 하는지 조심했다.「언제 부채를 안아야 하는지 조심해야 한다」부자 아버지는 그렇게 충고했다.「개인적으로 부채를 안을 때는 작게 안아야 한다」

부자 아버지는 돈과 부채의 게임이 당신과 나, 그리고 모든 사람이 해야만 하는 게임이라고 생각했다. 그 게임은 기업들 간에도 일어나고 국가 간에도 일어난다. 부자 아버지는 그것이 게임일 뿐이라고 생각했다. 문제는 대부분의 사람들에게 돈은 게임이 아니라는 점이다. 많은 사람들에게 돈은 생존이며, 종종 삶 자체이다. 그리고 누구도 그들에게 그 게임을 설명하지 않았기 때문에, 그들은 아직도 집이 자산이라고 얘기하는 은행가의 말을 믿는다.

남의 〈의견〉을 〈사실〉로 믿는 사람들

부자 아버지는 계속해서 설명했다. 「네가 사분면의 오른쪽 편에서 성공하고 싶다면, 돈에 관해서 〈사실〉과 〈의견〉의 차이를 알아야만 한다. 너는 왼쪽 편에 있는 사람들과 같은 방식으로 무조건 경제적 조언을 받아서는 안 된다. 너는 숫자들을 알아야만 한다. 그리고 숫자들은 너에게 〈사실〉을 얘기한다. 너의 경제적 생존은 객관적 〈사실〉들에 달려 있다. 그것은 어떤 친구나 조언자의 그럴듯한 〈의견〉에 달려 있지 않다」

「저는 이해를 못하겠어요. 어떤 것이 〈사실〉인지 〈의견〉인지가 왜 그렇게 중요하죠?」 내가 물었다. 「어떤 하나가 다른 하나보다 너 나은 건가요?」

「그렇지는 않다」 부자 아버지가 대답했다. 「다만 어떤 것이 언제 〈사실〉이고 언제 〈의견〉인지 알아야만 하지」

나는 아직도 혼란스런 표정으로 멍하니 서 있었다.

「너의 가족의 집은 얼마의 값어치가 있니?」 부자 아버지가 물었다. 부자 아버지는 예를 사용해 나를 혼란에서 구하려 했다.

「그건 저도 알아요」 내가 재빨리 대답했다. 「부모님이 집을 팔려

했기 때문에 부동산 중개인을 불러서 평가를 부탁했습니다. 그들은 그 집이 3만6천 달러 정도 나갈 거라고 말했습니다. 그러니까 내 아버지의 순재산은 1만6천 달러가 늘었습니다. 왜냐하면 5년 전에 2만 달러만 내고 그 집을 샀기 때문이죠」

「그럼, 그런 평가와 네 아버지의 순재산은 〈사실〉이냐 〈의견〉이냐?」 부자 아버지가 물었다.

나는 한동안 생각하고 나서 부자 아버지의 말뜻을 이해했다. 「둘 다 〈의견〉입니다. 그렇죠?」

부자 아버지가 고개를 끄덕였다. 「아주 잘했다. 대부분의 사람들이 경제적으로 고생하는 이유는 평생 동안 경제적 결정들을 내릴 때 〈사실〉보다는 다른 사람의 〈의견〉을 더 믿기 때문이다. 의견이란 이를테면 이런 것이다. 〈당신의 집은 자산입니다〉, 〈부동산 시세는 늘 올랐습니다〉, 〈블루칩 주식이 가장 좋은 투자죠〉, 〈포트폴리오는 다각화를 해야 해요〉, 〈정직하면 부자가 될 수 없죠〉, 〈투자는 위험한 거예요〉, 〈안전하게 해야 합니다〉 등」

나는 그곳에 앉아 깊은 생각에 빠졌다. 그리고 내가 돈에 대해 집에서 들은 거의 모든 것은 〈사실〉이 아닌 다른 사람들의 〈의견〉임을 인식했다.

「금은 자산이니?」 부자 아버지가 그렇게 물으면서 내 몽상을 깨뜨렸다.

「그럼요, 당연히 그렇죠」 내가 대답했다. 「금은 시간의 시험에서 견뎌낸 유일한 진짜 돈입니다」

「그것 봐라, 또 그렇게 얘기하잖니」 부자 아버지가 미소를 지었다. 「너는 지금 〈사실〉을 확인하는 대신에 무엇이 자산인지에 대한

다른 사람들의 〈의견〉을 반복하고 있을 뿐이다」

「금이 자산이 되는 때는, 내 정의에 의하면, 그것을 우리가 산 가격보다 비싼 가격에 팔 때뿐이다」 부자 아버지가 천천히 얘기했다.「다시 말해, 네가 그것을 100달러에 사서 200달러에 판다면, 그때는 그것이 자산이다. 하지만 그것을 200달러에 사서 100달러에 판다면, 그때는 이렇게 거래된 금은 부채가 된다. 궁극적으로 사실을 얘기하는 것은 거래의 실제적인 경제적 숫자들이다. 사실 자산이나 부채에서 유일한 것은 우리 자신이다. 왜냐하면 결국에는 우리가 금을 자산으로 만들 수도 있고 우리만이 그것을 부채로도 만들 수 있기 때문이지. 이런 이유로 금융 교육은 그렇게도 중요한 거란다. 나는 너무도 많은 사람들이 너무도 좋은 사업이나 부동산을 경제적 재앙으로 망치는 것을 보았다. 많은 사람들은 자신들의 개인적 삶에서도 그런 일을 종종 한단다. 그들은 힘들게 번 돈으로 경제적으로 부채가 되버리는 삶을 만들지」

나는 한층 더 혼란스러웠고, 내적으로 다소 상처를 입었고, 논쟁을 벌이고 싶었다. 부자 아버지는 내 두뇌를 갖고 장난을 하고 있었다.

「그동안 많은 사람들이 사실을 몰랐기 때문에 속임을 당했다. 나는 매일 남의 〈의견〉을 〈사실〉로 생각했기 때문에 돈을 몽땅 잃은 사람들의 끔찍한 이야기를 듣는다. 경제적인 결정을 내릴 때 남의 의견을 사용하는 것은 좋지만 그 차이를 반드시 알아야 한다. 그동안 너무도 많은 사람들이 전부터 내려온 의견들을 바탕으로 삶의 문제들을 결정했다. 그러고는 자신이 왜 경제적으로 고생하는지 의아하게 생각해 왔지」

「어떤 종류의 의견들 말인가요?」 내가 물었다.

부자 아버지가 껄껄 웃고 나서 대답을 했다. 「음, 우리 모두가 익히 알고 있는 몇몇 일반적인 것들을 얘기해 보자」

부자 아버지는 예를 몇 가지 들면서 조용히 혼자 웃었다. 부자 아버지가 든 몇몇 예들은 다음과 같은 것이었다.

「너는 그 남자와 결혼해야 한다. 그 사람은 좋은 남편이 될 게다」

「안정적인 직장을 얻어서 평생 그곳에 있어야 한다」

「의사들은 많은 돈을 번다」

「그들에게는 큰 집이 있다. 그들은 틀림없이 부자일 거야」

「그 사람은 근육질이야. 그러니까 틀림없이 건강할 거야」

「이것은 정말 멋진 자동차니까 약간 나이가 든 부인만이 몰 수 있을 거야」

「모두가 부자가 될 만큼 충분한 돈은 없다」

「지구는 평평하다」

「인간은 절대로 날지 못할 거야」

「그 남자는 자기 누나보다 똑똑해」

「채권은 주식보다 안전해」

「실수를 하는 사람들은 멍청하단 말야」

「그 사람은 그렇게 낮은 가격에 팔지 않을 거야」

「그 여자는 나랑 절대로 나가지 않을 거야」

「투자는 정말 위험한 거야」

「나는 절대로 부자가 될 수 없어, 절대로!」

「나는 대학에 다니지 않았기 때문에 절대로 앞서지 못할 거야」

「투자는 반드시 분산 투자를 해야 한다구」

「투자는 분산 투자를 하면 절대 안 된다구」

　부자 아버지는 계속해서 예를 들다가 마침내 내가 싫증을 느끼는 것을 알게 되었다.

　「알았어요!」 내가 마침내 얘기했다. 「충분히 들었어요. 그런데 요점이 뭐죠?」

　「그냥 듣기만 할 걸로 생각했다」 부자 아버지가 미소를 지었다. 「요점은 대부분의 사람들은 〈의견〉으로 삶을 결정한다는 것이다. 〈사실〉로 결정하지 않고 말이다. 사람들의 삶이 바뀌려면 먼저 의견을 바꿀 필요가 있다. 그런 후에 사실들을 보기 시작하는 것이다. 우리가 재무제표를 읽을 수 있으면 기업의 경제적 성공 사실들을 볼 수 있음은 물론이고, 개인이 어떻게 하고 있는지도 즉시 알 수 있다. 자신이나 누군가의 의견을 따르지 않고 사실에 의거해서 말이다. 아까도 얘기했지만, 하나가 다른 하나보다 반드시 나은 것은 아니다. 삶에서 성공하려면, 특히 경제적으로 성공하려면 그런 차이를 알아야만 한다. 어떤 것이 사실임을 입증하지 못하면, 그것은 의견에 불과하다. 경제적 무지는 사람들이 숫자를 읽지 못하는 데서 나온다. 그래서 그들은 누군가의 의견을 받아들여야만 한다. 경제적 재앙은 의견을 사실로 사용할 때 일어난다. 사분면의 오른쪽에 있고 싶다면 사실과 의견의 차이를 알아야만 한다. 이것보다 더 중요한 교훈은 없다」

　나는 그곳에 앉아 잠자코 들으면서 부자 아버지의 얘기를 이해하려 애를 썼다. 그것은 간단한 개념인 것 같았지만 그 당시에는 내 두뇌가 받아들일 수 없는 거창한 개념이었다.

요점은 어떻게 〈사실〉과 〈의견〉들을 걸러내는지 알고 그런 후에 결정을 내려야 한다는 것이다. 아까도 얘기했지만, 대부분의 사람들이 오늘날 경제적 곤경을 겪는 것은 너무 많은 지름길을 택하고, 삶의 경제적 결정들을 다른 사람들의 의견을 듣고 내리기 때문이다. 그들은 봉급 생활자인 〈E〉나 자영업자인 〈S〉의 의견은 받아들이면서 사실은 받아들이지 않는다. 사업가인 〈B〉나 투자가인 〈I〉가 되고 싶다면 이런 차이를 잘 알아야만 한다」

나는 그날 부자 아버지의 교훈을 충분히 이해하지 못했다. 그러나 몇몇 교훈은 사실과 의견의 차이를 아는 것 이상으로 나에게 도움을 주었다. 특히 내 돈을 관리하는 일에 있어서 그러했다.

그로부터 몇 년 후인 1990년대 초반에 부자 아버지는 주식 시장이 급등하는 것을 보았다. 그리고 그분은 이렇게만 얘기했다.

「이런 일이 일어나는 것은 봉급을 많이 받는 직원이나 자영업자들이 많은 봉급과 지나친 세금, 과도한 부채, 그리고 서류상으로만 자산인 포트폴리오를 갖고 투자 조언을 하기 때문이다. 수백만의 사람들은 〈사실〉을 알고 있다는 생각하는 사람들의 〈의견〉을 좇다가 결국 상처를 입게 될 게다」

미국의 위대한 투자가인 워런 버펫은 전에 이렇게 얘기했다.

「포커 게임에 들어가서 20분 후에 누가 봉인지 모르면, 그때는 당신이 봉인 것이다. 돈도 마찬가지다」

왜 사람들은 돈 문제로 고생을 할까?

나는 최근에 대부분의 사람들은 학교를 졸업하는 날부터 죽는 날까지 빚을 질 거라는 얘기를 들었다.

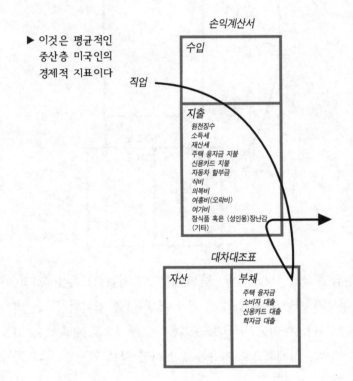

▶ 이것은 평균적인
중산층 미국인의
경제적 지표이다

이제 당신이 게임을 이해한다면, 위에 열거되었던 부채들은 누군가 다른 사람의 대차대조표에서 이런 식으로 나타나야 함을 이해할 수 있을 것이다.

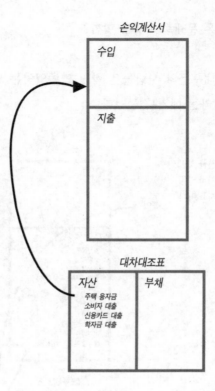

〈선금은 조금 내고 매월 조금씩 갚으면 됩니다〉 혹은 〈걱정 마세요, 정부가 그런 손실에 대해 세금 혜택을 줄 겁니다〉 같은 얘기를 들을 때마다, 우리는 누군가 우리를 돈 게임으로 유혹하고 있음을 알 수 있다. 경제적으로 자유롭고 싶다면 이보다는 조금 더 똑똑해야만 한다.

대부분의 사람들에게는 (호주머니에 돈을 넣는) 진정한 자산이 전혀 없다. 그리고 그들은 종종 다른 모든 사람에게 빚을 지고 있다. 그렇기 때문에 이들은 안정적인 직장에 집착하고 경제적으로 고생한다. 일자리만 아니라면 이들은 순식간에 알거지가 될 것이다. 평균적인 미국인은 3일만 봉급을 못 받아도 파산할 것이라는 얘기가 있다. 그들은 더 나은 삶을 추구하면서 게임에 휘둘림을 당하기 때문이다. 카드패는 그들에게 불리하게 섞여 있다. 그들은 아직도 주택, 자동차, 골프채, 의복, 별장, 그 밖의 이런 저런 것들이 자산이라고 생각한다. 그들은 누군가 다른 사람이 얘기한 것을 그대로 믿었다. 그들은 경제적 숫자들을 읽지 못하기 때문에 그것을 믿어야만 한다. 그들은 〈사실〉과 〈의견〉을 구분하지 못한다. 대부분의 사람들은 학교에 가 그 게임의 선수가 되는 법을 배운다. 하지만 어떤 사람도 그들에게 그 게임을 설명하지 않았다. 어떤 사람도 그들에게 게임의 본질이 〈누가 누구에게 빚을 지고 있는가?〉임을 얘기하지 않았다. 그리고 누구도 얘기하지 않았기 때문에 그들은 다른 모든 사람에게 빚을 지게 되는 사람들이다.

돈은 개념이다

케니 로저스가 부른 노래의 가사 한 줄은 이번 장 모두를 요약한다. 〈이보쇼, 그 게임을 하려면 제대로 하는 법을 배워야지.〉

이제는 당신이 〈현금흐름 사분면〉의 기본을 이해하고, 돈이 사실은 개념으로서 눈보다는 마음으로 더 분명하게 볼 수 있는 것임을 알았으면 한다. 돈의 게임과 그것을 하는 법을 배우는 것은 경제적 자유로 가는 여행에서 중요한 부분이다.

하지만 더 중요한 것은 당신이 〈현금흐름 사분면〉의 오른쪽 편으로 이동하려면 어떤 사람이 될 필요가 있는지 아는 것이다.

이 책의 2부에서는 〈자신의 최고를 꺼내어라〉와 그 공식을 분석하는 데 집중할 것이다.

제2부

돈을 보는 두 가지 시각, 돈을 쓰는 두 가지 방법

제7장

우리는 어떤 사람이 되어야 할까

돈은 마약이다.
돈의 중독적인 힘을 조심해라.
우리는 직원으로서 봉급을 받을 때 그런 식으로
돈을 받는 방식에 익숙해지는 경향이 있다.
그리고 자영업자로서 돈을 버는 데 익숙해지면
그런 식으로 돈을 버는 집착에서 벗어나기가 쉽지 않다.
마찬가지로, 정부에서 주는 돈을 받는 데 익숙해지면
그런 패턴을 깨는 것도 쉽지 않다.
그것은 습관을 깨는 것보다 더 힘들다.

「중요한 것은 무주택자가 되지 않는 것이 아니다」 부자 아버지는 그렇게 얘기했다. 「중요한 것은 네가 어떤 사람이 되느냐의 문제이다. 계속해서 노력하면 너는 그 어떤 사람이 될 것이다. 그만두어도 너는 누군가가 될 것이다. 하지만 같은 사람은 아니다」

우리가 겪게 되는 변화

직업적 안정에서 경제적 안정으로 가려 하는 당신에게 내가 줄 수 있는 것은 격려의 단어들뿐이다. 아내와 나는 무주택자가 되어

죽을 고생을 한 후에 용기를 내어 앞으로 나아갈 수 있었다. 그것은 우리의 길이었지만 반드시 당신의 길일 필요는 없다. 전에 이미 얘기한 대로, 당신이 사분면의 오른쪽 편으로 가는 다리를 건너는 데 도움을 주기 위해 미리 마련된 시스템들이 있다.

진짜 문제는 당신이 내적으로 겪게 되는 변화들과 그 과정에서 당신이 어떤 사람이 되는가이다. 어떤 사람에게는 이런 과정이 쉬울 것이고, 어떤 사람에게는 그런 여행조차도 불가능할 것이다.

돈은 마약이다

부자 아버지는 마이크와 나에게 늘 이렇게 얘기했다.

「돈은 마약이다」

우리가 부자 아버지를 위해 일하는 동안 그분이 우리에게 보수를 지급하지 않은 주요 이유는 우리가 돈을 위해 일하는 것에 중독되는 것을 그분이 원하지 않았기 때문이다. 「일단 돈에 중독이 되면 그것에서 빠져나오는 것은 쉽지 않다」

내가 성인이 된 후에 그분에게 전화를 걸어 돈을 부탁했을 때, 부자 아버지는 마이크와 내가 아홉 살 때 우리에게 가르쳤던 그 교훈을 위반하지 않으려 했다. 부자 아버지는 우리가 어렸을 때도 우리에게 돈을 주지 않았다. 그리고 이제 와서 그럴 생각은 더더욱 없으셨다. 대신에 그분은 계속해서 내가 돈을 위해 일하는 중독에서 벗어나도록 인도했다.

부자 아버지는 돈을 마약이라고 말했다. 왜냐하면 그분은 돈이 있으면 행복하고 돈이 없으면 속상하거나 우울한 사람들을 많이 보았기 때문이다. 이것은 마약 중독과 비슷하다. 마약 중독자들도 마약을 맞으면 기분이 날아갈 듯 좋고 그렇지 못하면 우울해지거나 폭력적으로 된다.

「돈의 중독적인 힘을 조심해라」 부자 아버지는 종종 그렇게 말했다. 「일단 돈을 받는 데 익숙해지면 중독 증상 때문에 계속해서 그런 식으로 돈을 받으려고 한다」

다시 말해, 우리는 직원으로서 봉급을 받을 때 그런 식으로 돈을 받는 방식에 익숙해지는 경향이 있다. 그리고 자영업자로서 돈을 버는 데 익숙해지면 그런 식으로 돈을 버는 집착에서 벗어나기가 쉽지 않다. 마찬가지로, 정부에서 주는 돈을 받는 데 익숙해지면 그런 패턴을 깨는 것도 쉽지 않다.

「사분면의 왼쪽에서 오른쪽으로 이동하는 데 가장 힘든 부분은 우리가 그동안 돈을 벌어왔던 방식에 대해 갖고 있는 집착이다」 부자 아버지는 그렇게 얘기했다. 「그것은 습관을 깨는 것보다 더 힘들다. 그것은 중독증을 깨는 것이라 할 수 있다」

그래서 부자 아버지는 마이크와 나에게 절대로 돈을 위해 일하지 말라고 강조했다. 그분은 우리가 스스로 시스템을 만들어 돈을 버는 법을 배우라고 얘기했다.

돈 버는 패턴을 바꾸기 힘든 이유

아내와 내가 사업가 그룹인 〈B〉 사분면에서 수입을 올리는 사람이 되려고 했을 때 가장 힘들었던 부분이 과거의 그 모든 습관 때문에 자꾸만 이전의 길로 되돌아 가려 했던 점이다. 친구들이 이렇게 말하는 것을 듣는 것은 힘든 일이었다. 「너는 왜 그렇게 하는 거니? 왜 직장을 얻지 않고 있니?」

그것이 더 힘들었던 이유는 우리 부부 역시 봉급이 주는 안정감이라는 혜택으로 돌아가려 했기 때문이다.

부자 아버지는 마이크와 나에게 돈의 세상은 하나의 커다란 시스템이라고 설명했다. 그리고 우리는 각자 그 시스템 안에서 나름의 패턴으로 움직이는 법을 배운다. 예를 들면 다음과 같은 것들이다.

──봉급 생활자인 〈E〉 사분면의 사람들은 시스템을 위해 일한다.
──자영업자 혹은 전문직 종사자인 〈S〉 사분면의 사람들은 시스템 그 자체이다.
──사업가인 〈B〉 사분면의 사람들은 시스템을 만들거나, 소유하거나, 통제한다.
──투자가인 〈I〉 사분면의 사람들은 시스템에 돈을 투자한다.

부자 아버지가 얘기하던 패턴은 우리가 어떻게 자연스럽게 돈 문제로 끌려가는지에 관한 우리의 몸과 마음, 그리고 영혼의 패턴이다.

부자 아버지는 이렇게 설명했다. 「어떤 사람이 돈에 대한 필요성을 느낄 때, 〈E〉 사분면의 사람들은 자동적으로 직장을 찾고, 〈S〉 사분면의 사람들은 종종 무언가를 혼자서 하고, 〈B〉 사분면의 사람들은 돈을 낳는 시스템을 만들거나 사고, 〈I〉 사분면의 사람들은 더 많은 돈을 낳는 자산에 투자할 기회를 찾는다」

부자 아버지는 이렇게 얘기했다. 「패턴을 바꾸는 것이 힘든 이유는 오늘날 돈은 삶에 필수적인 것이기 때문이다. 농업 시대에는 돈이 그렇게 중요하지 않았다. 왜냐하면 돈이 없어도 땅이 음식과 주거, 따뜻함과 물을 제공했기 때문이다. 그러나 산업 시대가 되어 사람들이 도시로 이동하자, 돈은 삶 자체를 의미했다. 이제는 물조차도 돈이 있어야 마실 수 있는 시대가 되었다」

부자 아버지는 계속해서 이렇게 얘기했다. 「우리가 가령 〈E〉 사분면에서 〈B〉 사분면으로 이동하기 시작할 때, 〈E〉 사분면에 중독되었거나 삶이 끝날 것이라고 두려워하는 우리의 대다수는 바둥거리면서 반항하기 시작한다. 그것은 물에 빠진 사람이 발로 허공을 차거나 굶주린 사람이 살기 위해 무엇이든 먹으려는 것과 같다」

「우리 내부에서 일어나는 바로 이런 싸움 때문에 기존의 패턴을 바꾸는 것은 너무도 어려운 것이다. 문제가 되는 것은 더 이상 우리가 아닌 그 누구와, 즉 앞으로 우리가 되고자 하는 그 누구 사이의 싸움이다」 부자 아버지는 전화로 나에게 그렇게 설명했다. 「아직도 안정을 추구하는 우리의 일부가 자유를 원하는 우리의 또다른 일부와 전쟁을 벌이고 있다. 둘 중에서 어느 것이 이길지는 오직 우리만이 결정할 수 있다. 너는 그 사업을 시작하거나, 아니면 다시 직장을 찾는 길로 영원히 돌아갈 것이다」

당신의 열정과 꿈을 찾아라

「너는 정말로 앞으로 나아가고 싶니?」 부자 아버지가 물었다.

「그럼요!」 내가 재빨리 대답했다.

「너는 네가 하고 싶은 것이 무엇인지 잊었니? 너는 자신의 열정이 무엇인지, 그리고 무엇 때문에 그런 곤경에 빠지게 된 것인지 잊었니?」 부자 아버지가 물었다.

「오,」 나는 약간 놀라면서 그렇게 대답했다. 나는 그것들을 잊고 있었다. 그래서 나는 공중전화 앞에 그대로 서서 머리를 정리했다. 그리고 내가 애초에 왜 이런 곤경에 처하게 되었는지 기억하려 애썼다.

「나는 그것을 알고 있었다」 부자 아버지의 목소리가 전화선을 타고 들려왔다. 「너는 계속해서 꿈을 추구하기보다 개인적인 생존을 더 걱정하고 있다. 너는 두려움 때문에 열정을 잃었다. 계속해서 가는 가장 좋은 방법은 가슴속의 열정을 계속 타오르게 하는 것이다. 네가 무엇을 하려 했는지 늘 기억해라. 그러면 여행은 쉬워질 것이다. 자신에 대해 더 걱정하기 시작하면, 두려움이 너의 영혼을 갉아먹을 것이다. 열정은 사업을 만든다. 두려움이 아니다. 너는 여기까지 왔다. 너는 가까이 왔다. 이제 와서 뒤돌아보지 마라. 네가 무엇을 하려 했는지 기억해라. 그런 기억을 가슴속에 간직하고 불꽃을 꺼뜨리지 마라. 너는 언제든지 그만둘 수 있다. 그런데 왜 지금 그만두느냐?」

그 말과 함께 부자 아버지는 행운을 기원하면서 전화를 끊었다.

부자 아버지의 말이 옳았다. 나는 왜 내가 이 여행을 시작한 것인지 잊고 있었다. 나는 내 꿈에 대해서 잊고 있었다. 그러면서 가슴뿐 아니라 머리도 두려움으로 채우고 있었다.

몇 년 전에 「플래시 댄스」라는 영화가 있었다. 그 영화의 주제곡

은 이런 가사를 담고 있었다. 〈열정으로 꿈을 이루자.〉

나는 열정을 잊고 있었다. 이제는 꿈을 이루거나, 아니면 집에 돌아가 꿈을 잊을 때가 되었다. 나는 한동안 그곳에 서 있었다. 그리고 다시 부자 아버지의 마지막 얘기를 듣고 있었다. 「너는 언제든지 그만둘 수 있다. 그런데 왜 지금 그만두려고 하니?」

나는 꿈을 이룰 때까지 그만두는 것을 연기하기로 결심했다.

나만의 시스템을 만들다

나는 부자 아버지와의 통화를 끝낸 후에 공중전화 앞에 서 있었다. 나는 실패에 대한 두려움 때문에 매를 맞고 있었던 것이다. 그러면서 나는 꿈을 잊고 있었다. 색다른 학교 시스템을 만들겠다는 꿈 말이다. 창업가와 투자가가 되고 싶어하는 사람들에게 교육 프로그램을 제공하겠다는 꿈이었다. 나는 그곳에 선 채로 고등학교 시절을 회상하기 시작했다.

내가 열다섯 살이었을 때 고등학교 상담 선생님이 이렇게 물었다. 「너는 나중에 커서 무엇을 하고 싶니? 네 아버지처럼 교사가 되고 싶니?」

상담 선생님을 똑바로 보면서 나는 직선적으로 강하게 대답했다. 나는 아주 자신 있게 이렇게 대답했다. 「나는 절대로 교사는 되지 않을 겁니다」

그렇다고 내가 학교를 싫어한 것은 아니었다. 다만 나는 억지로 의자에 앉아 내가 특별히 좋아하거나 존경하지도 않는 어떤 사람이 내가 관심도 없는 주제에 대해 몇 달 동안 얘기하는 것이 너무도 싫었을 뿐이다. 나는 안달하고 꼼지락거리면서 교실 뒤에서 문제들을 일으켰다. 혹은 그냥 수업을 빼먹고 땡땡이를 쳤다.

그래서 상담 선생님이 내가 자라서 내 아버지의 뒤를 따라 교사가 될 것이냐고 물었을 때, 나는 자리에서 벌떡 일어서고 싶었다.

당시에 나는 열정이 사랑과 미움의 결합이라는 점을 알지 못했다. 나는 무언가를 배운다는 것은 사랑했지만 학교는 미워했다. 나는 자리에 앉아 내가 되고 싶지도 않은 어떤 것이 되도록 세뇌를 받는 것이 너무나도 싫었다. 그리고 나만 그런 것도 아니었다.

처칠은 언젠가 이렇게 얘기했다. 「나는 늘 배울 준비가 되어 있다. 하지만 나는 늘 가르침을 받는 것을 좋아하지는 않는다」

존 업다이크는 이렇게 얘기했다. 「우리의 선조들은 자기들 멋대로 아이들은 부모들의 말을 듣지 않는다고 생각했다. 그래서 그들은 학교라는 감옥을 만들었고 교육이라는 고문을 도입했다」

갈릴레오는 이렇게 얘기했다. 「우리는 사람들에게 어떤 것도 가르칠 수 없다. 우리는 다만 그들이 자기 안에서 무언가를 찾도록 도울 수 있을 뿐이다」

마크 트웨인은 이렇게 얘기했다. 「나는 학교가 나의 교육에 간섭하도록 허락하지 않을 것이다」

나에게 이런 경구를 들려준 사람은 교육은 많이 받았지만 가난했던 내 진짜 아버지였다. 그분도 학교 시스템을 경멸했다. 비록 그 안에서 잘하기는 했지만. 그분이 교사가 된 것은 3백 년 된 낡은 시스템을 바꾸겠다는 꿈이 있었기 때문이다. 하지만 오히려 그 시스템이 아버지를 망가뜨렸다. 아버지는 열정을 갖고 그 시스템을 바꾸려 했지만 높은 벽에 부딪쳤다. 너무도 많은 사람들이 그 안에서 돈을 벌고 있었으며, 그래서 누구도 그것을 바꾸려 하지 않았다. 비록 변화의 필요성에 대한 얘기는 많았지만.

어쩌면 내 상담 선생님은 점쟁이였는지도 모른다. 왜냐하면 몇 년 후에 나는 정말로 아버지의 족적을 밟고 있었기 때문이다. 다만 나는 아버지가 밟은 그 시스템을 밟지 않았을 뿐이다. 나는 아버지와 같은 열정을 갖고 스스로 시스템을 만들려 했다. 그랬기 때문에 나는 무주택자가 되었다. 내 열정은 사람들에게 다른 식으로 가르치는 교육 시스템을 만드는 것이었다.

교육을 많이 받은 아버지는 아내와 내가 경제적으로 고생하면서 있는 힘을 다해 스스로 교육 시스템을 만들려 한다는 사실을 알았을 때 위의 경구들을 보내주셨다. 그리고 그 경구들이 적힌 메모지 위에는 이런 문구가 적혀 있었다.

포기하지 말거라.
——사랑하는 아버지가.

나는 그때서야 비로소 교육을 많이 받은 아버지가 학교 시스템과, 그것이 젊은 사람들에게 한 일을 얼마나 미워했는지 알게 되었다. 그리고 아버지의 그 격려를 받고 나서 나는 모든 것을 이해하기 시작했다. 그 당시 나를 끌고 갔던 그 열정은 전에 아버지를 끌고 갔던 열정과 같은 것이었다. 나는 진짜 아버지와 꼭 닮은 사람이었고, 우연히도 아버지를 대신해 횃불을 든 것이었다. 어쩌면 그래서 내가 그 시스템을 그렇게도 미워한 것인지 모른다.

돌이켜보면 나는 두 아버지 모두가 되고 있었다. 부자 아버지에게서 나는 자본가가 되는 것의 비밀을 배웠다. 교육을 많이 받은 아버지에게서는 남을 가르치는 열정을 물려받았다. 그리고 두 아버지의 영향을 모두 받은 나는 이제 교육 시스템에 대해서 무언가를 할 수 있었다. 나에게는 기존의 시스템을 바꿀 능력이나 욕망이 없었다. 그러나 내 자신의 시스템을 만들 지식은 있었다.

사업체 사망 진단서를 받기까지

몇 년 동안 부자 아버지는 내가 사업과 사업 시스템을 만드는 사람이 되도록 훈련시켰다. 내가 1977년에 추진한 사업은 제조 회사였다. 우리는 밝은 색깔이 나는 나일론과 벨크로 서퍼 지갑을 처음으로 만든 회사 중의 하나를 세웠다. 이어서 우리는 〈신발 주머니〉라는 제품을 만들었는데, 역시 나일론과 벨크로로 만든 이 미니 지갑은 운동화의 신발끈에 붙이는 것이었다. 1978년에 조깅은 새로운 유행이었고, 조깅을 하는 사람들은 늘 열쇠를 넣거나 다칠 경우를 대비해 돈이나 신분증을 보관할 무언가를 원했다. 이것을 보고 나는 〈신발 주머니〉를 만들어 세상에 선을 보였다.

그 사업은 엄청난 성공을 거두었다. 하지만 곧 새로운 제품과 사업에 대한 열정이 식기 시작했다. 내 작은 회사는 외국의 경쟁 업체들로부터 공격을 받기 시작했다. 동양의 몇몇 나라에서 우리 제품과 똑같은 것을 수출해 우리가 개발한 시장을 잠식하기 시작했다. 그들의 가격이 너무 낮아서 우리는 어떤 식으로도 경쟁을 할 수 없었다. 그들은 우리의 제조 원가에도 못 미치는 가격으로 제품을 팔고 있었다.

우리의 작은 회사는 딜레마에 빠졌다. 그들과 싸울 것인가 아니면 합류할 것인가. 파트너들은 우리가 경쟁에서 이길 수 없음을 인식했다. 싼 가격으로 홍수처럼 밀려드는 경쟁에 맞설 수는 없었다. 투표 결과 우리는 그들과 합류하기로 결정했다.

비극적인 것은 우리가 사업을 계속하기 위해 성실하고 근면한 많은 직원들을 내보내야만 했다는 것이다. 그때 나는 마음이 너무 아팠다. 나는 우리가 제품을 생산하기 위해 계약을 맺었던 동남아시아의 새 공장들을 시찰하러 갔을 때 다시 한번 영혼에 상처를 입었다. 그곳의 젊은 근로자들은 너무도 열악하고 비인간적인 환경에서 일을 하고 있었다. 나는 그런 모습을 보면서 가슴이 찔리는 것을 느꼈다. 우리가 미국에서 내보낸 근로자들에게도 그랬고, 우리가 이제 새로 고용한 해외의 근로자들에게도 그랬다.

비록 우리는 해외 경쟁의 경제적인 문제를 해결했고 많은 돈을 벌기 시작했지만, 내 마음은 이제 더 이상 그 사업에 있지 않았다. 그리고 사업은 찌그러들기 시작했다. 내 영혼이 힘을 잃으면서 그 사업의 영혼도 힘을 잃었다. 나는 이제 많은 저임금 근로자들을 착취해서 부자가 되고 싶은 생각이 없었다. 나는 사람들을 교육시켜 사업체의 직원이 아닌 주인이 되도록 만드는 일에 대해 생각하기 시작했다. 나는 서른두 살의 나이에 교사가 되는 것을 시작하고 있었다. 하지만 그때는 그것을 인식하지 못했다. 그 사업이 쇄락하기 시작한 것은 시스템들의 결함 때문이 아니라 뜨거운 가슴, 혹은 열정의 부족 때문이었다. 아내와 내가 새로운 사업을 추진하기 시작할 무렵, 지갑 회사는 사망 진단서를 받았다.

구조조정이 닥치다

1983년에 나는 하와이 대학의 초청을 받아 MBA 강좌에서 강연을 했다. 나는 그들에게 내가 보는 직업 안정에 대해 얘기했다. 그들은 내가 한 말을 좋아하지 않았다. 「몇 년만 있으면 여러분 가운데 많은 사람들이 직장을 잃거나 어쩔 수 없이 점점 더 적은 돈을 받고 점점 더 불안하게 일하게 될 것입니다」

나는 일 때문에 세계를 여행했기 때문에 값싼 노동력과 신기술 혁신이 결합하는 힘을 직접 목격했다. 나는 아시아, 유럽, 러시아, 혹은 남미의 근로자가 미국의 근로자들과 정말로 경쟁하고 있음을 알기 시작했다. 나는 근로자들과 중간 관리자들을 위한 고임금의 안전하고 안정적인 직장은 이미 과거의 것이 되고 있음을 알 수 있었다. 대기업들은 조만간에 대대적인 감원과 임금 삭감을 해야만 전세계적으로 경쟁할 수 있을 것이었다.

나는 다시는 하와이 대학의 초청을 받지 못했다. 그로부터 몇 년 후 〈구조조정〉은 일반적인 관행이 되었다. 대기업이 합병하거나 근로자들이 남아돌면 늘 구조조정이 일어났다. 회사 경영진이 주주들을 기쁘게 하고 싶을 때면 늘 구조조정이 일어났다. 매번 그런 일이 일어날 때마다 나는 위에 있는 사람들은 점점 더 부자가 되고 밑에 있는 사람들은 그 대가를 치르는 것을 목격했다.

나는 사람들이 이렇게 말하는 것을 들을 때마다 몸을 움츠린다.

「나는 아이를 좋은 학교에 보내 안전하고 안정적인 직장을 얻도록 할 겁니다」 직장을 얻기 위해 준비하는 것은 단기적으로는 좋은 생각이지만 장기적으로는 충분치가 않다. 나는 서서히, 그러나 확실히 교사가 되고 있었다.

당신의 열정으로 시스템을 만들어라

비록 내 제조 회사는 다시 살아나 사업이 잘되고 있었지만, 내 열정은 가버리고 없었다. 부자 아버지는 내 실망감을 요약하면서 이렇게 얘기했다. 「학창 시절은 이제 끝났다. 이제는 네 가슴을 중심으로 시스템을 만들 때다. 네 열정을 중심으로 시스템을 만들어라. 제조 회사는 그냥 가게 내버려두고 네가 만들어야 한다고 생각하는 것을 만들어라. 너는 나에게서 많은 것을 배웠지만 아직도 네 아버지의 아들이다. 네 아버지와 너는 천성적으로 교사다」

아내와 나는 짐을 꾸려서 캘리포니아로 이사를 갔다. 그곳에서 새로운 교육 방식들을 배워 그것들을 중심으로 사업을 시작하기 위해서였다. 우리는 사업을 궤도에 올리기도 전에 돈이 다 떨어졌다. 그리고 우리는 길거리로 나앉았다. 우리가 그런 곤경에서 빠져나온 것은 부자 아버지에게 했던 전화 때문이었다. 그때 나는 아내와 함께 서서 스스로에게 화를 내며 전화를 했다. 그리고 다시 열정의 불꽃을 살리기 시작했다.

얼마 후에 우리는 다시 회사를 차리기 시작했다. 그 회사는 교육 회사로서 전통적인 학교들이 사용하는 것과 거의 정반대의 교육 방식들을 사용했다. 우리는 학생들에게 가만히 앉아 있으라고 얘기하지 않고 오히려 적극적으로 될 것을 권유했다. 우리는 강의를 통해 가르치는 대신에 게임을 함으로써 가르쳤다. 우리는 교사들에게 따분할 것이 아니라 재미있을 것을 고집했다. 우리는 교사들을 찾지 않고 실제로 기업을 일으킨 사업가들을 찾아 우리 방식에 맞게 가르치도록 부탁했다. 교사들이 학생들을 평가한 것이 아니라 학생들이 교사들을 평가했다. 점수가 나쁜 교사는 다시 집중적인 훈련을 받거나 떠날 것을 권유받았다.

　나이, 교육적 배경, 성별, 그리고 종교적 믿음은 기준이 아니었다. 우리가 요구한 것은 배우려는 진지한 자세와 빨리 배우려는 마음이었다.

　우리는 그들에게 시험에 대해 서로 경쟁하기보다는 팀으로 협력할 것을 요구했다. 그리고 우리는 시험을 치르는 팀들이 서로 경쟁하도록 만들었다. 우리는 점수로 자극하지 않고 돈으로 자극했다. 그리고 이기는 팀이 전부를 가져갔다. 한 팀으로서 잘하겠다는 욕망과 경쟁은 치열했다. 교사가 학급을 자극할 필요는 없었다. 일단 경쟁이 시작되면 교사는 한켠으로 물러났다. 시험 시간은 조용하지 않았다. 대신에 학생들은 소리를 지르고, 고함을 치고, 웃고, 울었다. 사람들은 공부에 큰 흥미를 느꼈다. 그들은 배우겠다는 욕망을 느꼈고 더 많은 것을 배우려 했다.

　우리는 두 가지 주제, 창업과 투자를 가르치는 데 집중했다. 즉 사분면의 사업가 그룹인 〈B〉와 투자가 그룹인 〈I〉 측면이었다. 우리의 교육 방식으로 이런 주제들을 배우려는 사람들이 파도처럼 밀려왔다. 우리는 광고를 전혀 하지 않았다. 모든 것이 입에서 입으로 전해졌다. 그곳에 나타난 사람들은 일자리를 찾는 사람들이 아니라 일자리를 만들려는 사람들이었다.

내가 그날 밤 그 공중전화에서 포기하지 않기로 결심한 이후 상황은 좋아지기 시작했다. 우리는 5년도 못돼 전세계에 열한 개의 사무실이 있는 수백만 달러짜리 사업을 건설했다. 우리는 새로운 교육 시스템을 만들었고, 시장은 그것을 너무도 좋아했다. 우리의 열정이 그것을 가능하게 만들었다. 열정과 좋은 시스템은 두려움과 과거의 세뇌를 극복했기 때문이다.

열정이 우리를 만든다

나는 교사들이 보수가 충분치 않다고 말하는 것을 들을 때마다 동정심을 느낀다. 하지만 그들은 자신들이 속해 있는 시스템의 산물이다. 그들은 〈B〉나 〈I〉 사분면보다 봉급 생활자 그룹인 〈E〉 사분면의 관점에서 교사라는 직업을 생각한다. 우리는 어느 사분면에서건 우리가 되고자 하는 것이 될 수 있음을 기억하라. 교사도 마찬가지이다.

대부분의 우리는 모든 사분면에서 성공할 수 있는 잠재력을 갖고 있다. 그 모든 것은 성공에 대한 우리의 의지력에 달려 있다. 부자 아버지는 이렇게 얘기했다. 「열정이 사업을 만든다. 두려움은 사업을 만들지 못한다」

사분면을 바꾸는 데 따르는 문제는 종종 우리가 받아온 과거 교육에서 비롯된다. 우리는 두려움의 감정을 기본적인 자극제로 사용해 우리가 특정한 방식으로 생각하고 행동하게 만드는 집안에서 자랐다. 예를 들면, 〈너 숙제했니? 숙제하지 않으면 학교에서 낙제되고 친구들이 놀릴 거야〉, 〈자꾸만 얼굴을 찡그리면 얼굴이 그런 모습으로 굳어진다〉, 〈성적이 좋지 않으면 안전하고 안정적인 좋은 직장을 얻지 못해〉라는 말을 반복적으로 들으면서 자랐다.

글쎄, 오늘날 많은 사람들이 좋은 성적을 올렸지만, 이제는 점점 더 안전하고 안정적인 좋은 직장은 줄어들고 있다. 따라서 많은 사람들은(성적인 좋은 사람들도) 자기 사업을 할 필요가 있으며 남의 사업을 지켜주는 직장을 찾는 데서 벗어날 필요가 있다.

왼쪽 편의 위험, 오른쪽 편의 안정

나는 아직도 안정적인 직장이나 지위를 추구하는 많은 친구들을 알고 있다. 우습게도 신기술의 행진은 점점 더 빠른 속도로 이어지고 있다. 일자리 시장에서 쳐지지 않으려면 계속해서 가장 최근의 신기술을 연마해야 한다. 따라서 어쨌거나 재교육을 받아야 한다면, 왜 사분면의 오른쪽 편에 필요한 기술을 배우고 닦는 데 시간을 투자하지 않는가? 내가 세계를 여행하면서 보는 것을 다른 사람들도 볼 수 있다면, 그들은 더 많은 안정을 추구하지는 않을 것이다. 안정은 허상에 불과하다. 새로운 것을 배워 이 용감한 신세계에서 성공하라. 제발 그 속에서 숨지 말라.

내가 보는 견지에서는 자영업자들도 위험하다. 그들은 병들거나, 다치거나, 죽게 되면 수입에 직접 영향을 받는다. 나는 나이가

들수록 점점 더 많은 내 또래의 자영업자들이 육체적으로, 정신적으로, 그리고 감정적으로 힘든 일 때문에 진이 빠지는 것을 본다. 피로가 누적될수록 안정감은 줄어들고 사고를 당할 위험은 더 높아진다.

우습게도 삶은 오히려 사분면의 오른쪽 편에서 더 안정감이 있다. 예를 들어, 당신이 일은 더 적게 하면서 돈은 더 많이 생산하는 안정적인 시스템을 갖고 있으면, 그럴 때 당신은 직장이 꼭 필요하지도 않고 일자리를 잃을까 봐 걱정할 필요도 없다. 그럴 때 당신은 비참하게 사는 것이 아니라 풍요롭게 살 수 있다. 그냥 시스템을 확장하고 더 많은 사람을 고용하기만 하면 더 많은 돈을 벌기 때문이다.

수준이 높은 투자가들은 시세가 오르거나 내리는 것에 대해 걱정하지 않는다. 그들은 아는 것이 있기 때문에 어떤 상황에서나 돈을 벌기 때문이다. 향후 30년 안에 시장의 붕괴나 불황이 닥치면, 많은 전후 세대는 겁에 질릴 것이고 은퇴를 위해 모아둔 돈의 상당 부분을 잃게 될 것이다. 노년에 그런 일이 일어나면, 그들은 은퇴는커녕 살기 위해 다시 힘들게 일해야만 할 것이다.

돈을 잃는 두려움에 대해서, 전문적인 투자가들은 자기 돈을 잃는 위험은 최소화하면서 여전히 높은 수익을 올리는 사람들이다. 반면에 투자를 잘 모르는 사람들은 위험만 크게 안고 수익은 조금밖에 올리지 못한다. 내가 보는 견지에서 그 모든 위험은 사분면의 왼쪽 편에 있다.

숫자를 읽을 수 있는 비결

「숫자를 읽지 못하면 누군가 다른 사람의 의견을 받아들일 수밖에 없다」 부자 아버지가 말했다. 「집을 사는 문제에 있어서 네 아버지는 집이 자산이라는 은행가의 의견을 〈맹목적으로〉 받아들였다」

마이크와 나는 부자 아버지가 〈맹목적으로〉라는 단어를 강조한 것을 알아차렸다.

「왼쪽 편에 있는 대부분의 사람들은 경제적 숫자들에 대해 그렇게 잘 알 필요는 없다. 그러나 사분면의 오른쪽 편에서 성공하려면 그 숫자들은 우리의 눈이 되어야만 한다. 숫자는 대부분의 사람들이 볼 수 없는 것을 우리가 볼 수 있게 해준다」

「그러니까 슈퍼맨의 X-레이 눈 같은 건가요?」 마이크가 물었다.

부자 아버지가 껄껄 웃으면서 고개를 끄덕였다. 「바로 그거다. 숫자를 읽는 능력과 경제적인 시스템, 그리고 사업적인 시스템은 평범한 중생들이 갖고 있지 못하는 시야를 우리에게 준다」 부자 아버지는 그렇게 말하면서 다시 웃었다. 「경제적인 시야가 있으면 위험을 낮출 수 있다. 경제적으로 장님이 되면 위험은 높아진다. 하지만 그런 시야가 필요한 것은 사분면의 오른쪽 편에서 활동하고 싶을 때뿐이다. 사실 왼쪽 편에 있는 사람들은 단어로 생각하며, 오른쪽 편에서, 특히 〈I〉 사분면에서 성공하려면 숫자들로 생각해야만 한다. 단어가 아니라 숫자로 말이다. 여전히 단어들로 대부분의 생각을 하면서 투자가가 되려는 것은 아주 위험한 일이다」

「그러면 사분면의 오른쪽 편에 있는 사람들은 경제적인 숫자들에 대해 알 필요가 없다는 말인가요?」 내가 물었다.

「대개의 경우에는 그렇다고 할 수 있다」 부자 아버지가 말했다. 「그들이 봉급 생활자인 〈E〉나 자영업자인 〈S〉의 한계 안에서만 활동하면서 만족하는 동안에는 학교에서 배운 숫자들만으로도 충분하다. 그러나 오른쪽 편에서 생존하고자 할 때는 경제적인 숫자와 시스템에 대한 이해는 필수적이다. 작은 사업체를 만들고자 할 때는 숫자를 숙지할 필요는 없다. 그러나 커다란 세계적인 사업체를 만들고자 할 때는 숫자들이 전부이다. 단어들이 아니라 숫자 말이다. 그렇기 때문에 종종 그렇게도 많은 대기업들이 숫자에 밝은 사람들을 중역으로 고용하는 거다」

부자 아버지는 계속해서 설명했다. 「사분면의 오른쪽에서 성공하려면 적어도 돈에 대해서는 〈사실〉과 〈의견〉의 차이를 알아야만 한다. 사분면의 오른쪽에 있는 사람들과 같은 방식으로 무조건 경제적 조언을 받아들이면 안 된다. 숫자들을 알아야만 한다. 사실들을 알아야만 한다. 그리고 숫자들은 사실들을 전해 준다」

누가 돈을 내고 위험을 안는다는 말인가

「사분면의 왼쪽은 위험할 뿐더러, 그쪽 편에 있는 사람들은 돈을 내고 위험을 안는다」 부자 아버지가 말했다.

「마지막의 그 말은 무슨 뜻인가요?」 내가 물었다. 「모두가 돈을 내고 위험을 안는 것이 아닌가요?」

「그렇지 않다」 부자 아버지가 말했다. 「오른쪽 편에 있는 사람들은 그렇지 않다」

「그러면 왼쪽에 있는 사람들은 돈을 내고 위험을 안는데 오른쪽에 있는 사람들은 돈을 받고 위험을 안는다는 말인가요?」

「바로 그 말이다」 부자 아버지가 미소를 지으며 얘기했다. 「그것은 왼쪽 편과 오른쪽 편 사이의 가장 큰 차이이다. 그렇기 때문에 왼쪽 편은 오른쪽 편보다 더 위험하다」

「예를 드실 수 있나요?」 내가 물었다.

「그럼,」 부자 아버지가 말했다. 「네가 어떤 회사의 주식을 살 때, 누가 경제적인 위험을 안느냐? 너냐, 아니면 그 회사냐?」

「저인 것 같은데요」 내가 말했다. 아직도 어리둥절했다.

「그리고 내가 건강 보험 회사인데 네 건강을 보장해 주고 네 건강 위험을 안을 때, 나는 너에게 돈을 내느냐?」

「아니죠」 내가 말했다. 「그들이 내 건강을 보장해 주면 그 위험을 안는 것이고, 그래서 돈은 내가 내죠」

「바로 그렇다」 부자 아버지가 말했다. 「나는 아직까지 건강이나 사고 위험을 보장해 주고 그런 특권에 대한 대가를 지불하는 보험 회사를 본 적이 없다. 하지만 왼쪽 편에 있는 사람들은 바로 그런 일을 한다」

「왠지 혼란스럽군요」 마이크가 말했다. 「그래도 아직 이해를 못하겠어요」

부자 아버지가 미소를 지었다. 「일단 오른쪽 편을 이해하면 그 차이를 더 분명히 알게 될 것이다. 대부분의 사람들은 그런 차이가 있는지 알지 못한다. 그들은 그냥 모든 것이 위험하다고 짐작한다. 그리고 그 대가를 지불한다. 하지만 시간이 흘러 네가 사분면의 오른쪽 편에 대한 경험과 교육에 더 편안함을 느끼면, 네 시야는 넓

어지고 너는 왼쪽 편에 있는 사람들이 보지 못하는 것을 보게 될 것이다. 그리고 위험을 피하기 위해 안정을 추구하는 것이 왜 가장 위험한 일인지 이해하게 될 게다. 네 자신의 경제적인 시야를 갖게 될 것이고 은행가, 주식 중개인, 혹은 회계사라는 이유만으로 그들의 의견을 받아들일 필요가 없어질 것이다. 너는 스스로 볼 수 있게 될 것이고 〈경제적 사실〉과 〈경제적 의견〉의 차이를 알게 될 것이다」

그날은 좋은 날이었다. 사실 그것은 내가 기억할 수 있는 멋진 교훈들 가운데 하나였다. 그것이 멋진 이유는 그것 때문에 내가 눈으로 볼 수 없는 것을 머리로 보기 시작했기 때문이다.

당신은 빨리 갈 수 있다······ 하지만 지름길로 가지는 말라

부자 아버지에게서 배운 이 간단한 교훈이 없었다면, 나는 열정을 갖고 내가 꿈꾸던 교육 시스템을 만들지 못했을 것이다. 경제적 지식과 정확성에 대한 그분의 권유가 없었다면, 나는 내 돈도 별로 없는 상태에서 그렇게 현명한 투자를 못했을 것이고 그렇게 높은 수익을 올리지 못했을 것이다. 나는 늘 더 큰 사업을 하고 더 빨리 성공을 원하면 더 많이 정확할 필요가 있음을 기억했다. 당신이 천천히 부자가 되고 싶거나 그냥 평생 일만 하면서 자신의 돈 관리를 다른 사람에게 맡기고 싶다면, 그때는 그렇게 정확할 필요가 없다. 그러나 더 빨리 부자가 되고 싶다면 더 정확하게 숫자들을 다뤄야만 한다.

좋은 소식은 신기술과 신제품의 발전으로 인해 이제는 훨씬 더 쉽게 자신의 시스템을 만들고 경제적 지식을 빨리 개발하는 데 필요한 기술들을 배울 수 있다는 것이다.

「당신의 집은 당신의 가장 큰 투자여야 한다」
「가격은 늘 오르기 때문에 지금 사는 게 좋다」
「천천히 부자가 되어라」
「분수보다 낮게 살아라」

당신이 사분면의 오른쪽 편에서 필요한 것들에 대해 배우고 공부하는 데 시간을 쓴다면, 이런 얘기들은 별 의미가 없을 것이다. 그런 얘기들은 사분면의 왼쪽 편에 있는 사람에게는 의미가 있을 수도 있지만 오른쪽 편에 있는 사람에게는 그렇지 않다. 당신은 당신이 원하는 무엇이든 할 수 있고, 원하는 만큼 빨리 갈 수 있고, 원하는 만큼 많은 돈을 벌 수 있다. 하지만 먼저 그 대가를 치러야만 한다. 당신은 빨리 갈 수 있지만 지름길은 없음을 기억하라.

이 책은 해답에 관한 책이 아니다. 이 책은 다른 관점에서 경제적인 도전과 목표를 보는 것에 관한 책이다. 그렇다고 하나의 관점이 다른 하나의 관점보다 낮다는 것은 아니다. 단지 하나 이상의 관점을 갖는 것은 더 영리한 일이라는 것이다.

당신은 이제 다음 장들을 읽으면서 다른 관점으로 금융과 사업, 그리고 삶을 볼 수 있을 것이다.

제8장

돈을 논리적으로 볼 것인가, 감정적으로 볼 것인가

「사실 열심히 일만 하는 사람들은 종종 부자가 되지 못한다.
부자가 되려면 〈생각할〉 필요가 있다.
군중을 따라가기보다 독립적으로 생각해라.
내가 볼 때 부자들의 한 가지 위대한 자산은
그들이 다른 사람들과 다르게 생각한다는 것이다.
다른 사람들이 하는 대로만 하면 결국 그들과 같은 결과만 초래한다」

「당신은 부자가 되는 법을 어디에서 배웠습니까?」 나는 이런 질문을 받을 때 이렇게 대답한다. 「어렸을 때 모노폴리Monopoly란 게임을 하면서 배웠습니다」

어떤 사람들은 내가 농담하는 것이라고 생각하고, 어떤 사람들은 그것이 비유라고 생각하면서 다음의 얘기를 기대한다. 하지만 그것은 농담도 아니고 비유도 아니다. 모노폴리 게임에서 부자가 되는 법은 간단하다. 그리고 그것은 현실 세계에서도 똑같이 돌아간다.

돈 버는 방식은 예나 지금이나 늘 간단했다

당신은 모노폴리 게임을 할 때 부자가 되는 비결이 초록색 집 넷을 사서 그것을 커다란 빨간 호텔 하나와 바꾸는 것임을 기억할 것이다. 그것이 전부이며, 그것은 아내와 내가 부자가 되기 위해 사용한 투자 방식과 똑같다.

부동산 시장이 정말로 나빴을 때, 우리는 갖고 있던 얼마 안 되는 돈을 몽땅 털어 가능한 많은 작은 집들을 샀다. 다시 시장이 좋아졌을 때, 우리는 초록색 집 넷을 팔고 커다란 빨간 호텔 하나를 샀다. 그래서 우리는 이제 일에 찌들려 살 필요가 없다. 우리의 커다란 빨간 호텔과 셋집들, 그리고 작은 창고들에서 나오는 현금흐름이 우리의 생활비를 해결하기 때문이다.

혹은 당신이 부동산을 좋아하지 않는다면 햄버거를 만들어 햄버거를 중심으로 사업 시스템을 구축하고, 그것을 가맹점으로 팔 수도 있다. 맥도널드처럼 말이다. 몇 년만 있으면 늘어나는 현금흐름이 당신이 쓸 수 있는 것보다 많은 돈을 제공할 것이다.

실제로 엄청난 재산을 모으는 길은 이렇게 쉬울 수 있다. 다시 말해, 지금의 첨단기술 세상에서도 엄청난 재산을 모을 수 있는 방법은 여전히 간단하고 낮은 기술이다. 나는 그것이 일반 상식에 불과하다고 말하고 싶다. 그러나 아쉽게도 돈에 관해서는 일반 상식이 일반적이지 않다.

부자들이 하는 것을 흉내내기는 쉽다

부자들이 하는 것을 하기는 쉬운 일이다. 그렇게도 많은 부자들이 학교 성적은 좋지 않았던 한 가지 이유는 부자가 되기 위해 〈해야 할 일〉은 간단하기 때문이다. 우리는 학교에 가지 않아도 부자가 될 수 있다. 부자가 되기 위해 해야 할 일은 절대로 어려운 학문이 아니다.

내가 읽기를 권하는 고전적인 책이 있다. 나폴레언 힐이 쓴 『생각해라. 그러면 부자가 되리라 *Think and Grow Rich*』이다. 나는 젊었을 때 이 책을 읽었으며, 이 책은 내 삶의 방향에 엄청난 영향을 주었다. 사실 나에게 그 책과 그런 책들을 읽도록 처음 권유한 사람은 부자 아버지였다.

그 책의 제목이 『생각해라. 그러면 부자가 되리라』인 데는 충분한 이유가 있다. 그 책의 제목은 〈열심히 일해서 부자가 되어라〉이거나 〈좋은 직장을 얻어서 부자가 되어라〉가 아니다. 사실 열심히 일만 하는 사람들은 종종 부자가 되지 못한다. 부자가 되려면 〈생각할〉 필요가 있다. 군중을 따라가기보다 독립적으로 생각해라. 내가 볼 때 부자들의 한 가지 위대한 자산은 그들이 다른 사람들과 다르게 생각한다는 것이다. 다른 사람들이 하는 대로만 하면 결국에는 그들과 같은 결과만 갖게 된다. 그리고 대부분의 사람들이 갖게 되는 것은 여러 해 동안의 힘든 일과 불공평한 세금, 그리고 평생의 빚이다.

「내가 사분면의 왼쪽에서 오른쪽으로 이동하려면 무엇을 해야 할까요?」 사람들이 나에게 이런 질문을 할 때, 나는 이렇게 대답한다.

「변해야 하는 것은 당신이 무엇을 〈해야(do) 하는〉 것이 아닙니다. 변해야 하는 것은 먼저 당신이 어떻게 〈생각하는가〉입니다. 다시 말해, 해야 할 필요가 있는 것을 〈하기〉 위해 당신이 어떤 사람이 〈되어야〉 하는가입니다」

당신은 초록색 집 넷을 사서 그것을 빨간 호텔 하나와 바꾸는 것이 쉽다고 생각하는 그런 사람이 되고 싶은가? 아니면 초록색 집 넷을 사서 그것을 빨간 호텔 하나와 바꾸는 것이 어렵다고 생각하는 그런 사람이 되고 싶은가?

나는 목표 설정에 관한 어떤 강좌에 등록한 적이 있다. 그때는 1970년대 중반이었고, 나는 내가 목표 설정을 배우기 위해 150달러와 아름다운 토요일 및 일요일을 쓰고 있다는 것을 믿을 수가 없었다. 차라리 나는 파도타기를 하고 싶었다. 그런데 나는 어떤 사람에게 돈을 내고 목표 설정을 배우려 하고 있었다. 나는 몇 번이나 환불을 받으려 했다. 하지만 내가 그 강좌에서 배운 것은 내가 삶에서 원하는 것을 달성하는 데 도움이 되었다.

그때 강사는 칠판에 다음의 세 단어를 적었다.

BE-DO-HAVE
(……한 사람이 되어라 ……을 해라 ……을 가져라)

그 강사는 골프를 예로 들었다. 「많은 사람들은 새로운 골프채 세트를 사면서 그것으로 경기력이 향상되기를 바랍니다. 그러면서 그들은 프로 골퍼의 태도나 사고방식, 그리고 믿음 같은 것은 상관하지 않죠. 엉터리 골퍼는 새로운 골프채 세트가 있어도 여전히 엉터리 골퍼로 남을 뿐입니다」

이어서 그 강사는 투자에 대해 얘기했다. 「많은 사람들은 주식이나 뮤추얼 펀드를 사면 금방 부자가 될 것이라고 생각합니다. 그러나 주식, 뮤추얼 펀드, 부동산, 혹은 채권을 산다고 무조건 부자가 되지는 않습니다. 전문적인 투자가들이 하는 것을 따라한다고 해서 경제적인 성공이 보장되지는 않죠. 패배적이고 부정적인 사고방식을 갖고 있는 사람은 어떤 주식이나 채권, 부동산, 혹은 뮤추얼 펀드를 사건 늘 패하게 마련이다」

돈에 대해서 그 강사는 이렇게 얘기했다. 「돈에 대해서는 많은 사람들이 부자들이 하는 것을 〈하려〉 애쓰고 부자들이 갖고 있는 것을 〈가지려〉 합니다. 그래서 그들은 밖에 나가 부자처럼 보이는 집을 사고, 부자처럼 보이는 차를 사고, 부자들이 아이들을 보내는 학교에 자기 아이들을 보냅니다. 그 결과 그들은 그런 것을 〈하기〉 위해 더 열심히 일해야 하고 더 많은 빚을 〈갖게〉 됨으로써 한층 더 열심히 일해야 합니다. 이런 것은 진짜 부자들이 하는 것이 아닙니다」

나는 교실 뒤쪽에서 동의의 뜻으로 고개를 끄덕였다. 부자 아버지는 같은 단어들을 사용해 그런 것을 설명하지는 않았다. 하지만 그분도 종종 이렇게 얘기했다. 「사람들은 돈을 위해 열심히 일하고 그런 후에 부자처럼 보이게 만드는 것들을 사면 부자가 될 거라고 생각한다. 하지만 대개의 경우 결과는 그렇지 않다. 그것은 그들을 더 피곤하게 만들 뿐이다」

그 주말 강좌를 들으며 나는 부자 아버지가 내게 했던 얘기를 점점 더 잘 이해할 수 있었다. 그분은 몇 년 동안 검소하게 살았다.

그분은 청구서를 지불하기 위해 열심히 일한 것이 아니라 자산을 얻기 위해 열심히 일했다. 거리에서 보는 그분의 모습은 남들과 다를 바 없었다. 부자 아버지는 비싼 자동차 대신에 픽업 트럭을 몰고 다녔다. 그러던 어느 날 30대 후반이 되었을 때 부자 아버지는 경제적인 강자로 부상했다. 사람들은 그분이 갑자기 하와이에서 제일 가는 부동산 하나를 샀을 때 깜짝 놀랐다. 그분의 이름이 언론에 등장했을 때, 그때서야 사람들은 이 조용하고 평범한 사람이 많은 사업체를 갖고 있고 멋진 부동산도 많이 갖고 있음을 알게 되었다. 그리고 그분이 얘기할 때 은행가들은 경청했다. 부자 아버지가 살고 있는 평범한 집을 본 사람은 거의 없었다. 그분은 현금이 넘치고 여러 자산에서 비롯되는 현금흐름이 넘친 후에야 새로 큰 집을 장만했다. 그분은 대출을 받지 않았다. 부자 아버지는 현금으로 지불했다.

나는 목표 설정에 관한 그 주말 강좌를 듣고 나서 많은 사람들이 부자들이 했던 것을 〈하고〉 있었고 부자들이 가졌던 것을 〈가지려〉 했다는 것을 알게 되었다. 그들은 종종 큰 집들을 샀고 주식 시장에 투자했는데, 그들이 보기에 부자들이 그렇게 하는 것 같기 때문이었다. 그러나 부자 아버지가 나에게 얘기하려 했던 것은 그들이 여전히 가난한 사람이나 중산층의 생각과 믿음, 개념을 갖고 있으면서 부자들이 하는 것을 따라한다면 가난한 사람들과 중산층이 갖고 있는 것을 갖게 될 뿐이라는 점이었다.

**〈현금흐름 사분면〉은 무엇을 하느냐가 아니라,
어떤 사람이 되어야 하는가를 보여준다**

사분면의 왼쪽 편에서 오른쪽 편으로 이동하는 것은 무엇을 〈하
는 것〉과도 관련이 있지만 어떤 사람이 〈되는 것〉에 더 많은 관련이
있다.

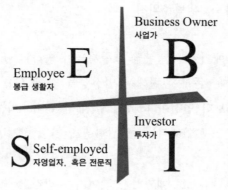

중요한 것은 사업가 그룹에 속하는 〈B〉나 투자가 그룹에 속하는
〈I〉가 〈하는〉 것이 아니라 그들이 〈생각하는〉 것이다. 그들이 본질적
으로 누구인가 하는 것이다.

생각은 많은 돈을 들이지 않고도 바꿀 수 있다. 사실 그것은 공
짜로도 할 수 있다. 하지만 과거부터 내려온 돈에 대한 본질적인 생
각이나 친구, 일터, 혹은 학교에서 배운 생각을 바꾸는 것은 때로
힘들다. 그럼에도 그것은 할 수 있는 것이다. 그리고 이것이 이 책
의 기본적인 내용이다. 이 책은 경제적 자유를 얻기 위해 〈무엇을

해야 하는지)에 관한 책이 아니다. 이 책은 어떤 주식을 사야 하는지, 혹은 어떤 뮤추얼 펀드가 가장 안전한지에 관한 책이 아니다. 이 책은 무엇보다도 당신의 생각을 강화시키기 위한 책이다. 그리고 그렇게 해서 필요한 행동을 취해 경제적인 자유를 달성하게 하기 위한 책이다.

안정 추구형 vs. 완벽주의자

일반적으로 얘기할 때, 봉급 생활자들이 속하는 〈E〉 사분면을 추구하는 사람들은 돈과 관련해서 안정성을 높이 사는 경우가 많다. 그들에게는 돈보다 안정이 더 중요할 때가 많다. 이들은 삶의 다른 분야(이를테면 스포츠)에서는 큰 위험을 안기도 하지만 돈에 관해서는 그렇지 않다.

이번에도 일반적으로 얘기하는 것이기는 하지만…… 현재 자영업자 그룹인 〈S〉 사분면에 있으면서 사분면의 왼쪽에서 오른쪽으로 이동하려 애쓰는 사람들을 보면 〈DIY: Do It Yourself〉 태도를 곧잘 보게 된다. 이들이 그런 태도를 갖게 되는 이유는 무엇이든 〈바르게〉 하고 싶다는 강렬한 욕망이 있기 때문이다. 그리고 이들은 바르게 하는 다른 사람을 찾기가 어렵기 때문에 종종 스스로 하곤 한다.

많은 〈S〉 사분면에 속하는 사람들에게 가장 중요한 것은 〈통제력〉이다. 이들은 무언가를 통제하려 한다. 이들은 실수하는 것을 너무 싫어한다. 이들이 더 싫어하는 것은 다른 사람이 실수를 해서 자신들의 잘못처럼 보이는 것이다. 그래서 이들은 뛰어난 〈S〉가 되어야 하고, 그렇기 때문에 우리는 그들에게 무언가를 맡기는 것이다. 우리는 우리의 치과의사가 완벽주의자이기를 바란다. 우리는 우리의 변호사가 완벽주의자이기를 바란다. 우리는 우리의 뇌수술 전문의가 완벽주의자이기를 바란다. 우리는 우리의 설계사가 완벽주의자이기를 바란다. 우리가 그들에게 지불하는 것도 그 때문이다. 그것은 그들의 강점이자 동시에 약점이다.

돈에 대한 두려움에 대처하는 서로 다른 두 가지 방법

인간이 된다는 것은 인간적인 면을 지닌다는 것이다. 그리고 인간적이 된다는 것은 감정을 갖는다는 것이다. 우리 모두에게는 감정이 있다. 우리 모두 두려움, 슬픔, 분노, 사랑, 미움, 실망, 기쁨, 행복, 그 밖의 여러 감정을 느낀다. 우리를 각각의 한 개인으로 만드는 것은 우리 각자가 그런 감정들을 다루는 방식이다.

돈의 위험과 관련해서 우리 모두는 두려움을 느낀다. 부자들도 그렇다. 차이는 우리가 그런 두려움을 다루는 방식이다. 많은 사람들에게 그런 두려움의 감정은 이런 생각을 만들어낸다. 〈안전하게 하자. 위험을 안지 말자.〉

다른 사람들에게, 특히 사분면의 오른쪽에 있는 사람들에게, 돈을 잃는 두려움은 이런 생각을 하게 할 수도 있다. 〈영리하게 하자. 위험 관리를 배우자.〉

돈을 잃는다는 두려움

내가 볼 때 사람들이 경제적으로 고생하는 가장 큰 원인은 돈을 잃는 두려움이다. 그리고 이런 두려움 때문에 사람들은 종종 너무 안전하게 살거나, 너무 개인적인 통제를 추구하거나, 혹은 그냥 전문가라고 생각되는 사람들에게 돈을 맡기고는 나중에 필요할 때 그 돈이 그곳에 있기를 바라고 기도한다.

당신이 두려움 때문에 경제적 사분면의 어느 하나에서 죄수가 되어 있다면, 나는 다니얼 골먼이 쓴 책 『감성 지수 *Emotional Intelligence*』를 읽으라고 권유한다. 그 책에서 골먼은 왜 학교에서 성적이 좋은 사람들이 종종 현실 세계에서 경제적으로 고생하는지 그 오래된 수수께끼를 설명하고 있다. 그의 답은 EQ가 학구적인 IQ보다 훨씬 더 강력하다는 것이다. 그렇기 때문에 위험을 안고, 실수를 하고, 실수에서 배우는 사람들은 종종 위험이 무서워서 실수하는 것을 두려워하는 사람들보다 더 잘한다. 너무도 많은 사람들이 좋은 점수로 학교를 졸업하고도 감정적으로 위험을 안을 준비는 되어 있지 않다. 특히 경제적 위험이 더욱 그렇다. 그렇게도 많은 교사들이 부자가 아닌 이유는 그들이 〈실수하는 사람들을 처벌하는 환경〉에서 활동하기 때문이다. 그래서 그들 자신들도 종종 실수하는 것을 감정적으로 두려워하는 사람들이다. 대신에 경제적으로 자유로우려면 우리는 실수를 하고 위험을 관리하는 법을 배울 필요가 있다.

사람들이 돈을 잃는 두려움에 압도되거나 대중과 다르게 하는 것을 두려워하며 살아간다면, 부자가 되는 것은 거의 불가능하다. 설사 그것이 초록색 집 네 채를 사서 커다란 빨간 호텔 하나와 바꾸는 것처럼 쉬운 일이라 해도 그렇다.

돈을 논리적으로 볼 것인가, 감정적으로 볼 것인가

나는 골먼의 책을 읽고 금융 IQ는 감성 지수가 90%이고 나머지 10%만이 금융이나 돈에 대한 기술적 정보임을 알게 되었다.

내가 비행 학교에 있을 때, 뱀에 대한 공포증을 갖고 있는 친구가 있었다. 격추당한 후에 야생에서 생존하는 법에 관한 강의 도중에, 강사가 인간에게 해롭지 않은 뱀을 갖고와 우리에게 그것을 어떻게 먹는지 보여주었다. 내 친구는 어른이었음에도 벌떡 일어나 소리를 지르며 강의실 밖으로 달려나갔다. 그 친구는 자신을 통제할 수 없었다. 그 친구의 뱀 공포증은 강력한 것으로, 뱀을 먹는다는 생각만 해도 그의 감정들은 견딜 수가 없었다.

나는 돈을 잃는 위험에 관해 똑같은 두려움을 느끼는 사람들을 보았다. 그들은 투자에 관해 배우는 대신 벌떡 일어나 소리를 지르며 교실 밖으로 달려나간다.

돈 문제에 대해서는 감정적으로 깊은 공포증이 아주 많다. 너무 많아서 열거할 수 없을 정도이다. 나에게도 그런 것들이 있다. 당신에게도 그런 것들이 있다. 우리 모두에게 그런 것들이 있다. 왜 그럴까? 왜냐하면 좋든 싫든 돈은 감정적인 것이기 때문이다. 그리고 돈은 감정적인 것이기 때문에, 대부분의 사람들은 돈에 대해서 논리적으로 생각하지 못한다. 돈이 감정적인 것이라고 생각하지 않는다면 주식 시장을 한번 보라. 대부분의 시장에는 논리가 없다. 다만 욕심과 두려움의 감정만이 있을 뿐이다. 혹은 새 차에 기어 들어가 가죽 소파의 냄새를 맡는 사람들을 생각해 보라. 자동차 판매원은 그들의 귀에 대고 이런 마술의 단어들을 속삭이기만 하면 된다. 「선금은 조금만 내고 매월 조금씩 할부로 갚아나가기만 하면 됩니다」 그러면 논리는 어디론가 가버리고 만다.

정말로 감정적인 생각들의 문제점은 그것들이 논리적으로 보인다는 것이다. 〈E〉 사분면에 있는 어떤 사람이 두려움의 감정을 느낄 때 논리적인 생각은 이런 것이다. 「안전하게 하자. 위험을 안지 말자」 그러나 〈I〉 사분면에 있는 어떤 사람에게 그런 생각은 논리적으로 보이지 않는다.

〈S〉 사분면에 있는 사람들은 어떤 일을 다른 사람에게 맡겨야 할 경우에 논리적으로 이렇게 생각한다. 「그냥 내가 하는 게 더 낫겠어」

이런 이유 때문에 그렇게도 많은 〈S〉 타입의 사업들은 종종 가족 사업이 된다. 그렇게 하면 더 믿을 수 있기 때문이다. 그들에게는 〈피가 확실히 물보다 진하다〉.

이렇게 서로 다른 사분면…… 서로 다른 논리…… 서로 다른 생각…… 서로 다른 행동…… 서로 다른 결과……. 따라서 감정은 우리를 각각의 인간으로 만든다.

우리가 하는 일을 결정하는 것은 우리가 그런 감정들에 개인적으로 반응하는 방식이다.

당신은 도대체 언제 성인이 될 것인가

   당신이 이성적이 아닌 감정적으로 생각하고 있는지 알 수 있는 한 가지 방법은, 당신이 대화에서 〈……하고 싶다(feel)〉라는 단어를 사용할 때이다. 예를 들어, 감정이나 느낌으로 움직이는 많은 사람들은 이런 얘기를 할 것이다. 「나는 오늘 운동을 하고 싶지 않아」 하지만 이들은 논리적으로는 운동을 해야 함을 알고 있는 것이다.

   경제적으로 고생하는 많은 사람들은 자신들의 느낌을 통제할 수 없거나, 혹은 느낌이 생각을 좌우하도록 내버려둔다. 그들은 이렇게 얘기한다.

> 「나는 투자에 대해 배우고 싶지 않아. 그것은 너무 골치 아프다구」
> 「투자는 나에게 맞지 않는 것 같아」
> 「나는 내 사업에 대해서 친구들에게 얘기하고 싶지 않아」
> 「나는 거절당하는 느낌이 너무도 싫어」

   그런 것들은 이성보다는 감정에서 비롯된 생각들이다. 심리학에서는 이것을 부모와 아이 사이의 싸움이라고 얘기한다. 부모는 대개 〈……해야 한다(should)〉의 관점에서 말을 한다. 예를 들어, 부모들은 이렇게 얘기할 것이다. 「너는 숙제를 해야 한다」 반면에 아이는 〈……하고 싶다(feeling)〉의 관점에서 말을 한다. 숙제를 하라는 말을 듣고 아이는 이렇게 얘기할 것이다. 「하지만 나는 숙제를 하고 싶지 않아」

   경제적으로, 당신 안의 부모는 이렇게 얘기할 것이다. 「너는 더 많은 돈을 저축해야 한다」하지만 당신 안의 아이는 이렇게 대답할 것이다. 「하지만 나는 휴가를 가고 싶어. 휴가 비용은 신용카드로 지불하면 돼」

왼쪽 사분면에서 오른쪽 사분면으로 이동할 때 우리는 성인이 되어야 한다. 우리 모두는 경제적으로 자라야 한다. 부모나 아이가 되는 대신에 우리는 성인으로서 돈과 일, 그리고 투자를 보아야 한다. 그리고 성인이 되는 것의 의미는 무엇을 해야 하는지 알고 그것을 하는 것이다. 설사 그렇게 하고 싶지 않다 해도 말이다.

자기 안의 대화

하나의 사분면에서 다른 사분면으로 건너가는 것을 고려하는 사람들에게, 그 과정의 중요한 일부는 자신과의 내적인 대화…… 그러니까 자기 안의 대화를 인식하는 것이다. 그 책 『생각해라. 그러면 부자가 되리라』의 중요성을 늘 기억하라. 그런 과정의 중요한 일부는 자신의 조용한 생각, 자신과의 내적인 대화를 끊임없이 인식하는 것이다. 그리고 하나의 사분면에서 논리적으로 보이는 것이 다른 사분면에서는 그렇지 않다는 점을 늘 기억하라. 직업적 내지는 경제적 안정에서 경제적 자유로 가는 과정은 기본적으로 자신의 생각을 바꾸는 과정이다. 그것은 어떤 생각이 감정에 기반한 것이고 어떤 생각이 논리에 기반한 것인지 알기 위해 최선을 다하는 과정이다. 자신의 감정을 늘 확인하고 논리적인 생각을 추구하면 그 여행에서 성공할 가능성은 높아진다. 사람들이 외부에서 뭐라고 애기하건, 가장 중요한 대화는 당신 내부에서 자신과 하는 대화이다.

아내와 내가 일시적으로 집이 없고 경제적으로 불안했을 때, 우리의 감정은 통제를 벗어났다. 많은 경우에 논리적으로 보인 것이 사실은 감정적인 얘기였다. 우리의 감정은 우리 친구들이 하는 것과 같은 말을 하고 있었다. 「안전하게 해라. 그냥 안전하고 안정적인 직장을 얻어 인생을 즐겨라」

그러나 논리적으로 우리 둘 모두는 안정보다는 자유가 우리에게 더 소중한 것임에 공감했다. 경제적 자유를 향해 가면서 우리는 직업적인 안정에서는 찾을 수 없는 안정감을 찾을 수 있음을 알았다. 우리에게는 그렇게 하는 것이 더 설득력이 있었다. 우리의 길을 막는 유일한 것은 우리의 감정적인 생각들이었다. 논리적으로 보이지만 결국에는 아무 의미도 없는 생각들이었다. 좋은 소식은 일단 우리가 그곳을 건너가면 낡은 생각들은 잠잠해지고 우리가 원하는 새로운 생각들이 우리의 현실로 다가선다는 것이다. 그러니까 〈B〉와 〈I〉 사분면의 생각들인 것이다.

오늘날 우리는 사람들이 이렇게 얘기할 때 그런 감정들을 이해한다. 「나는 위험을 안을 수 없어. 나에게는 부양해야 할 가족이 있다구. 그러니까 나는 안정적인 직장을 잡아야 해」

혹은 「돈이 있어야 돈을 벌 수 있지. 그래서 나는 투자를 할 수 없어」 혹은 「나는 그것을 혼자서 할 거야」

나는 그런 생각들을 이해한다. 나 역시 그런 생각들을 했었기 때문이다. 그러나 사분면의 건너편을 보고 〈B〉와 〈I〉 사분면에서 경제적 자유를 달성한 나는 진심으로 이렇게 말할 수 있다. 즉, 경제적 자유를 갖는 것은 훨씬 더 평화롭고 안정적인 방식이라고.

사람들 사이에 일어나는 갈등

첫째, 〈E〉와 〈B〉의 갈등

핵심적인 감정적 가치들은 서로 다른 관점을 야기시킨다. 사업체의 소유주와 직원들 사이에서 일어나는 의사소통의 갈등은 종종 감정적 가치의 차이에 의해서 야기된다. 봉급 생활자인 〈E〉와 사업가인 〈B〉 사이에 늘 갈등이 일어나는 이유는 한쪽은 더 많은 봉급을 원하고 다른 한쪽은 더 많은 일을 원하기 때문이다. 그래서 우리는 종종 이런 얘기를 듣는다. 「나는 일만 많이 하고 봉급은 적게 받고 있다구」

그리고 다른 쪽에서는 종종 이렇게 얘기한다. 「우리가 어떻게 해야 그들을 자극해서 봉급을 올리지 않고도 더 열심히 일하고 더 충성스럽게 만들 수 있을까?」

둘째, 〈B〉와 〈I〉의 갈등

또다른 갈등은 사업 운영자들과 그 사업에 투자한 사람들 사이에서 늘상 일어나는 갈등이다. 즉, 〈B〉와 〈I〉의 갈등인데, 후자는 종종 주주라고 불리는 투자가들이다. 한쪽은 더 많은 운영비를 원하고, 다른 한쪽은 더 많은 배당금을 원한다.

주주 총회에서 기업의 경영진은 이렇게 말할 것이다. 「중역들이 사업 모임에 더 빨리 갈 수 있도록 회사 전용기를 사야만 합니다」

반면 투자가들은 이렇게 답변할 것이다. 「우리는 중역들의 수를 줄여야 합니다. 그렇게 되면 회사 전용기도 필요가 없습니다」

셋째, 〈S〉와 〈B〉의 갈등

사업적인 거래에서 나는 종종 변호사 같은 똑똑한 〈S〉 사분면의 사람들이 사업체의 주인인 〈B〉를 위해 수백만 달러짜리 거래를 해주는 것을 본다. 그런데 거래가 끝나면 그 변호사는 속으로 불만을 갖곤 한다. 〈B〉는 수백만 달러를 버는데 〈S〉는 시간당 임금만을 받기 때문이다.

변호사는 이렇게 말할 것이다. 「일은 모두 우리가 했는데, 돈은 모두 그 사람이 버는군」

사업주는 또 이렇게 말할 것이다. 「도대체 그 사람들이 우리를 위해 몇 시간이나 일을 해줬지? 그들이 청구한 돈이면 그 법률 회사를 통째로 살 수도 있다구」

넷째, 〈E〉와 〈I〉의 갈등

또 하나 예를 들면, 은행가가 투자가에게 부동산을 살 수 있도록 대출을 해주는 경우이다. 투자가는 세금도 안 내고 수십만 달러를 버는데, 은행가는 많은 세금을 내는 봉급을 받는다. 이것은 〈E〉가 〈I〉를 상대하면서 종종 감정적인 갈등을 야기시키는 예가 될 것이다.

〈E〉는 이렇게 얘기할 것이다. 「나는 저 사람에게 대출을 해주었다구. 그런데 저 사람은 〈고맙다〉는 말도 한마디 하지 않는다구. 정말이지 저 사람은 우리가 얼마나 열심히 일해 주었는지 모르는 것 같단 말야」

반면 〈I〉는 이렇게 얘기할 것이다. 「정말이지, 저 사람들은 너무나 까탈스럽다구. 우리가 변변한 대출 하나를 받기 위해 준비해야 하는 이 쓸데없는 서류들을 한번 보라구」

부자와 교육을 많이 받은 사람들 간의 싸움

내가 목격한 사례 중에서 감정적으로 가장 혼란스런 결혼 생활은 어떤 부부의 경우였다. 아내는 뼛속까지 〈E〉인 사람으로 직업적인 안정과 경제적인 안정을 신봉했다. 반면에 남편은 자신이 잘 나가는 〈I〉라고 착각했다. 남편은 자기가 미래의 워런 버펫이라고 생각했지만, 사실 그는 수수료만 받는 판매원을 직업으로 갖고 있는 〈S〉였다. 그리고 그 사람은 도박에 미친 사람이었다. 그 사람은 늘 자신이 빨리 부자가 될 수 있는 투자 건수를 찾아 다녔다. 그 사람은 새로운 주식 공모나, 엄청나게 높은 수익을 약속하는 해외 투자 건수나, 자신이 선택권을 행사할 수 있는 부동산 거래에 솔깃했다. 이 부부는 아직도 같이 살지만, 나로서는 그 이유를 알 수가 없다. 서로가 서로를 힘들게 하고 있다. 한쪽은 위험을 먹고 살며, 다른 한쪽은 위험을 미워한다. 사분면이 서로 달라서 핵심적인 가치도

서로 다르다.

당신이 결혼을 했거나 혹은 누군가와 아주 친한 관계를 맺고 있다면, 아래에 나오는 현금흐름 사분면에서 당신이 대부분의 수입을 올리는 사분면에 원을 그리고 당신의 배우자나 파트너가 수입을 올리는 사분면에 원을 그려라.

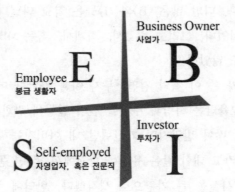

내가 당신에게 이렇게 하라는 이유는 파트너들 간의 대화는 서로가 상대방의 수입 원천을 이해하지 못할 때 어려운 경우가 많기 때문이다.

겉으로 드러나지는 않지만 내가 알고 있는 또 하나의 차이가 있다. 종종 싸움을 유발하는 이 차이는 부자와 교육받은 사람들의 관점 차이이다.

몇 년 동안 서로 다른 사분면들의 차이를 연구하는 과정에서 나는 종종 은행가, 변호사, 혹은 회계사 같은 사람들이 교육을 많이 받은 사람은 자기들인데 〈큰 돈〉을 만지는 사람은 오히려 이른바 교육을 덜 받은 사람들이라고 불평하는 것을 들었다. 나는 이것을 부자들과 교육받은 사람들의 싸움이라고 부른다. 하지만 자세히 들여다보면 이것은 사분면의 오른쪽 편에 있는 사람들과 사분면의 왼쪽 편에 있는 사람들…… 그러니까 〈E〉나 〈S〉들과 〈B〉나 〈I〉들의 싸움이다. 그렇다고 〈B〉나 〈I〉 사분면의 사람들이 교육을 받지 못했다는 말은 아니다. 왜냐하면 그들 가운데도 교육 수준이 높은 사람들이 많기 때문이다. 다만 많은 〈B〉와 〈I〉들은 학교 다닐 때 학문적으로 천재들이 아니었다. 그리고 변호사, 회계사, 혹은 MBA들처럼 대학원에 다니지도 않았다.

당신이 내가 쓴 이 책의 전편 『부자 아빠 가난한 아빠』를 읽었다면 그 책이 교육받은 사람과 부자들 간의 갈등에 관한 책임을 알 것이다. 교육은 많이 받았지만 가난했던 내 아버지는 자신이 스탠포드 대학과 시카고 대학 같은 유명한 학교에서 몇 년 동안 선진 교육을 받았다는 사실을 큰 자랑으로 생각했다. 반면에 부자 아버지는 자기 아버지가 죽었을 때 자기 가족의 사업체를 운영하기 위해 학교를 중퇴해야 했다. 그래서 그분은 초등학교도 마치지 못했지만 그럼에도 엄청난 재산을 쌓았다.

나는 자라면서 점점 부자 아버지의 영향을 더 많이 받았다. 그런 상황에서 교육을 많이 받은 아버지는 때로 삶에서의 자신의 입지에 대해 방어적인 태도를 취했다. 어느 날 내가 열여섯 살 정도 되었을 때, 교육을 많이 받은 아버지는 이렇게 쏘아붙였다.

「나는 유명한 학교에서 남들보다 높은 학위를 받았다. 그런데 네 친구의 아버지는 무엇을 갖고 있니?」

나는 잠시 망설이다가 이렇게 대답했다. 「돈과, 자유 시간입니다」

돈을 버는 것과 잃는 것은 감정상의 문제다

이미 얘기했듯이, 사업가인 〈B〉 사분면이나 투자가인 〈I〉 사분면에서 성공하려면 단순한 학구적 혹은 기술적 지식 이상의 것이 필요하다. 그것을 위해서는 종종 핵심적인 감정적 사고, 느낌, 믿음, 그리고 태도의 변화가 필요하다. 다음을 기억하라.

BE-DO-HAVE
(……한 사람이 되어라 ……을 해라 ……을 가져라)

부자들이 하는 일은 비교적 간단하다. 그들이 다른 것은 〈……한 사람이 되어라〉이다. 그런 차이는 그들의 생각, 특히 그들이 자신과 하는 내적인 대화에서 찾을 수 있다. 그런 이유로 부자 아버지는 내가 이렇게 말하는 것을 금지시켰다.

「나에게는 그렇게 할 여유가 없다」
「나로서는 그렇게 할 수가 없어」
「안전하게 살자」
「돈을 잃지 말자」
「실패해서 회복하지 못하면 어떻게 될까?」

부자 아버지가 그런 말을 못하도록 한 것은 말은 인간이 사용할 수 있는 가장 강력한 도구라고 믿었기 때문이다. 우리가 말하고 생각하는 것은 현실이 된다.

부자 아버지는 그렇게 종교적인 분은 아니었지만 종종 성경의 다음 구절을 인용했다. 〈그리고 말은 살이 되어 우리 가운데 거했도다.〉

부자 아버지는 우리가 자신에게 말하는 것은 현실이 된다고 굳게 믿었다. 그렇기 때문에 나는 경제적으로 고생하는 사람들은 종종 감정의 지배를 받으며 산다는 생각을 한다. 우리가 감정에 의한 그런 생각을 극복할 수 있을 때까지 우리의 말은 살이 된다. 이를테면 이런 말이다.

「나는 절대 부자가 될 수 없어」
「그런 아이디어는 될 수가 없어」
「그것은 나에게 너무 비싸」

이런 말은 감정에 근거한 것으로 아주 강력하다. 하지만 그런 생각도 새로운 친구, 새로운 아이디어, 그리고 약간의 시간만 있으면 바꿀 수 있다.

돈을 잃는다는 두려움을 통제할 수 없는 사람들은 절대로 스스로 투자하지 말아야 한다. 그런 사람들은 그런 일을 전문가에게 맡기고 간섭하지 않는 것이 가장 좋다.

한 가지 흥미로운 얘기를 하자면, 나는 다른 사람들의 돈을 투자할 때는 두려움을 느끼지 않고 많은 돈을 벌 수 있는 전문가들을 많이 만났다. 하지만 그들은 자신들의 돈을 투자할 때는 돈을 잃는다는 두려움이 너무 커서 결국에는 잃곤 한다. 그들은 논리나 이성보다 감정에 의해 생각을 한다.

나는 또 자기 돈을 투자해서 곧잘 이기곤 하는 사람들이 자기 돈 좀 대신 투자해 달라는 다른 사람들의 요청을 받고 흔들리는 경우도 목격했다.

돈을 버는 것과 잃는 것은 감정적인 문제다. 그래서 부자 아버지는 그런 감정들을 다루는 비밀을 알려주었다. 부자 아버지는 늘 이렇게 얘기했다. 「투자가나 사업가로 성공하려면 이기고 지는 것에 대해 감정적으로 초연해야 한다. 이기고 지는 것은 게임의 일부일 뿐이다」

안정적인 직장을 그만두다

내 친구인 마이크에게는 자신의 시스템이 있었다. 그것은 그의 아버지가 만든 것이었다. 나에게는 그런 행운이 없었다. 나는 언젠가 둥지의 편안함과 안정감을 떠나 내 스스로 그런 시스템을 만들기 시작해야 함을 알고 있었다.

1978년에 나는 최초의 안정적인 직장이었던 제록스 사를 그만두고 안전판이 전혀 없는 힘든 선택을 했다. 나는 두려움과 의심 때문에 머리가 어지러웠다. 두려움으로 거의 마비가 된 채 사직서를 쓰고, 마지막 봉급을 받고, 회사 문을 나섰다. 그때 내 안에서는 자기 파괴적인 생각과 감정들이 파도처럼 밀려왔다. 나는 스스로를 탓하고 나무라는 데 정신이 팔려 어떤 소리도 귀에 들리지 않았다. 그것은 잘된 일이었다. 왜냐하면 나와 함께 일했던 많은 사람들이 이렇게 얘기했기 때문이다. 「저 사람은 다시 돌아올 거야. 저 사람은 절대로 성공하지 못해」

문제는 나 자신도 스스로에게 같은 얘기를 하고 있었다는 것이다. 자기 의심의 그런 감정적인 얘기들은 아내와 내가 〈B〉와 〈I〉 사분면에서 성공할 때까지 여러 해 동안 나를 괴롭혔다. 지금도 나는 그런 얘기들을 듣고 있다. 다만 이제는 그것들의 권위가 전보다 못할 뿐이다. 내 자신의 자기 의심을 극복하는 과정에서 나는 다른 말들도 만드는 법을 배웠다. 그것들은 개인적인 격려의 말들로서 이를테면 다음과 같은 문장을 만들었다.

「차분하게 대처하라. 분명하게 생각하라. 열린 마음을 유지하면서 계속 나아가라. 나보다 앞서 갔던 사람들에게 조언을 구하라. 나에게 최고를 원하는 더 높은 힘을 믿어라」

나는 그런 격려의 단어들을 내적으로 창출하는 법을 배웠다. 비록 나의 일부는 여전히 겁을 먹고 두려움에 빠져 있었지만.

나는 첫번째 사업에서 성공의 가능성이 무척 낮음을 알고 있었다. 하지만 긍정적인 인간적 감정들, 이를테면 신뢰, 믿음, 용기 같은 감정들과 좋은 친구들이 나를 앞으로 나아가게 했다. 나는 위험을 안아야만 함을 알고 있었다. 나는 위험은 실수로 이어지고, 실수는 내게 부족한 지혜와 지식으로 이어짐을 알고 있었다. 내게 있어 실패는 두려움을 극복하게 하는 것일 수가 있었다. 그래서 나는 보장도 거의 없이 앞으로 나아가려는 각오를 다졌다. 부자 아버지는 나에게 다음과 같은 생각을 심어주었다. 「실패는 성공으로 가는 과정의 일부이다」

내적인 여행

하나의 사분면에서 다음 사분면으로 가는 여[...]
다. 그것은 하나의 핵심적인 믿음들과 기술적[...]
새로운 핵심적 믿음들과 새로운 기술적 능력들의 집합으로 가는 여
행이다. 그 과정은 자전거 타는 법을 배우는 것과 비슷하다. 처음에
는 자전거에서 떨어지는 일이 자주 있다. 종종 그것은 당혹스럽고
곤혹스럽다. 특히 친구들이 보고 있을 때는 더욱 그렇다. 그러나 그
기간이 지나면 떨어지는 일은 적어지고 자전거 타기는 자동적으로
된다. 다시 떨어진다 해도 그것은 대단한 일이 아니다. 왜냐하면 이
제는 일어나서 다시 탈 수 있음을 내적으로 알기 때문이다. 그런 과
정은 안정적인 직업의 감정적인 사고방식에서 경제적인 자유의 감
정적인 사고방식으로 이동할 때도 같은 것이다. 아내와 나는 일단
실패의 두려움이 줄어들었다. 왜냐하면 우리는 다시 일어서는 우리
의 능력을 믿었기 때문이다.

내가 개인적으로 계속 나아가게 만든 두 문장이 있다. 하나는 부
자 아버지의 조언이었는데, 그것은 내가 포기하고 돌아가려 할 즈
음에 받은 것이었다. 「너는 언제든지 포기할 수 있다. 그런데 왜 지
금 포기하려 하니?」

그 얘기는 내 정신을 고양시켰고 감정을 안정시켰다. 그 얘기는
내가 반쯤 건너왔음을 상기시켰다. 그런데 왜 지금 돌아가려 하는
가? 이제는 목표점으로 가는 길이 다른 쪽의 사분면으로 가는 길과
같은 거리에 있었다. 그것은 마치 콜럼버스가 대서양 중간에서 포
기하고 돌아가는 것과 같았다. 어느 쪽을 선택하건 가야 할 거리는

같았다.

그리고 경고의 얘기를 한마디 하자면, 언제 포기할지를 아는 것 또한 중요하다. 나는 종종 고집이 너무 세서 성공 가능성이 거의 없는 일에 계속 매달리는 사람들을 만나곤 한다. 언제 포기할지 혹은 언제 계속 가야 하는지 아는 것은 위험을 안는 모든 사람들에게 중요한 문제이다. 〈계속 가느냐 포기하느냐〉의 문제를 다루는 한 가지 방식은 건너가는 일을 이전에 이미 성공한 스승들에게서 찾는 것이다. 그리고 그들의 조언을 구하는 것이다. 이미 다른 쪽으로 가 있는 그런 사람은 당신을 가장 잘 인도할 수 있다. 하지만 건너가는 일에 대해 책만 읽은 사람과 그 문제에 대해 돈을 받고 강의하는 사람들에게서 조언을 구하는 데는 조심해야 한다.

나를 계속해서 나아가게 만든 또다른 문장은 이런 것이었다.

「거인들은 종종 발이 걸려 넘어진다.

하지만 지렁이는 그렇지 않다.

왜냐하면 그들은 오직 땅을 파고 기어갈 뿐이기 때문이다」

그렇게도 많은 사람들이 경제적으로 고생하는 주된 이유는 그들이 좋은 교육을 받지 못했거나 열심히 일하지 않기 때문이 아니다. 그것은 그들이 잃는 것을 두려워하기 때문이다. 잃는다는 두려움 때문에 중단한다면 그들은 이미 진 것이다.

이기는 사람들과 지는 사람들의 차이

패자가 〈된다는〉 두려움은 사람들이 이상한 방식으로 〈하는〉 것에 영향을 끼친다. 어떤 사람들은 주식을 20달러에 사서 30달러가 되면 판다. 그들은 이미 얻은 것을 잃을까 봐 두려워하기 때문이다. 하지만 그 주식은 100달러까지 오르고 액면을 분할한 후에는 다시 100달러까지 오른다.

그런 사람은 주식을 20달러에 사서 이를테면 3달러까지 떨어져도 계속 잡고 있다. 언젠가는 가격이 오를 것을 기대하면서…… 그러고는 그 3달러짜리 주식을 20년 동안 붙들고 있다. 이것은 잃는 것을 너무 두려워하거나 잃었다는 것을 인정하는 것이 너무 싫어서 결국에는 완전히 잃고 마는 예이다.

승자들이 〈하는〉 것은 그것과 거의 정반대이다. 이들은 종종 잃는 포지션을 갖자마자, 이를테면 산 주식이 오르는 것이 아니라 내리기 시작하면, 그것을 즉시 팔고 손실을 감수한다. 대부분은 손실을 보았다는 것을 스스럼없이 얘기한다. 승자들은 잃는 것도 이기는 과정의 일부임을 알기 때문이다.

이들은 승자를 발견하자마자 가능한 빨리 그것에 동승한다. 이들은 무임 승차가 끝났음을, 그러니까 가격이 고점에 달했음을 아는 순간 자르고 판다.

훌륭한 투자가가 되는 것의 비결은 이기고 지는 것에 중립적이 되는 것이다. 그렇게 하면 두려움과 욕심 같은 감정적인 생각으로 행동하지 않게 된다.

잃는 것을 두려워하는 사람들은 평생 같은 일을 한다. 우리 모두는 이런 사람들을 알고 있다.

——더 이상 어떤 사랑의 감정도 없는 채 결혼 생활을 계속하는 사람.

—— 희망이 없는 직업에 계속 매달리는 사람.

—— 낡은 의복과 결코 사용하지 않을 〈물건들〉을 버리지 않고 집착하는 사람.

—— 아무런 미래도 없는 마을에 계속 사는 사람.

—— 자신들을 퇴보시키는 사람들과 계속 친구로 지내는 사람.

게임의 법칙

금융 지능은 감정 지능과 밀접하게 연결되어 있다. 내가 볼 때 대부분의 사람들이 경제적으로 고생하는 이유는 그들의 감정이 그들의 생각을 통제하기 때문이다. 우리 모두는 인간으로서 같은 감정들을 갖고 있다. 우리가 살면서 〈하는〉 것과 〈갖는〉 것의 차이를 결정하는 것은 기본적으로 우리가 어떻게 그런 감정들을 다루는가이다.

예를 들어, 어떤 사람들은 두려움의 감정 때문에 겁쟁이가 된다. 그리고 어떤 사람들은 똑같은 두려움의 감정 속에서도 용기를 발휘한다. 아쉽게도 돈에 관해서는 우리 사회 대부분의 사람들이 경제적인 겁쟁이가 되도록 길들여져 있다. 돈을 잃는다는 두려움을 느낄 때 대부분의 사람들은 자동적으로 이런 얘기들을 한다.

—— 〈자유〉보다는 〈안정〉을.

—— 〈위험 관리를 배우기〉보다는 〈위험을 피하기〉.

—— 〈영리하게 하기〉보다는 〈안전하게 하기〉.

— 〈내가 어떻게 할 수 있을까?〉보다는 〈나로서는 할 수가 없다〉.
— 〈그것은 장기적으로 어떤 값어치가 있을까?〉보다는 〈그것은 너무 비싸다〉.
— 〈집중하기〉보다는 〈분산해라〉.
— 〈나는 어떻게 생각하는가?〉보다는 〈내 친구들은 어떻게 생각할까?〉.

위험, 특히 경제적인 위험을 안는 것에 관한 학문이 있다. 돈과 위험 관리에 관해서 내가 읽은 아주 좋은 책 하나는 알렉산더 엘더 박사가 지은 『삶을 위한 거래 *Trading for a Living*』이다.

이 책은 사실 주식과 옵션을 전문적으로 거래하는 사람들을 위해 쓴 책이다. 그렇지만 위험 관리와 위험의 지혜는 모든 분야의 돈과 돈 관리, 개인적인 심리, 그리고 투자에 적용된다. 성공적인 많은 사업가인 〈B〉들이 늘 성공적인 투자가인 〈I〉가 되지는 못하는 한 가지 이유는 돈의 위험에 관련된 심리를 충분히 이해하지 못하기 때문이다. 물론 〈B〉들은 사업 시스템과 사람들에 대해서는 위험을 이해한다. 하지만 그런 지식이 늘 돈이 돈을 버는 시스템에도 적용되는 것은 아니다.

요컨대, 왼쪽에 있는 사분면들에서 오른쪽에 있는 사분면들로 이동하는 것은 기술적이기보다는 감정적인 것이다. 감정적인 생각들을 통제할 수 없는 사람들에게 나는 그 여행을 권하고 싶지 않다.

사분면의 오른쪽 편에 있는 것들이 왼쪽 편에 있는 사람들에게 그렇게도 위험하게 보이는 이유는 종종 두려움의 감정이 그들의 생각을 지배하기 때문이다. 왼쪽 편에 있는 사람들은 〈안전하게 하자〉

가 논리적인 생각이라고 생각한다. 하지만 사실은 그렇지 않다. 그것은 감정적인 생각이다. 그리고 이런 감정적인 생각 때문에 사람들은 어느 하나의 사분면에 집착한다.

사분면의 오른쪽 편에서 사람들이 〈하는〉 일은 그렇게 어렵지 않다. 나는 진심으로 이렇게 얘기한다. 그것은 낮은 가격에 초록색 집 네 채를 사서 시장이 좋아지기를 기다린 후에 그것들을 팔아 큰 빨간 호텔 하나를 사는 것만큼이나 쉬운 일이다.

사분면의 오른쪽 편에 있는 사람들에게 삶은 실제로 모노폴리 게임과 같다. 물론 이기는 경우도 있고 지는 경우도 있다. 하지만 그것은 게임의 일부이다. 이기고 지는 것은 우리네 삶의 일부이다. 사분면의 오른쪽 편에서 성공하는 것은 그 게임을 사랑하는 사람이 〈되는〉 것이다. 타이거 우즈는 이기는 경우보다 지는 경우가 더 많다. 그럼에도 그는 여전히 그 게임을 사랑한다. 도널드 트럼프는 알거지가 되었다가 다시 싸웠다. 그는 졌다고 해서 포기하지 않았다. 그는 지고 난 후에 더 영리해졌고 더 결연해졌다. 많은 부자들은 알거지가 된 후에 돈을 벌었다. 그것은 게임의 일부이다.

우리가 감정으로 생각하면 종종 다른 것은 보지 못하게 된다. 그럴 때 우리는 생각하는 것이 아니라 반사적인 감정적 생각을 하는 것이다. 이런 감정들 때문에 사분면이 다른 사람들은 갈등을 빚는다. 이런 갈등은 사람들이 갖고 있는 감정적인 관점이 다르기 때문에 나타난다. 이와 같은 감정적 반응 때문에 사람들은 사분면의 오른쪽 편에서 얼마나 쉽게, 그리고 종종 위험도 없이 일이 진행되는지 모르게 된다. 당신이 감정적인 생각들을 통제할 수 없다면 건너가려는 시도를 하지 말아야 한다.

나는 모두가 무사히 건너가서 다른쪽 편에서 당신을 인도하는 스승과 장기적인 긍정적 지원 그룹을 갖기를 바란다. 내게 있어 아내와 내가 겪은 그 고생은 충분한 값어치가 있었다. 우리에게 있어 사분면의 왼쪽 편에서 오른쪽 편으로 건너가는 데 가장 중요했던 것은 우리가 〈해야만〉 했던 것이 아니라 우리가 그 과정에서 어떤 사람이 되느냐였다. 내게 있어서 그것은 아주 소중한 것이었다.

제9장

돈을 벌고, 돈을 쓰고, 세금을 내는 두 가지 서로 다른 방식

바다에 파도가 있듯이, 시장에도 커다란 파도들이 있다.
바다에서는 바람과 태양이 파도를 일으키지만, 금융 시장에서는
인간의 두 가지 감정, 즉 욕심과 두려움이 파도를 일으킨다.
나는 공황이 과거의 것이라고 생각하지 않는다.
왜냐하면 우리 모두는 인간이고 우리는 늘 욕심과
두려움이라는 그런 감정들을 갖고 있기 때문이다.

내가 〈Be-Do-Have〉의 공식에서 〈Be〉 부분 즉, 〈……한 사람이 되어라〉에 초점을 맞춘 이유는 적절한 사고방식과 태도가 없으면 오늘날 우리 앞에 있는 엄청난 경제적 변화들에 대비할 수 없기 때문이다. 우리는 사분면의 오른쪽 편에 속하는 기술과 사고방식이 있는 사람이 〈됨(being)〉으로써 그런 변화들에서 비롯되는 기회들을 제대로 인식할 수 있고 적절한 〈행동(doing)〉을 통해 결국에는 경제적인 성공을 〈가질(having)〉 수 있다.

그보다 좋을 순 없었다……,
그보다 나쁠 순 없었다

다음과 같은 격언이 있다. 「삶에서 일어나는 일이 중요한 것이 아니라, 그런 일에 부여하는 의미가 중요한 것이다」

어떤 사람에게는 1986년부터 1996년까지의 기간이 그보다 나쁠 순 없었다. 하지만 어떤 사람에게는 그보다 좋을 순 없었다. 나는 1986년에 부자 아버지에게서 전화를 받았을 때 당시의 경제적 변화가 제공하는 기회를 인식했다. 당시 나는 많은 여유 자금이 없었음에도 〈B〉와 〈I〉로서의 기술들을 활용해 자산을 만들 수 있었다.

성공적이고 행복한 삶을 사는 한 가지 비결은 충분한 탄력성을 갖고 어떤 변화에 대해서도 적절하게 대처하는 것이다. 어떤 일이 일어나건 그것을 기회로 활용하는 것이다. 아쉽게도 대부분의 사람들은 지금 일어나고 있는 급박한 경제적 변화들을 제대로 다룰 준비가 되어 있지 않다. 우리 인간에게 축복으로 여겨질 수 있는 것이 하나 있다. 즉, 사람들은 대체로 낙관적이며 잊어버리는 능력을 갖고 있다. 대략 10년에서 12년이 지나면 사람들은 다 잊는다. 그러면 상황은 다시 변한다.

오늘날 〈E〉 사분면에 속하는 사람들과 〈S〉 사분면에 속하는 사람들은 전보다 더 열심히 일하고 있다. 왜 그럴까? 사람들이 잃은 것을 만회하기 위해 더 열심히 일하면서 경제는 회복되었고, 사람들의 수입은 늘어났고, 세무사들은 다시 예의 그 지혜의 단어들을 속삭이기 시작했다. 즉, 「가서 더 큰 집을 사세요. 부채에 대한 이자는 가장 좋은 세금 감면입니다. 게다가 집은 자산이며 당신의 가장 큰 투자가 될 것입니다」

그래서 그들은 〈매월 조금씩만 갚아나가세요〉를 다시 보며 더 많은 빚을 지기 시작했다.

주택 시장은 호황을 누리고 있으며, 사람들은 더 많은 가처분 소득을 갖고 있다. 그리고 이자율은 낮은 수준이다. 사람들은 더 큰 집을 사고 있으며, 그들은 환희감에 젖어 있다. 그리고 빨리 부자가 되고 싶어서, 혹은 은퇴에 대비한 투자를 하고 싶어서 주식 시장에 돈을 쏟아붓고 있다.

이번에도 내가 볼 때 엄청난 재산의 이전이 일어나려 하고 있다. 반드시 금년에 일어나지 않더라도 조만간에는 일어날 것이다. 그리고 과거와 똑같은 방식으로는 일어나지 않을 것이다. 무언가 다른 일이 일어날 것이다. 이런 이유 때문에 부자 아버지는 내게 경제적 역사에 관한 책들을 읽으라고 얘기했다. 경제학은 변하지만 역사는 반복된다. 다만 일련의 같은 상황에서 일어나지 않을 뿐이다.

돈은 계속해서 사분면의 왼쪽에서 오른쪽으로 흘러간다. 지금까지 늘 그래 왔다. 많은 사람들은 빚을 잔뜩 지고서도 역사상 가장 큰 주식 시장 활황에 돈을 쏟아붓고 있다. 사분면의 오른쪽에 있는 사람들은 시장의 천정에서 팔 것이고, 바로 그때 왼쪽에 있는 최후의 조심스런 사람들은 두려움을 극복하고 시장에 들어올 것이다. 무언가 언론에 보도될 것이고, 시장은 무너질 것이고, 먼지가 걷히면 투자가들은 다시 들어올 것이다. 그들은 자신들이 팔았던 것을 되살 것이다. 이번에도 우리는 사분면의 왼쪽에서 오른쪽으로 가는 재산의 큰 이전을 보게 될 것이다.

적어도 12년은 더 있어야 돈을 잃은 사람들의 감정적인 상처들이 아물 것이다. 하지만 상처들은 아물 것이고, 바로 그때 또다른 시장이 천정에 접근할 것이다.

부자들에 대한 마녀 사냥

나는 종종 사람들이, 특히 사분면의 왼쪽에 있는 사람들이 이렇게 말하는 것을 듣는다. 은행들을 통제하는 몇몇 엄청난 부자들이 꾸미는 무언가 전세계적인 음모가 있다고. 이와 같은 은행가 음모 이론은 여러 해 동안 회자되었다.

정말로 음모가 있는 것일까? 나로서는 알 수가 없다. 음모가 있을 가능성은 있는가? 무엇이든 가능성은 있다. 나는 엄청난 돈을 통제하는 강력한 부자들이 있음을 안다. 하지만 정말 어느 한 집단이 세상을 통제할 수 있을까? 그렇게는 생각하지 않는다.

나는 그것을 다른 시각으로 본다. 나는 그것이 특정한 사고방식을 갖고 있는 오른쪽 사분면 집단의 사람들과 역시 특정한 사고방식을 갖고 있는 왼쪽 사분면 집단의 사람들로 보려 한다. 그들은 모두 돈의 게임이라는 이 큰 게임을 하고 있지만, 각각의 사분면은 서로 다른 관점과 서로 다른 규칙들에 근거해 게임을 하고 있다.

문제는, 왼쪽에 있는 사람들은 오른쪽에 있는 사람들이 하는 것을 볼 수 없지만, 오른쪽에 있는 사람들은 왼쪽에 있는 사람들이 하는 것을 안다는 점이다.

사분면의 왼쪽에 있는 많은 사람들은 오른쪽에 있는 사람들은 알고 자신들은 모르는 것이 무엇인지 알아내려 하지 않고 대신에 마녀 사냥을 한다. 불과 몇 세기 전만 해도, 어떤 재앙이 닥치거나 공동체에 무언가 나쁜 일이 일어나면, 마을 사람들은 〈마녀 사냥〉을 하곤 했다. 그들에게는 누군가 책임을 지울 사람이 필요했다. 과학이 현미경을 발명하고 사람들이 육안으로 볼 수 없는 것을, 그러니까 세균들을 볼 수 있기 전까지 사람들은 질병을 다른 사람들의 탓으로 돌렸다. 그들은 화형대에서 마녀들을 불태워 자신들의 문제를 해결하려 했다. 그들은 대부분의 질병이 쓰레기와 하수 처리가 열악한 도시에 사는 사람들 때문에 비롯되는 것임을 알지 못했다. 사람들이 비위생적인 환경들을 사용해 스스로 문제를 야기시킨 것이었지 〈마녀들〉 때문은 아니었다.

하지만 지금도 마녀 사냥은 계속되고 있다. 많은 사람들은 자신들의 경제적 재앙을 탓할 누군가를 찾고 있다. 이런 사람들은 종종 자신들의 개인적인 경제적 문제를 부자들 탓으로 돌리려 한다. 그러면서 그런 재앙의 근본적 이유가 돈에 대한 자신들의 정보 부족 때문일 때가 많음은 깨닫지 못한다.

오늘의 영웅이 내일의 악당이 되다

몇 년에 한번씩은 새로운 경제적 도사들이 나타나 돈을 버는 새로운 마술의 공식을 제시하는 것 같다. 미국에서 1970년대 후반에 헌트 형제들이 은(silver) 시장을 매점하려 했다. 그리고 세상은 그들의 천재성에 갈채를 보냈다. 그러나 그들은 순식간에 범죄자들로 사냥을 당했다. 너무나도 많은 사람들이 그 형제의 조언을 따랐다가 돈을 잃었기 때문이다. 1980년대 후반에는 정크본드(쓰레기 채권)의 왕인 마이클 밀큰이 나타났다. 그는 한때 경제적 천재로 칭찬받았지만 사건이 터진 후에 체포되어 감옥에 갔다. 개인들은 다르지만 역사는 반복된다.

오늘날 우리에게는 새로운 투자의 천재들이 있다. 이들은 TV에 출연하며, 이들의 이름은 신문에도 등장한다. 이들은 새로운 명사들이다. 그중에서 한 사람은 FRB의 의장인 앨런 그린스펀이다. 오늘날 이 사람은 신에 가깝다. 사람들은 그가 지금의 멋진 경제를 만들었다고 생각한다. 워런 버펫 역시 신에 가까운 사람으로 칭송받는다. 그가 무언가를 사면, 모두가 뛰어들어 같은 것을 산다. 그리고 워런 버펫이 팔면 가격은 폭락한다. 빌 게이츠 역시 관심의 대상이다. 그가 어디를 가든 돈이 따라다닌다. 가까운 장래에 주요한 시장의 조정이 일어나면, 오늘의 경제적 영웅들은 내일의 악당들이 될 것인가? 그건 시간만이 말해 줄 것이다.

경기의 〈상승〉 주기마다 영웅들이 있고, 경기의 〈하락〉 주기마다 악당들이 있다. 역사를 돌아보면 그들은 종종 같은 사람들이었다. 사람들은 늘 불에 태울 마녀들이나 음모들을 찾아 자신들의 경제적인 무지를 전가했다. 역사는 반복될 것이다. 그리고 다시 한번 재산의 큰 이전이 일어날 것이다. 그리고 그렇게 될 때 당신은 그 이전의 어느 편에 설 것인가? 왼쪽 편인가 오른쪽 편인가?

내가 볼 때 사람들은 이 거대한 게임 속에 있음을 인식하지 못하는 것 같다. 이것은 공중에 있는 가상의 카지노이다. 하지만 어느 누구도 그들 자신이 이 게임에서 중요한 선수임은 알려주지 않았다. 그 게임은 〈누가 누구에게 빚지고 있는가?〉이다.

은행가가 아닌, 은행이 되기

전편인 『부자 아빠 가난한 아빠』에서 나는 부자들이 어떻게 돈을 만들어 종종 은행가의 역할을 하는지 설명했다. 다음에 드는 것은 거의 누구든지 따를 수 있는 간단한 예이다.

가령 내가 10만 달러의 값어치가 있는 주택을 찾았다고 치자. 그리고 내가 잽싸게 계약을 맺어 8만 달러만 지불한다고 치자(현금으로 1만 달러를 내고 내가 책임지는 7만 달러의 융자 대출을 받는다).

그런 후에 나는 그 집의 적정 가격인 10만 달러에 집을 판다고 광고를 낸다. 광고에는 다음과 같은 마술의 단어들을 사용한다. 〈집 팝니다. 급한 매물임. 은행 융자의 자격 없어도 됨. 현금으로 조금 내고 매월 조금씩 갚으면 됨.〉

그러면 미친 듯이 전화벨이 울린다. 나는 10만 달러의 차용증서를 받고 그 집을 판다. 이 거래를 그림으로 나타내면 다음과 같다.

나의 대차대조표

자산	부채
10만 달러 차용증서	7만 달러 담보 융자

구매자의 대차대조표

자산	부채
	10만 달러 차용증서

　이 거래는 이어서 할부금 상환을 다루는 정부 기관에 등록된다. 집을 산 사람이 10만 달러를 갚지 않으면, 나는 그것을 유질시킨 후 〈선금은 조금 내고 매월 조금씩 갚으면서〉 살 집을 마련하려는 다른 사람에게 판다. 그런 조건으로 살 집을 마련하려는 사람들은 줄을 서 있다.

　이렇게 해서 나는 3만 달러의 자산을 만들어 이자를 받는다. 마치 은행들이 대출을 해주고 이자를 받는 것처럼.

　이런 식의 거래는 전세계에서 일어나고 있다. 그럼에도 내가 어디를 가건 사람들은 나에게 와서 이렇게 얘기하곤 한다. 「여기서는 그렇게 할 수 없어요」

　대부분의 소액 투자가들이 모르는 것은 많은 대규모 상업적 건물들은 위에서 설명한 것과 똑같은 방식으로 거래된다. 그들은 때로 은행을 통하지만 많은 경우에는 그렇지 않다.

직원으로 버는 수입의 반은 내 것, 반은 정부 것

　앞의 장에서도 얘기했듯이, 정부는 사람들에게 저축하는 데 대한 세금 혜택을 주지 않는다. 내가 볼 때 은행들은 정부에 그렇게 해달라고 요청하지 않을 것이다. 왜냐하면 당신의 저축은 그들의 부채이기 때문이다. 미국의 저축률이 낮은 이유는 은행들이 당신의 돈을 원하거나 필요로 하지 않기 때문이다. 그래서 이것은 은행의 역할을 하면서 그렇게 애쓰지 않고도 저축을 늘리는 예이다. 이 3만 달러에서 비롯된 현금흐름은 다음과 같이 나타낼 수 있다.

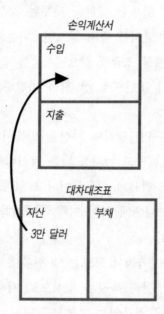

이 그림에 대해서는 몇 가지 흥미로운 것들이 있다.

첫째, 나는 내 3만 달러로 받는 이자율을 결정한다. 그것은 종종 10%의 이자이다. 대부분의 은행들은 오늘날 당신의 저축에 대해 5% 이상을 지급하지 않는다. 따라서 나는 선금으로 내 돈 1만 달러를 쓰긴 하지만, 그 돈에 대한 이자는 종종 은행들이 지급하는 이자보다 더 많다.

둘째, 그것은 전에는 없던 2만 달러(3만 달러에서 1만 달러의 선금을 뺀 금액)를 만드는 것과 같다. 그것은 은행들이 하는 일과 똑같다. 그들은 자산을 만든 후에 그에 대한 이자를 받는다.

셋째, 이 2만 달러는 세금도 내지 않고 만든 것이다. 〈E〉 사분면에 있는 평균적인 사람들이 이렇게 2만 달러를 저축하려면 거의 4만 달러의 임금이 필요할 것이다. 직원으로서 버는 수입은 반은 내 것이고 반은 남의 것이다. 그런 수입의 절반은 우리가 구경도 하기 전에 원천징수로 정부에서 가져간다.

넷째, 부동산과 관련된 모든 세금, 유지비, 그리고 관리비는 이제 구매자의 책임이다. 왜냐하면 나는 부동산을 구매자에게 팔았기 때문이다.

다섯째, 이것들 말고도 또 있다. 사분면의 오른쪽에서는 아무것도 없이 돈을 만드는 많은 거래들을 만들 수 있다. 그냥 은행의 역할을 하기만 하면 된다.

이와 같은 거래는 완성되기까지 일주일 내지 한 달이면 족하다. 그런데 사람들이 추가로 4만 달러를 벌어 그 복잡한 세금과 기타 경비들을 빼고 2만 달러를 저축하려면 얼마나 걸리는가?

돈을 벌고, 돈을 쓰고, 세금을 내는 두 가지 다른 방식

나는 『부자 아빠 가난한 아빠』에서 왜 부자들이 기업을 이용하는지 간단하게 설명했다. 그 이유는 다음과 같다.

1 자산 보호. 당신이 부자라면, 사람들은 소송을 통해 당신이 갖고 있는 것을 뺏고 싶어하는 경향이 있다. 그러니까 〈주머니가 두둑한 사람을 찾자〉라는 것이다. 부자들은 종종 자기 이름으로 아무것도 소유하지 않는다. 그들의 자산은 신탁이나 기업에 들어가서 보호를 받는다.

2 수입 보호. 자신의 기업체를 통한 자산에서 나오는 수입의 흐름을 기업에 넘김으로써, 대개 정부가 가져가는 것의 많은 부분을 보호할 수 있다.

엄연한 현실을 보면, 당신이 직원이면 그 순서는 다음과 같다.

(돈을) 번다——(세금을) 낸다——(돈을) 쓴다

직원인 당신의 수입은 월급 봉투를 받기도 전에 원천징수를 통해 세금으로 납부된다. 따라서 어떤 직원의 연간 수입이 3만 달러라면, 정부가 모든 것을 가져가고 난 후 그것은 1만5천 달러로 줄어든다. 이 1만5천 달러를 갖고 당신은 다시 융자금을 갚아야 한다. (하지만 적어도 융자금에 붙는 이자에 대해서는 세금 공제를 받게 된다. 은행들은 그런 식으로 당신에게 더 큰 집을 사라고 설득한다.)

하지만 당신이 먼저 기업체를 통해 수입의 흐름을 넘기면 그 패턴은 다음과 같이 된다.

(돈을) 번다——(돈을) 쓴다——(세금을) 낸다

당신이 번 3만 달러를 먼저 기업체를 통해 넘기면 수입의 상당 부분을 〈지출〉로 처리해서 정부에 주지 않아도 된다. 당신이 기업체를 갖고 있으면 당신이 규칙을 만든다. 그것이 세법에 합치하는 동안에는.

예를 들어, 당신이 규칙을 만들면 당신은 회사의 규정 속에 이런 문구를 넣을 수 있다. 자녀들에 대한 지원은 고용 계약의 일부이다.

그러면 회사가 세전 수입에서 매월 4백 달러를 자녀들에 대한 지원에 쓸 수 있을 것이다. 당신이 세후 수입으로 그렇게 하려면 8백 달러 가량을 벌어야만 같은 지원을 할 수 있다. 직원들이 할 수 없는 것을 기업체의 주인이 할 수 있는 예는 아주 많다. 일부 여행 경비조차도 그것을 업무 출장으로 서류 처리만 제대로 하면 세전 수입으로 지출할 수 있다. 다만 규칙들을 지키기만 하면 되는 것이다. 은퇴 계획조차도 주인과 직원이 다른 경우들은 많다. 이런 얘기들을 하고 나서 내가 강조하고 싶은 것은 그런 지출을 공제 가능한 것으로 만드는 데 필요한 법규들을 따라야만 한다는 것이다. 나는 세법이 허용하는 합법적인 공제는 최대한 이용해야 한다고 생각하지만 법을 위반하라고 얘기하지는 않는다.

이번에도 이런 규정들의 일부를 이용할 수 있느냐의 여부는 당신이 어느 사분면에서 수입을 올리느냐에 달려 있다. 당신의 모든 수입이 당신이 소유하거나 통제하지 못하는 기업에서 직원으로 버는 것이라면, 당신에게 가능한 소득 내지 자산 보호는 거의 없다.

이런 이유로 나는 당신이 직원이라면 계속 일을 하면서 〈B〉나 〈I〉 사분면에도 시간을 쓰기 시작하라고 권유한다. 더 빠른 자유로 가는 당신의 길은 그 두 사분면을 통해서 있다. 경제적으로 더 안정감을 느끼려면 하나 이상의 사분면에서 활동하는 것이 필요하다.

공짜 땅

몇 년 전에 아내와 나는 복잡한 도심에서 멀리 떨어져 있는 부동산을 갖고 싶어했다. 우리는 키 큰 참나무들과 그 속을 흐르는 개울이 있는 땅을 갖고 싶었다. 우리는 또 아늑한 생활도 원했다.

우리는 가격이 7만5천 달러인 20에이커의 땅을 찾아냈다. 땅 주인은 10%를 선금으로 받고 나머지에 대해서는 10%의 이자를 요구했다. 그것은 괜찮은 조건이었다.

하지만 아내와 나는 그 7만5천 달러짜리 땅을 포기하고 더 의미가 있는 다른 땅을 찾아 나섰다. 내가 볼 때 7만5천 달러는 큰 빚이었다. 왜냐하면 우리의 현금흐름이 이런 모양을 할 것이기 때문이었다.

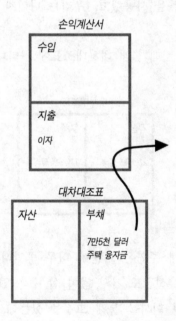

그런데 그 거래에서는 내가 빚과 위험을 모두 안고 돈을 낼 것이
었다.

그로부터 한 달쯤 후, 우리는 그보다 더 아름다운 땅을 발견했
다. 그 땅은 87에이커로 키 큰 참나무들과 개울이 있었고 게다가 집
까지 있었다. 그리고 가격은 11만5천 달러였다. 나는 땅 주인에게
가격을 다 내겠으니 내 요구를 들어달라고 얘기했다. 그리고 땅 주
인은 내 요구를 들어주었다. 긴 얘기를 짧게 하면, 우리는 약간의
돈을 들여 집을 고친 후에 그 집과 30에이커의 땅을 21만5천 달러에
팔았다. 이번에도 〈선금은 조금만 내고 매월 조금씩 갚아나가세요〉
라는 마술의 단어들을 사용했고, 우리는 나머지 57에이커는 공짜로
얻었다.

아래의 것은 그 거래가 내 대차대조표에 나타나는 모양이다.

대차대조표

자산	부채
21만5천 달러	11만5천 달러

우리 집을 산 새 주인은 기분이 너무 좋았다. 왜냐하면 그것은
아름다운 집이었고 선금도 거의 없이 살 수 있었기 때문이다. 게다
가 그 사람은 자기 회사를 통해 그것을 샀는데, 직원들을 위한 휴
양지로 쓸 목적이었다. 그래서 그 사람은 구매 가격을 회사의 자산
으로 상각할 수 있었고 유지 비용을 공제받을 수도 있었다. 뿐만 아

니라 이자 지급에 대해서도 공제를 받을 수 있었다. 그 사람이 내는 이자는 내가 내는 이자를 지급하고도 남았다. 그로부터 몇 년 후, 그 사람은 회사 주식의 일부를 팔아 내게 진 빚을 갚았다. 그리고 나는 그 돈으로 내가 진 빚을 갚았다. 빚은 모두 사라졌다.

나는 그렇게 번 10만 달러의 추가 수입으로 그 땅과 그 집의 소득에서 비롯된 세금을 납부할 수 있었다.

그 결과는 제로의 부채와 약간의 수입(세금을 낸 후의 1만5천 달러), 그리고 57에이커의 멋진 땅이었다. 그것은 자신이 원하는 것을 얻고서도 돈을 버는 것이었다.

오늘날 그 하나의 거래에서 비롯된 나의 대차대조표는 이런 모양을 하고 있다.

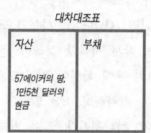

대차대조표

자산	부채
57에이커의 땅, 1만5천 달러의 현금	

작게, 시간을 두고 시작하라

주식 공모를 통해 개인적인 기업을 공개하는 초기 공모(IPO) 역시 같은 원칙들에 바탕하고 있다. 단어들과 시장, 그리고 선수들은 다르지만 기본적인 원칙들은 같은 것이다. 내 조직이 회사를 만들어 공개시킬 때, 우리는 종종 거의 무에서 어떤 가치를 만들어낸다. 물론 그런 가치는 공정한 시장의 정확한 의견을 반영하는 것이어야 한다. 그런 후에 우리는 그것을 시장에 내다파는데, 다만 이 경우에는 한 사람에게 팔리는 것이 아니라 주식의 형태로 수많은 사람에게 팔리는 것이다.

이런 이유 때문에라도 나는 사람들이 〈B〉 사분면을 거친 후에 〈I〉 사분면으로 나아가기를 권유한다. 그런 투자가 부동산이건 사업체이건 주식이건 혹은 채권이건, 그것의 바탕이 되는 〈포괄적인 사업적 감각〉이 있어야만 성공적인 투자를 할 수 있다. 어떤 사람들에게는 이런 포괄적 감각이 있지만, 많은 사람들에게는 그렇지 않다. 무엇보다도 학교에서는 우리가 고도로 전문화되도록 가르치기 때문이다. 포괄적인 사람이 되도록 가르치는 것이 아니라.

한 가지를 더 지적하면, 〈B〉나 〈I〉 사분면으로 이동할 것을 고려하는 사람들에게 나는 작게 시작할 것을…… 그리고 시간을 두고 할 것을 권유한다. 그런 후에 확신이 커지고 경험이 늘면서 더 큰 거래를 만드는 것이다. 기억하라. 8만 달러의 거래와 80만 달러의 거래의 차이는 숫자 〈0〉 하나뿐이다. 작은 거래를 처리하는 과정은 훨씬 더 큰 수백만 달러짜리 공모 건수를 처리하는 과정과 거의 같다. 다만 더 많은 사람, 더 많은 〈0〉들, 그리고 더 많은 재미가 있을 뿐이다.

일단 경험을 얻고 명성을 쌓으면 점점 더 적은 돈으로도 점점 더 큰 투자를 할 수 있다. 많은 경우에는 돈이 전혀 없어도 많은 돈을 만들 수 있다. 왜 그럴까? 경험은 소중한 가치이기 때문이다. 이미 얘기했듯이, 돈으로 돈을 버는 법을 알면 사람들과 돈은 당신에게

몰려든다. 작게 시작하고 시간을 두고 하라. 경험은 돈보다 더 중요하다.

이론적으로 사분면의 오른쪽에 있는 숫자들과 거래들은 그렇게도 간단하다. 그것이 주식이건 채권이건 부동산이건 혹은 사업체이건 마찬가지다. 경제적으로 풍족해진다는 것은 간단하게 말해서 다르게 생각할 수 있다는 것이다. 다른 사분면들에서 생각할 수 있고 다르게 할 수 있는 용기를 갖는 것이다. 내가 볼 때 이런 사고방식에서 새로운 사람에게 가장 어려운 것들 가운데 하나는 수많은 사람들이 당신에게 이렇게 얘기하는 것이다. 「당신은 그것을 할 수 없다」

당신이 그와 같은 제한적인 생각을 극복할 수 있고 당신에게 〈그래요, 나는 그것을 어떻게 하는지 알고 있어요. 나는 기꺼이 그것을 당신에게 가르쳐주겠어요〉라고 얘기하는 사람을 찾을 수 있다면, 당신의 삶은 쉬워질 것이다.

정부는 당신의 돈을 필요로 한다

사분면의 〈B〉나 〈I〉에서 성공하려면 시장 요인들을 알아야 하고 그런 요인들에 영향을 끼치는 법률의 변화들을 알아야 한다.

오늘날 미국에는 10만 페이지 이상의 세법이 있다. 그것은 국세청에 관한 것에 불과하다. 연방법은 120만 페이지 이상의 법률들로 되어 있다. 일반적인 사람이 미국의 모든 법률을 읽으려면 2만3천 년이 걸릴 것이다. 매년 더 많은 법들이 만들어지고, 삭제되고, 변하고 있다. 그런 변화들을 좇아가는 데만도 엄청난 시간이 필요할 것이다.

사람들이 〈그것은 법에 어긋나는 겁니다〉라고 얘기할 때마다 나는 그들에게 이렇게 물음으로써 답변한다. 「당신은 미국의 모든 법률을 다 읽어 보았나요?」 그들이 〈그렇다〉고 대답하면, 나는 천천히 자리에서 일어나 문쪽으로 걸어간다.

사분면의 오른쪽에서 성공하려면 5%는 눈으로 보고 95%는 머리로 보아야 한다. 법률과 시장 요인들에 대한 이해는 경제적인 성공에 필수적이다. 엄청난 재산의 이전은 법률과 시장이 변할 때 일어난다. 따라서 그런 변화를 유리하게 이용하려면 관심을 기울이는 것이 중요하다.

나 역시 세금은 내야 한다고 굳게 믿는다. 정부는 우리 시민들에게 중요하고 필수적인 서비스를 많이 제공한다. 하지만 내가 볼 때 정부는 관리가 소홀하고, 너무 크고 지킬 수 없는 약속을 너무 많이 했다. 하지만 그것은 오늘날 공직에 있는 정치인들과 국회의원들의 잘못은 아니다. 왜냐하면 오늘날 우리가 직면한 대부분의 경제적인 문제들은 60년 이상 이전에 그들의 전임자들이 만든 것이기 때문이다. 오늘날의 국회의원들은 그런 문제를 다루고 해결책을 찾기 위해 애쓰고 있다. 아쉽게도 국회의원들은 계속 당선이 되려면 대중에게 진실을 얘기할 수 없다. 그렇게 하면 선거에서 떨어지고 만다. 왜냐하면 대중은 아직도 정부가 자신들의 경제적인 문제와 의료적인 문제들을 해결할 것으로 기대하기 때문이다. 정부는 그렇게 할 수 없다. 정부는 점점 더 작아지고 있으며, 문제들은 점점 더 커지고 있다.

그동안에 정부는 계속해서 더 많은 세금을 거둘 수밖에 없다. 물론 정치인들은 그러지 않겠다고 약속하지만. 이런 이유로 미 의회는 1986년의 세제 개혁법을 통과시켰다. 의회는 더 많은 세금을 거두기 위해 법률 조정을 해야만 했다. 향후 몇 년 동안에 많은 서구의 정부들은 훨씬 더 많은 세금을 거두기 시작할 것이다. 그래야만 오래 전에 했던 그 약속들을 일부나마 지킬 수 있기 때문이다. 어떤 약속들인가? 의료보호, 사회보장, 혹은 수백만의 연방 공무원에게 지급해야 할 연금 같은 것이다. 지금은 사람들이 그것을 모를 수도 있지만, 그 엄청난 문제들은 2010년까지 드러나게 될 것이다. 전세계는 미국이 더 이상 돈을 빌려 그런 문제들을 해결할 수 없음을 알게 될 것이다.

경제 전문지인 《Forbes》는 점증하는 미국 정부의 부채에 대해 이런 전망을 했다.

미국 정부의 부채는 2010년까지 줄어들다가 다시 늘어날 것이다. 그것이 늘어나는 시기는 미국 역사상 가장 큰 인구 집단이 은퇴하기 시작할 때이다. 2010년이 되면 최초의 전후 세대는 65세가 된다. 2010년이 되면 전후 세대는 주식 시장에 돈을 보태는 것이 아니라 주식 시장에서 돈을 인출하기 시작할 것이다. 적어도 그때가 되면 그럴 것이다. 2010년이 되면 7천5백만의 전후 세대는 자신들의 가장 큰 〈자산〉인 집이 너무 크다고 생각할 것이다. 왜냐하면 아이들은 독립을 할 것이기 때문이다. 그러고는 그 큰 집들을 팔기 시작할 것이다. 그렇게 해서 중소 도시들로 이사할 것이다.

——《Forbes》

현재 은퇴 계획으로 사용되는 정책들은 줄어들기 시작할 것이다. 그것들이 줄어드는 이유는 시장의 요동에 노출되어 있기 때문이다. 그러니까 시장이 오르면 같이 오르고 시장이 내리면 같이 내리기 때문이다. 뮤추얼 펀드들은 소유 주식들을 처분하기 시작할 것이다. 그래야 그 돈으로 은퇴 생활을 하기 위해 환매를 요구하는 전후 세대의 주문에 응할 수가 있다. 전후 세대는 갑자기 그런 뮤추얼 펀드들에서 비롯된 자본 이득에 대해 엄청난 금융 소득세를 물어야만 할 것이다. 그런 자본 이득은 그와 같은 고평가된 주식들을 더 높은 가격에 팔게 되면서 나올 것이며, 뮤추얼 펀드들은 더 높은 가격을 회원들에게 전가할 것이다. 많은 전후 세대는 현금 대신에 그들이 받아보지도 못한 자본 이득에 대한 세금에 물릴 것이다. 기억하라. 세무서에서는 늘 가장 먼저 돈을 가져간다.

그와 동시에 더 가난한 수백만 전후 세대의 건강은 나빠지기 시작할 것이다. 왜냐하면 가난한 사람들은 역사적으로 풍요로운 사람들보다 건강이 나빴기 때문이다. 의료보험은 파산할 것이고, 더 많은 정부 지원에 대한 요구는 미국 전역의 도시들에서 높아질 것이다.

문제는 또 있다. 중국이 세계 최대의 GNP 국가로 등장하고 유럽이 단일 통화권이 되면서 미국을 위협하는 것이다. 나는 앞으로 임금과 상품의 가격 모두 떨어질 것이라고 생각한다. 그리고 생산성이 크게 늘어야만 그들 두 거대 경제권의 도전에 맞설 수 있다.

이 모든 것은 2010년까지는 일어날 것이며, 그 시기는 그렇게 멀지 않은 곳에 있다. 또 한번의 엄청난 재산 이전이 일어날 것이다. 그것은 음모 때문이 아니라 무지 때문일 것이다. 우리 모두는 큰 정부와 큰 기업이 우리를 보호한다는 산업화 시대의 사고방식에서 벗어나야만 한다. 이제 우리는 공식적으로 정보화 시대로 접어들고 있다. 1989년에 베를린 장벽이 무너졌다. 내가 볼 때 그 사건은 1492년만큼이나 중요한 것이다. 그때 콜럼버스가 아시아로 가는 길을 찾다가 우연히 아메리카 대륙에 상륙했다. 일부에서는 1492년이 산업화 시대의 공식적인 개막이었다고 생각한다. 그리고 그 종말은 1989년에 나타났다. 이제는 규칙들이 변했다.

엄청난 변화와 기회가 오고 있다

부자 아버지는 내가 게임을 잘 배우도록 권유했다. 나는 게임을 배운 후에 내가 아는 것으로 내가 하고 싶은 것을 할 수 있었다. 내가 글을 쓰고 가르치는 이유는 더 많은 사람들이 경제적으로 자립하는 방법을 알아야 한다는 인식 때문이었다. 그들은 정부나 기업이 평생 도와줄 것이라는 생각에서 벗어날 필요가 있다.

나는 내가 예견하는 경제적인 변화가 일어나지 않기를 바라고 있다. 어쩌면 각국 정부가 계속해서 약속을 지켜 사람들을 보살필 수 있을지도 모른다. 계속해서 세금을 올리고 계속해서 더 많은 빚을 지면 그렇게 할 수 있을 것이다. 어쩌면 주식 시세가 늘 올라가고 다시는 내려오지 않을지도 모른다. 그리고 어쩌면 부동산 가격은 늘 올라가고 당신의 집은 최고의 투자가 될지도 모른다. 그리고 어쩌면 수백만의 사람들이 최저 임금을 받으면서 가족과 함께 행복하게 살 수 있을지도 모른다. 어쩌면 이 모든 일이 일어날 수 있을지도 모른다. 하지만 나는 그렇게 생각하지 않는다. 그것은 역사를 보면 알 수 있다.

역사적으로, 사람들은 75세까지 살 경우에 두 번의 불황과 한 번의 공황을 겪었다. 전후 세대인 우리는 두 번의 불황은 겪었지만 아직 공황은 겪지 않았다. 어쩌면 다시는 공황이 없을지도 모른다. 하지만 역사는 그렇게 얘기하지 않는다. 부자 아버지가 내게 위대한 자본가들과 경제학자들에 관한 책을 읽도록 한 이유는 그렇게 해서 우리가 어디에서 왔고 어디로 가고 있는지 더 장기적인 관점과 더 넓은 시야를 갖도록 하기 위한 것이었다.

바다에 파도가 있듯이, 시장에도 커다란 파도들이 있다. 바다에서는 바람과 태양이 파도를 일으키지만, 금융 시장에서는 인간의 두 가지 감정, 즉 욕심과 두려움이 파도를 일으킨다. 나는 공황이 과거의 것이라고 생각하지 않는다. 왜냐하면 우리 모두는 인간이고 우리는 늘 욕심과 두려움이라는 그런 감정들을 갖고 있기 때문이다. 그리고 욕심과 두려움이 충돌할 때, 그리고 사람들이 크게 손실을 볼 때, 그 다음번의 인간 감정은 공황(우울증)이다(영어로 depression은 공황도 되고 우울증도 된다——옮긴이). 우울증은 두 개의 인간 감정인 분노와 슬픔으로 구성되어 있다. 자신에 대한 분노와 손실에 대한 슬픔이다. 경제적인 공황은 감정적인 우울증이다. 사람들은 손실을 입고 우울증에 걸린다.

전반적인 경제는 그런대로 괜찮을지 모르지만, 그런 경우에도 다양한 단계의 우울증을 겪는 사람들은 무척 많다. 그들에게 일자리는 있을지도 모르지만 경제적으로 앞서가지 못하고 있다는 깊은 곳의 인식이 있다. 그들은 자신들에게 분노하고 시간의 손실에 슬퍼한다. 자신들이 산업 시대의 표어인 〈안전하고 안정적인 직장을 얻

자. 그리고 미래에 대해 걱정하지 말자〉라는 덫에 갇혀 있음을 아는 사람은 거의 없다.

우리는 지금 엄청난 변화와 기회의 시대로 접어들고 있다. 어떤 사람에게는 그보다 좋을 순 없는 시대일 것이고 어떤 사람에게는 그보다 나쁠 순 없는 시대일 것이다.

케네디 대통령은 이렇게 얘기했다. 〈위대한 변화가 눈앞에 있다.〉 아쉽게도 수많은 사람들은 아직도 정체된 시간 속에 있다. 그들은 오래 전부터 전해 내려온 낡은 사고방식에 얽매여 있다. 이를테면 〈학교 가서 공부 잘하고 안정적인 직장을 얻어라〉는 것이다. 교육은 그 어느 때보다 더 중요하다. 하지만 우리는 사람들에게 그냥 안정적인 직장을 찾고 정부나 기업이 그들의 은퇴 생활을 보장해 줄 것이라고 기대하는 대신에 조금 더 멀리 보도록 가르칠 필요가 있다. 그것은 산업 시대의 사고 방식이다. 그리고 우리는 그런 시대를 이미 벗어났다.

어느 누구도 그것이 공정한 것이라고 얘기하지 않았다. 어떤 사람들은 더 열심히 일하고, 더 영리하고, 성공에 대한 의지가 더 강하고, 더 재능이 많고, 혹은 남들보다 더 좋은 삶을 바라고 추구한다. 우리는 의지력만 있으면 자유롭게 그런 목표들을 추구할 수 있다. 하지만 누군가 더 잘할 때마다 어떤 사람들은 그것이 불공정하다고 얘기한다. 그런 사람들은 부자들이 가난한 사람들과 나누면 공정할 것이라고 생각한다. 하지만 누구도 그것이 공정한 것이라고 얘기하지 않았다. 그리고 우리는 공정한 것으로 만들려고 더 노력할수록 자유는 더 줄어들게 된다.

누군가 나에게 무언가 인종적인 차별 혹은 〈그 외의 차별〉이 있다고 얘기할 때, 나는 그들의 생각에 동의한다. 나는 그런 것들이 있음을 알고 있다. 나는 개인적으로 어떤 종류의 차별에도 반대한다. 그리고 나는 일본계이기 때문에 차별을 경험한 적이 있다. 사분면의 왼쪽에서는, 특히 기업들에서는 실제로 차별이 존재한다. 당신의 외모, 당신의 학교, 당신의 피부 색깔, 혹은 당신의 성별……이 모든 것들은 사분면의 왼쪽에서 문제가 된다. 하지만 그것들은 사분면의 오른쪽에서는 문제가 되지 않는다. 사분면의 오른쪽에서 문제가 되는 것은 공정성이나 안정성이 아니라 자유로움과 게임에 대한 사랑이다. 당신이 오른쪽에서 게임을 하고자 한다면, 그곳의 선수들은 당신을 환영할 것이다. 당신이 게임을 잘해서 이기면 좋은 것이다. 그들은 당신을 한층 더 환영할 것이고 당신의 비결을 물을 것이다. 당신이 게임을 잘 못해서 진다면, 그들은 기꺼이 당신의 모든 돈을 가져갈 것이다. 하지만 당신의 실패를 두고 남을 탓하거나 불평하지는 말라.

법에도 두 종류가 있다

겉으로 보면 부자들을 위한 법과 그 밖의 다른 사람들을 위한 법이 있는 것처럼 보인다. 하지만 실제로 법은 같은 것이다. 차이가 있다면, 부자들은 법을 자신들에게 유리하게 활용하고 가난한 사람들과 중산층은 그렇지 않다는 점이다. 그것이 기본적인 차이이다. 법은 같은 것이다. 그것은 모두에게 적용되는 것이다. 그리고 나는 당신이 영리한 조언가들을 고용해서 법을 준수하라고 권유한다. 법을 어겨서 감옥에 가기보다는 합법적으로 돈을 버는 것이 훨씬 더 쉽다. 게다가 당신의 법률 조언가들은 임박한 법적 변화들에 대한 조기 경보 시스템으로 기능할 것이다. 그리고 법이 변하면 재산의 주인도 변한다.

두 가지 선택

자유로운 사회에서 사는 한 가지 이점은 자유롭게 선택할 수 있는 권한이 있다는 것이다. 내가 볼 때는 두 가지 큰 선택이 있다. 〈안정〉의 선택과 〈자유〉의 선택이다. 당신이 안정을 선택하면 그런 안정에 대한 큰 대가를 지불해야 한다. 바로 높은 세금과 과도한 이자 지급이다. 당신이 자유를 선택하면 게임을 모두 이해하고 그런 후에 그 게임을 할 필요가 있다. 당신이 어느 사분면에서 그 게임을 하고 싶어하는지는 당신의 선택이다.

이 책의 1부는 〈현금흐름 사분면〉의 구체적인 내용을 설명했고, 2부는 사분면의 오른쪽을 선택하는 사람들의 사고방식과 태도를 개발하는 데 집중했다. 따라서 이제 당신은 현재 사분면의 어디에 있는지 이해해야만 한다. 그리고 어디에 있고 싶은지도 생각해야만 한다. 당신은 또 사분면의 오른쪽 편에서 활동하는 사람들의 사고방식과 정신적인 과정을 더 잘 이해해야 한다.

나는 지금까지 사분면의 왼쪽에서 오른쪽으로 건너가는 방법들을 설명했다. 이제 나는 보다 구체적인 것들을 설명하고 싶다. 이 책의 마지막 부분인 3부에서 나는 당신이 경제적인 길을 찾는 데 필요한 일곱 가지 방법을 보여줄 것이다. 나는 그것들이 사분면의 오른쪽으로 이동하는 데 필수적인 것이라고 생각한다.

제3부

부자들이 들려주는 돈 관리 7가지 방법

제10장

작게, 시간을 갖고 시작하라

먼저 걸어야만 뛸 수가 있다.
즉 아기 걸음부터 시작해서 걷고, 그런 후에 뛰어야 한다.
이것이 내가 권하는 길이다.
이 길이 마음에 들지 않으면 빠르고 쉬운 방식으로
빨리 부자가 되기를 원하는 수백만의 사람들이 하는 것을 하면 된다.
그러니까 복권을 사는 것이다. 누가 아는가?
어쩌면 대박이 터질지도 모른다.

우리는 이런 격언을 알고 있다. 「천릿길도 한 걸음부터 시작된다」 나는 그 격언을 약간 고치고 싶다. 나는 이렇게 얘기하고 싶다. 「천릿길도 아기 걸음부터 시작된다」

나는 늘 이것을 강조한다. 왜냐하면 그동안 너무도 많은 사람들이 아기 걸음을 걷지 않고 〈앞으로 가는 큰 걸음(대약진)〉을 걸으려고 애쓰는 것을 보았기 때문이다. 우리 모두는 이런 사람들을 알고 있다. 즉, 갑자기 20kg을 빼겠다고 결심하고 무언가를 시작하는 사람들이다. 이들은 결의에 찬 다이어트를 시작하고, 두 시간씩 헬스클럽에 나가고, 하루에 10km씩 조깅을 한다. 이런 일은 일주일 정도 계속된다. 그렇게 해서 몇 kg이 빠진다. 그러다가 그 고통, 지겨움, 배고픔이 그들의 의지력을 갉아먹기 시작한다. 세번째 주가 되면 그들은 다시 옛날처럼 과식을 하고, 운동을 게을리 하고, 다시 TV를 본다.

〈앞으로 가는 큰 걸음〉 대신에 나는 앞으로 가는 〈아기 걸음〉을 강력하게 추천한다. 장기적인 경제적 성공은 당신의 걸음이 얼마나 큰지로 측정되지 않는다. 장기적인 경제적 성공은 걸음들의 숫자, 당신이 가고자 하는 방향, 그리고 연도들의 숫자로 측정된다. 사실은 이것이 어느 경우에건 성공이냐 실패냐의 공식이다. 돈과 관련해서 나는 그동안 나를 포함한 너무도 많은 사람들이 너무도 적은 것으로 너무도 많은 것을 하려고 애쓰는 것을 보았다. 그러고는 무너지고 데이는 것을 보았다. 자신이 스스로 판 구멍에서 빠져나오기 위해 먼저 사다리가 필요할 때 아기 걸음을 걷는 것은 힘든 일이다.

코끼리를 어떻게 먹어야 할까

이 부분에서는 당신이 사분면의 오른쪽 편으로 가는 길을 안내할 일곱 가지 방법(걸음)들을 설명할 것이다. 나는 부자 아버지의 안내를 받아 아홉살 때부터 그 일곱 가지 방법들을 연구하고 실천했다. 나는 앞으로도 살아 있는 동안 그것들을 계속해서 따를 생각이다. 나는 당신이 이 일곱 단계를 읽기 전에 당신에게 경고한다. 왜냐하면 어떤 사람들에게는 그 일이 너무 과도한 것으로 보일지도 모르기 때문이다. 그리고 당신이 그 모든 것을 일주일에 하려 한다면 실제로 너무나 과로한 것으로 보일 것이다. 그러므로 아기 걸음부터 시작하기 바란다.

우리 모두는 이런 속담을 들은 적이 있다. 〈로마는 하루에 만들어지지 않았다.〉 나는 내가 얼마나 많은 것을 배워야 하는지 스스로 짓눌리는 느낌을 받을 때마다 다음의 말을 기억한다. 〈코끼리를 어떻게 먹어야 할까?〉 그 답은 이것이다. 〈한번에 한 입씩 먹는다.〉 그리고 나는 당신이 사분면의 〈E〉와 〈S〉에서 〈B〉와 〈I〉로 가기 위해 얼마나 많은 것을 배워야 하는지 조금이라도 짓눌리는 느낌을 받을 때마다 그런 식으로 접근하기를 권유한다. 자신에게 친절하기 바라며 그런 변화는 단순한 정신적 배움 이상의 것임을 인식하기 바란다. 그런 변화의 과정에는 감정적인 배움도 필요하다. 그렇게 6개월 내지 1년 동안 아기 걸음을 걸으면 다음과 같은 속담에 준비되어 있을 것이다. 〈먼저 걸어야만 뛸 수가 있다.〉 다시 말하면 아기 걸음부터 시작해서 걷고, 그런 후에 뛰어야 한다. 이것이 내가 권하는 길이다. 이 길이 마음에 들지 않으면 빠르고 쉬운 방식으로 빨리 부자가 되기를 원하는 수백만의 사람들이 하는 것을 하면 된다. 그러니까 복권을 사는 것이다. 누가 아는가? 어쩌면 대박이 터질지도 모른다.

가난한 사람에서 부자가 된 사람들, 부자에서 가난으로 추락한 사람들

내가 볼 때 봉급 생활자인 〈E〉 사분면에 속하는 사람들과 자영업자 그룹인 〈S〉 사분면의 사람들이 사업가인 〈B〉와 투자가인 〈I〉 사분면으로 이동하는 데 어려움을 겪는 한 가지 기본적인 이유는 그들이 실수하는 것을 너무도 두려워하기 때문이다. 그들은 종종 이렇게 얘기한다. 「실패하면 어떡하죠?」 혹은 이렇게 얘기한다. 「나에게는 더 많은 정보가 필요해요. 뭐 또다른 책을 추천해 줄 수는 없나요?」 이들은 이와 같은 두려움 혹은 자기 의심 때문에 기존의 사분면에 갇혀 있는 것이다. 시간을 내서 그 일곱 가지 방법들을 읽고 각 단계의 말미에 있는 행동 단계들을 완성하기 바란다. 대부분의 사람들에게는 그렇게만 해도 〈B〉와 〈I〉로 이동하는 아기 걸음으로는 충분할 것이다. 그 일곱 가지 방법들을 하기만 해도 가능성과 변화의 전혀 새로운 세계들이 열릴 것이다. 그런 후에 계속해서 작은 아기 걸음을 걷기만 하면 된다.

나이키의 구호인 〈Just do it(그냥 해봐)〉는 그것을 가장 잘 얘기한다. 아쉽게도 우리 학교들은 이렇게 얘기한다. 〈실수하지 말아라.〉 교육 수준이 높은 수백만의 사람들은 행동을 원하면서도 실수에 대한 감정적인 두려움에 마비되고 만다. 내가 교사로서 배운 가장 중요한 교훈 한 가지는 이것이다. 즉, 진정한 배움에는 정신적, 감정적, 그리고 육체적 배움이 필요하다. 그렇기 때문에 행동은 늘 아무 행동도 하지 않는 것을 이긴다. 행동을 해서 실수를 하면 적어도 무언가는 배운다. 그것이 정신적인 것이건, 감정적인 것이건, 혹은 육체적인 것이건. 계속해서 〈바른〉 답만 찾는 사람은 종종 〈분석 마비〉라고 불리는 병에 걸리는데, 이것은 교육을 잘 받은 많은 사람들을 괴롭히는 병인 것 같다(분석 마비는 맨날 분석만 하고 행동은 하지 않는 현상을 가리키는 것으로 보인다——옮긴이). 궁극적으로 우리가 배우는 방식은 실수를 통하는 것이다. 우리는 실수를 통해서 걷는 법과 자전거 타는 법을 배웠다. 실수하는 두려움 때문에 행동하는 것을 겁내는 사람들은 정신적으로는 똑똑할지 모르나 감정적으로와 육체적으로는 문제가 있는 것이다.

몇 년 전에 전세계의 부자들과 가난한 사람들을 대상으로 한 연구가 있었다. 그 연구는 가난 속에서 태어난 사람들이 어떻게 결국 부자가 되는지 알아내고자 했다. 그 연구는 이런 사람들은 어떤 나라에서 살건 세 가지 특성을 갖고 있음을 알아냈다. 그 특성들은 다음과 같다.

첫째, 그들은 장기적인 비전과 계획을 유지했다.
둘째, 그들은 뒤로 연기된 만족을 신봉했다.
셋째, 그들은 복리의 힘을 유리하게 활용했다.

이런 사람들은 장기적으로 생각하고 계획했으며 자신들의 꿈 내지는 비전을 유지함으로써 결국에는 경제적 성공을 달성할 수 있음을 알았다. 이들은 장기적인 성공을 위해 단기적인 희생을 감수했으며, 이것은 뒤로 연기된 만족의 바탕을 이룬다. 앨버트 아인슈타인은 복리의 힘만으로 어떻게 돈이 불어날 수 있는지 알고 깜짝 놀랐다. 그는 돈의 복리 계산이 인간들의 가장 놀라운 발명 가운데 하나라고 생각했다. 이 연구는 복리 계산을 돈을 넘어선 또다른 수준으로 끌어올렸다. 그 연구는 아기 걸음의 아이디어를 강화시켰다. 왜냐하면 배움에 대한 아기 걸음은 시간이 갈수록 복리로 늘어나기 때문이다. 어떤 걸음도 떼지 않은 사람들은 복리에서 비롯되는 지식과 경험의 확대 효과를 누리지 못했다.

그 연구는 또 사람들이 어떻게 부자에서 가난한 사람으로 전락하는지도 알아냈다. 많은 부자 가문들은 겨우 3대가 지나면 대부분의 재산을 잃는다. 당연히 이 연구는 이런 사람들에게 다음과 같은 세 가지 특성이 있음을 알아냈다.

첫째, 그들은 단기적인 비전을 갖고 있다.
둘째, 그들은 즉각적인 만족에 대한 욕망을 갖고 있다.
셋째, 그들은 복리의 힘을 불리하게 사용한다.

요즘에 나는 어떻게 더 많은 돈을 벌 수 있는지 얘기해 주지 않는다고 나에게 실망하는 사람들을 만난다. 그들은 장기적으로 생각하는 것을 좋아하지 않는다. 많은 사람들은 필사적으로 단기적인 답만 추구하고 있다. 왜냐하면 그들에게는 오늘 해결해야 할 돈 문제가 있기 때문이다. 이를테면 소비자 부채와 투자할 자금의 부족 같은 돈 문제들인데, 이런 것들은 즉각적인 만족에 대한 통제 불가능한 욕망에서 비롯된 것이다. 그들이 갖고 있는 생각은 〈젊었을 때 먹고, 마시고, 행복하자〉이다. 이것은 복리의 힘을 불리하게 사용하는 것이며, 그 결과는 장기적인 재산이 아닌 장기적인 부채이다.

그들은 빠른 답을 원하며 나에게서 그들이 〈할 것〉에 대해 듣고 싶어한다. 그들은 〈많은 재산을 모으기 위해 해야 하는 것은 '하기' 위해서는 우선 어떤 사람이 '될' 필요가 있는지〉에 대해서는 듣지 않고, 대신에 장기적인 문제에 대한 단기적인 답들을 원한다. 다시 말해, 너무도 많은 사람들은 〈빨리 부자가 되자〉라는 삶의 철학에 집착하고 있다. 이런 사람들에게 나는 행운을 기원한다. 왜냐하면 그들에게는 정말 행운이 필요할 테니까.

부자가 되기를 원한다면 규칙을 바꿔야 한다

나는 이렇게 말하는 것을 종종 들었다. 「규칙은 이제 바뀌었다」 사람들은 이런 얘기를 들을 때마다 고개를 끄덕이면서 이렇게 얘기한다. 「그래. 규칙은 이제 바뀌었지. 어느 것도 이제는 예전같지 않지」 하지만 그러면서 그들은 계속해서 과거와 같은 일을 한다.

누가 〈경제적 암(cancer)〉에 걸렸는가?

나는 〈당신의 경제적인 삶을 정돈하세요〉라는 주제로 강의를 할 때 먼저 학생들에게 자신의 재무제표를 작성하라고 요청한다. 그것은 종종 삶을 바꾸는 경험이 된다. 재무제표는 X-레이와 비슷하다. 재무제표와 X-레이 모두 우리가 육안으로 볼 수 없는 것을 보게 해준다. 학생들이 자신들의 보고서를 채우고 나면, 누가 〈경제적인 암〉에 걸렸고 누가 경제적으로 건강한지 쉽게 알 수 있다. 일반적으로 경제적인 암에 걸린 사람들은 산업화 시대의 생각들을 갖고 있는 사람들이다.

내가 왜 이 말을 할까? 왜냐하면 산업화 시대에는 사람들이 〈내일에 대해 생각할〉 필요가 없었기 때문이다. 그 시대의 규칙들은 이런 것이었다. 〈열심히 일하면 고용주나 정부가 당신의 미래를 책임

질 것이다.〉 이런 이유 때문에 많은 내 친구들과 친척들은 이렇게 얘기했다. 「정부에서 일자리를 얻어 공무원이 되어라. 공무원이 되면 많은 혜택을 받을 수 있다」 혹은 「노후 보장이 확실이 되어 있는 회사에서 일해야 한다」 혹은 「강력한 노조가 있는 회사에서 일해야 한다」 이것들은 산업화 시대의 규칙들에 바탕한 조언들이다. 전반적인 경제 원칙들은 변했건만 많은 사람들은 자신들의 개인적인 규칙, 특히 경제적인 규칙들을 바꾸지 않으려 한다. 그들은 아직도 미래에 대비한 계획을 세울 필요가 없는 것처럼 소비하고 있다. 바로 이것을 나는 개인들의 재무제표를 읽을 때 찾아본다. 즉, 그들에게 내일이 있는가 없는가를.

당신에게 내일은 있는가?

간단하게 설명하자. 이것은 내가 개인적인 재무제표에서 찾아보는 것이다.

현금을 쏟아내는 자산이 없는 사람에게는 내일이 없다. 자산이 없는 사람들은 대개 열심히 일해서 봉급을 받아 청구서를 지불하는 사람들이다. 당신이 대부분의 사람들의 〈지출 부분〉을 보면, 월간 지출 사항 가운데 가장 큰 지출 항목은 세금과 장기적인 부채 상환금이다. 그들의 지출 부분은 이런 모양을 하고 있다.

손익계산서

수입
지출
세금(대략 50%)
부채 상환금(대략 35%)
생활비

대차대조표

자산	부채
(내일)	

다시 말해, 정부와 은행이 각 개인보다 먼저 현금을 받는다. 현금흐름을 통제하지 못하는 사람들은 대개 경제적인 미래가 전혀 없다. 그리고 그들은 향후 몇 년 안에 심각한 곤경에 처하게 될 것이다.

왜 그런가? 〈E〉 사분면에만 있는 봉급 생활자는 세금과 부채에서 거의 보호받지 못하기 때문이다. 〈S〉조차도 이와 같은 두 경제적 암에 대해 무언가를 할 수 있다.

이런 얘기가 이해되지 않으면 전편인 『부자 아빠 가난한 아빠』를 읽고 또 읽기 바란다. 그러면 이번 장과 다음 몇 장을 더 잘 이해할 수 있을 것이다.

부자들과 중산층, 그리고 가난한 사람들의 현금흐름 패턴

현금흐름의 패턴에는 세 가지가 있다. 하나는 부자들을 위한 것, 또 하나는 가난한 사람들을 위한 것, 그리고 다른 하나는 중산층을 위한 것이다. 아래의 그림은 가난한 사람들의 현금흐름 패턴이다.

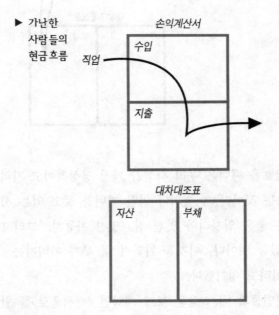

다음의 그림은 중산층의 현금흐름 패턴이다.

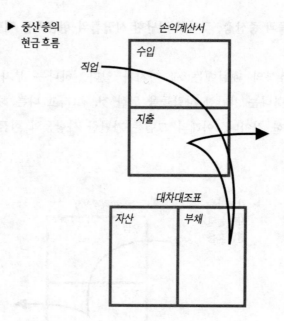

▶ 중산층의
현금흐름

손익계산서

수입

직업

지출

대차대조표

자산   부채

이 현금흐름 패턴은 우리 사회가 가장 정상적이고 지적인 패턴으로 생각하는 것이다. 어쨌거나 이런 패턴을 갖고 있는 사람들은 보수가 높은 좋은 일자리와 멋진 집, 멋진 자동차, 그리고 신용카드를 갖고 있을 것이다. 이것을 가리켜 내 부자 아버지는 〈근로자 계층의 꿈〉이라고 얘기했다.

내가 성인들과 내 교육용 보드 게임인 〈캐시플로〉를 할 때, 그들은 대개 정신적으로 고생을 한다. 왜 그럴까? 왜냐하면 그들은 경제적인 지식을 처음 접하고 있으며, 그 게임은 돈의 단어들과 숫자들을 이해해야 하는 것이기 때문이다. 그 게임을 하는 데는 몇 시간이 걸리는데, 그것은 그 게임이 길어서가 아니라 그 게임에 참가한 선수들이 전혀 새로운 무언가를 배우기 때문이다. 그것은 마치 외국어를 배우는 것과 같다. 하지만 이 새로운 지식은 빠르게 배울 수 있고, 그러면 게임은 점점 속도를 낸다. 그것이 속도를 내는 이유는 선수들이 더 영리해지기 때문이다. 그리고 그들은 게임을 더 많이 할수록 더 영리해지고 더 빨라져서 나중에는 재미를 느끼게 된다.

다른 무언가도 일어난다. 이들은 이제 경제적으로 더 유식해진다. 그래서 많은 사람들은 자신들이 개인적으로 경제적인 곤경에 처해 있음을 인식하기 시작한다. 비록 일반 사회에서는 그들이 〈경제적으로 정상인〉 것으로 생각할지라도. 중산층의 현금흐름 패턴은 산업화 시대에는 정상적인 것이었지만 정보화 시대에는 끔찍한 것일 수가 있다.

많은 사람들은 일단 게임을 성공적으로 배우고 이해하면 새로운 답을 찾기 시작한다. 그것은 그들의 개인적인 경제적 건강에 대한 경제적 경종이 된다. 마치 작은 심장 발작이 개인적인 신체적 건강에 대한 경종이 되는 것처럼 말이다.

바로 그 깨달음의 순간에 많은 사람들은 열심히 일하는 중산층이 아닌 부자의 관점에서 생각하기 시작한다. 어떤 사람들은 〈캐시플로〉 게임을 몇 번 한 후에 생각하는 패턴을 부자들의 패턴으로 바꾸기 시작한다. 그리고 그들은 다음과 같은 모양의 현금흐름 패턴을 추구하기 시작한다.

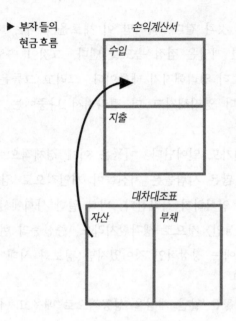

▶ 부자들의
현금흐름

손익계산서

수입

지출

대차대조표

자산

부채

이것은 부자 아버지가 자신의 아들과 내가 어렸을 때 갖기를 원했던 정신적 사고 패턴이다. 그래서 그분은 우리에게 봉급을 주지 않았고 봉급 인상을 허락하지 않았다. 그분은 우리가 고소득의 일자리라는 유혹에 중독되지 않기를 원했다. 그분은 우리가 자산을 생각하고 자본 이득, 배당금, 임대료 수입, 사업에서 나오는 여유 수입, 그리고 로열티 같은 수입을 생각하는 사고 패턴을 개발하기를 원했다.

정보화 시대에서 성공하고자 하는 사람들은 이런 식으로 생각하는 경제적인 지능과 감정적인 지능을 더 빨리 개발할수록 더 빨리 더 경제적으로 안정감을 느끼고 경제적 자유를 얻게 된다. 직업적인 안정이 점점 줄어드는 세상에서 이와 같은 현금흐름 패턴은 나에게 훨씬 더 많은 설득력을 갖는다. 그리고 이런 패턴을 달성하려면 〈E〉와 〈S〉 사분면에서만이 아닌 〈B〉와 〈I〉 사분면에서도 세상을 볼 필요가 있다.

나는 또 이것을 정보화 시대의 재무제표라고 부른다. 왜냐하면 이것은 힘든 노동에서 나오는 것이 아니라 정보에서 수입이 발생하기 때문이다. 정보화 시대에서 힘든 노동에 대한 생각은 농경 시대와 산업화 시대에서와 같은 것을 의미하지 않는다. 정보화 시대에서는 육체적으로 가장 열심히(힘들게) 일하는 사람들이 가장 낮은 보수를 받을 것이다. 그것은 오늘날 이미 현실이며 역사적으로 늘 그래 왔다.

그렇지만 오늘날 사람들이 〈열심히 일하지 말고 영리하게 일해라〉라고 얘기할 때 그것은 〈E〉나 〈S〉 사분면에서 영리하게 일하라는 것을 뜻하지 않는다. 그들이 실제로 뜻하는 것은 〈B〉나 〈I〉 사분면에서 영리하게 일하는 것이다. 그것은 정보화 시대의 생각이며, 그런 이유 때문에 경제적 지능과 감정적 지능은 오늘날에 필수적인 것이고 앞으로도 필수적일 것이다.

그렇다면 답은 무엇인가?

내가 제시하는 답은 자신을 재교육시켜 부자들처럼 생각하라는 것이다. 가난한 사람이나 중산층의 사람처럼 생각하지 말고. 다시 말해, 사업가 그룹인 〈B〉나 투자가 그룹인 〈I〉 사분면에서 생각하고 세상을 보라는 것이다. 그렇지만 해결책은 다시 학교에 가서 몇몇 강의들을 듣는 것처럼 간단하지는 않다. 〈B〉나 〈I〉 사분면에서 성공하려면 경제적인 지능과 시스템적인 지능, 그리고 감정적인 지능이 필요하다. 이런 것들은 학교에서 배울 수 없다.

이런 지능들이 배우기에 어려운 이유는 대부분의 성인들은 〈열심히 일하고 쓰자〉는 삶의 방식에 익숙해져 있기 때문이다. 그들은 경제적인 불안감을 느끼며, 그래서 서둘러 일터에 가고 열심히 일한다. 그리고 주식 시장이 오르고 내리는 것에 대해 듣는다. 동시에 불안감은 더 커지게 된다. 그래서 그들은 쇼핑을 나가 새로운 집이나 자동차를 산다. 혹은 불안감을 피하기 위해 밖에 나가 골프를 한다.

문제는 월요일 아침이 되면 다시 불안감이 찾아온다는 것이다.

어떻게 해야 부자처럼 생각할 수 있는가?

사람들은 종종 나에게 묻는다. 「어떻게 해야 부자처럼 생각할 수 있나요?」 그러면 나는 늘 이렇게 권유한다. 그냥 돌아다니면서 단순하게 뮤추얼 펀드나 임대용 재산을 사기보다는, 작게 시작하고 배움을 쌓아가라고. 사람들이 진지하게 배우고 스스로를 재교육시켜서 부자처럼 생각하려 하면, 나는 내 보드 게임인 〈캐시플로〉를 추천한다.

내가 이 게임을 만든 것은 사람들이 경제적 지능을 개발하도록 돕기 위해서이다. 그것은 사람들에게 정신적, 육체적, 그리고 감정적인 훈련을 시켜 가난한 사람이나 중산층의 사람처럼 생각하는 것에서 부자처럼 생각하는 것으로 점차 변하게 만든다. 그것은 사람들에게 부자 아버지가 나에게 중요하다고 얘기한 것에 대해 생각하도록 가르친다. 부자 아버지가 중요하게 지적한 것은 많은 봉급이나 큰 집이 아니었다.

돈이 아닌 효율적인 현금흐름이 불안을 잠재운다

경제적인 고생과 가난은 사실 경제적인 불안의 문제들이다. 그것들은 사람들이 내가 얘기하는 〈쥐 경주〉에 빠지도록 만드는 정신적이고 감정적인 순환이다. 정신적이고 감정적인 순환 고리가 깨지지 않으면 그런 패턴은 계속된다.

나는 몇 달 전에 어떤 은행가와 함께 그 사람의 반복되는 경제적 악순환을 깨뜨리는 작업을 했다. 나는 치료사가 아니다. 하지만 나는 내 가족이 나에게 주입시킨 경제적인 습관들을 깨뜨린 경험이 있다.

이 은행가는 일년에 12만 달러 이상을 번다. 하지만 그 사람은 늘 경제적인 곤경에 처하곤 한다. 그 사람에게는 아름다운 가족과 세 대의 자동차, 큰 집, 그리고 별장이 있다. 그리고 그 사람은 잘 나가는 은행가의 모습을 하고 있다. 하지만 나는 그 사람의 재무제표를 보았을 때 그에게 경제적인 암이 있음을 발견했다. 그 암은 그가 자신의 방식들을 바꾸지 않으면 몇 년 후에 사망 선고를 내릴 것이었다.

그 사람이 자기 아내와 함께 처음으로 〈캐시플로〉 게임을 했을 때, 그 사람은 거의 통제불능으로 고생을 했고 안달을 했다. 그 사람의 마음은 방황했으며, 그 사람은 게임을 제대로 할 수 없을 것 같았다. 그 사람은 네 시간 동안 게임을 한 후에도 여전히 쩔쩔매고 있었다. 다른 사람들은 모두 게임을 끝냈지만, 그 사람은 아직도 〈쥐 경주〉에 남아 있었다.

그래서 나는 게임이 끝나갈 무렵에 그 사람에게 잘되고 있느냐고 물었다. 그러자 그 사람은 게임이 너무 어렵고, 너무 느리고, 너무 지루하다고 대답했다. 그 말을 듣고 나는 게임을 시작하기 전에 그 사람에게 했던 말을 상기시켰다. 즉, 모든 게임은 게임을 하는 사람들의 반영이라는 것이다. 다시 말해, 게임은 사람들이 스스로를 보게 하는 거울 같다는 것이다.

그 말을 듣고 그 사람은 화를 냈다. 그래서 나는 뒤로 물러섰다. 그리고 그 사람이 아직도 자신의 경제적인 삶을 재정비할 의사가 있는지 물었다. 그 사람은 그렇다고 대답했고, 그래서 나는 그 사람과 게임을 너무도 좋아하는 그 사람의 아내에게 내가 지도하고 있는 투자 그룹과 함께 다시 게임을 하자고 권유했다.

그로부터 일주일 후, 그 사람은 겸연쩍게 다시 나타났다. 이번에는 그 사람의 머릿속에서 몇몇 빛들이 반짝이기 시작했다. 그 사람에게 회계 부분은 쉬운 것이었다. 그래서 그 사람은 자연히 숫자들에 대해서는 깔끔하고 단정했다. 그리고 숫자들은 게임이 소중한 것이 되기 위해 중요한 것이었다. 하지만 그 사람은 이제 사업과 투자의 세계를 이해하기 시작했다. 그 사람은 마침내 마음으로 자신의 삶의 패턴을 볼 수 있었고 스스로 어떻게 하고 있기 때문에 자신의 경제적인 고생을 초래하고 있는지 알 수 있었다. 그 사람은 네 시간이 지난 후에도 여전히 게임을 끝내지 못했다. 하지만 이제는 무언가를 배우기 시작했다.

그렇게 해서 세번째 만남이 있을 즈음에 그 사람은 새로운 사람이 되었다. 그 사람은 이제 게임을 통제할 수 있었고 자신의 회계와 투자를 통제할 수 있었다. 그 사람의 자신감은 급상승했고, 이번에는 성공적으로 〈쥐 경주〉를 벗어나 〈빠른 길〉로 접어들 수 있었다. 이번에는 그 사람이 자리를 뜨면서 이렇게 얘기했다. 「나는 아이들에게 이것을 가르칠 생각입니다」

네번째 만남이 있을 즈음에 그 사람은 자신의 개인적인 지출이 줄어들었다고 얘기했다. 그 사람은 지출 습관을 바꾸었고, 신용카드를 잘라버렸고, 이제는 자산 부분을 만들고 투자하는 법을 배우는 데 적극적인 관심을 보였다. 그 사람의 생각은 이제 정보화 시대의 사람으로 생각하는 쪽으로 옮겨가기 시작했다.

다섯번째 만남에서 그 사람은 〈캐시플로 202〉를 구입했는데, 이것은 최초의 〈캐시플로(101)〉를 숙지한 사람들을 위한 발전된 게임이다. 그 사람은 이제 진정한 〈B〉와 〈I〉 그룹의 사람들이 하는 빠르고 위험스런 게임을 할 준비가 되어 있었다. 무엇보다 그 사람은 이제 자신의 경제적인 미래를 통제할 수 있게 되었다. 이 은행가는 처음으로 〈캐시플로〉 게임을 했을 때 나에게 그것을 더 쉽게 만들어 달라고 요청한 그 사람과는 전혀 달랐다. 나는 그 사람에게 더 쉬운 게임을 원한다면 모노폴리를 하라고 얘기했다. 모노폴리 역시 좋은 교육용 게임이다. 그로부터 몇 주 후에 그 사람은 더 쉬운 것을 원하지 않고 대신에 적극적으로 더 큰 도전들을 추구했으며 자신의 경제적인 미래에 대해 낙관적이 되었다.

그 사람은 자신을 정신적으로 재교육시켰을 뿐 아니라…… 더 중요한 것은…… 감정적으로 자신을 재교육시켰다. 게임에서 비롯되는 반복적인 학습 과정의 힘을 통해서 그렇게 했다. 내가 볼 때 게임은 더 뛰어난 교육 도구이다. 왜냐하면 게임을 하려면 선수들이 학습 과정에 완전히 몰두해야 하고 그러면서 재미있게 하기 때문이다. 게임을 하려면 정신적으로, 감정적으로, 육체적으로 몰두해야 하기 때문이다.

다른 사람을 위한 사업이 아니라
자기 자신을 위한 사업을 하라

당신이 5년 후에 있고자 하는 곳을 위한
장기적인 경제적 목표와
12개월 후에 있고자 하는 곳을 위한
단기적인 경제적 목표를 설정하라.

당신은 열심히 일하면서 다른 사람을 부자로 만들어주고 있는가?
삶의 초창기에 대부분의 사람들은 다른 사람들의 사업을 해주면서
다른 사람들을 부자로 만들도록 프로그램되어 있다. 그것은 다음과
같은 조언의 말들로 아주 순진하게 시작된다.

「학교에 가서 좋은 점수 얻어라. 그래야 좋은 보수와 우수한 혜택이
있는 안전하고 안정적인 일자리를 찾을 수 있단다」

「열심히 일해야 꿈에 그리던 집을 살 수 있습니다. 어쨌거나 당신의
집은 가장 큰 자산이며 당신의 가장 중요한 투자 대상입니다」

「담보 융자를 많이 받는 것은 좋은 일입니다. 왜냐하면 정부가 이자

지급에 대해 세금 감면을 해주기 때문이죠」

「〈지금 사고 나중에 갚으세요〉 혹은 〈선금은 조금만 내고 매달 조금씩 갚으세요〉 혹은 〈이리 와서 돈을 저축하세요〉」

이런 조언의 말들을 맹목적으로 좇는 사람들은 종종 이렇게 된다.

　　——직원이 되어 상사들과 주인들을 부자로 만든다.
　　——채무자가 되어 은행들과 채권자들을 부자로 만든다.
　　——납세자가 되어 정부를 부자로 만든다.
　　——소비자가 되어 다른 많은 사업체들을 부자로 만든다.

이들은 자신들의 경제적인 빠른 길을 찾지 않고 대신에 다른 사람들이 그들의 길을 찾는 것을 돕는다. 이들은 자신들의 사업을 하지 않고 대신에 평생 다른 사람들의 사업을 위해 일한다.

손익계산서와 대차대조표를 보면 우리가 어떻게 초창기 시절부터 다른 사람들의 사업을 위해 일하고 자신의 사업은 무시하도록 프로그램되어 왔는지 쉽게 알 수 있다.

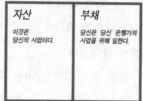

이제, 행동으로 옮기자

나는 내 강좌에 참석하는 사람들에게 종종 재무제표를 작성해 보라고 요구한다. 많은 사람들에게 그들의 재무제표는 그렇게 예쁜 그림이 아니다. 왜냐하면 그들은 자기 자신의 사업이 아닌 다른 모든 사람의 사업을 위해 일하도록 잘못 교육받았기 때문이다.

첫째, 자신의 개인적인 재무제표를 작성하라

가고자 하는 곳에 가려면 지금 있는 곳을 알 필요가 있다. 이것은 자신의 삶을 통제하고 자기 사업을 하는 데 더 많은 시간을 소비하는 첫번째 단계이다.

둘째, 자신의 경제적 목표를 설정하라

당신이 5년 후에 있고자 하는 곳을 위한 장기적인 경제적 목표와 12개월 후에 있고자 하는 곳을 위한 단기적인 경제적 목표를 설정하라.(단기적인 경제적 목표는 5년 후의 목표에 도달하기 위한 초석이 된다.) 현실적이고 실현 가능한 목표들을 세워라.

1 향후 12개월 안의 단기적 경제적 목표

1) 나는 빚을 _____만큼 줄이겠다.

2) 나는 내 자산들에서 나오는 현금흐름, 즉 수동적인 수입을 한달에 _____만큼으로 늘리겠다.

   (수동적인 수입은 일을 하지 않고도 버는 수입이다.)

2 나의 5개년 경제적 목표

1) 내 자산들에서 나오는 현금흐름을 한달에 _____만큼으로 늘리겠다.

2) 내 자산 부분에 속하는 투자 도구들을 갖겠다(이를테면 부동산, 주식, 사업체 등등).

당신의 5개년 목표를 사용해 오늘부터 5년 동안 손익계산서와 대차대조표를 개발하라.

이제 당신은 오늘 경제적으로 어디에 있는지 알고 목표들을 정했으므로 현금흐름을 통제해서 당신의 목표들을 달성할 필요가 있다.

당신의 현금흐름을 통제하라

> 현금흐름 관리가 문제가 된다면
> 더 많은 돈은 문제를 해결하지 못한다.
> 현금흐름을 통제하지 못하는 사람들은
> 그것을 통제하는 사람들을 위해 일을 한다.

  많은 사람들은 그냥 더 많은 돈을 벌면 돈 문제들이 쉽사리 해결
될 것이라고 생각한다. 하지만 많은 경우에 그것은 더 큰 돈 문제들
을 야기시킬 뿐이다.

  대부분의 사람들에게 돈 문제가 있는 기본적인 이유는 현금흐름
관리의 공부를 한 적이 없기 때문이다. 사람들이 배운 것은 읽기와
쓰기, 자동차 운전과 수영 등과 같은 것이었지 현금흐름을 관리하
는 법은 배우지 못했다. 이런 훈련을 받은 적이 없기 때문에 사람들
은 결국 돈 문제를 겪게 되고, 그런 후에 더 많은 돈이 문제를 해결
해 줄 거라고 믿으면서 더 열심히 일을 한다.

  부자 아버지는 종종 이렇게 얘기했다. 「현금흐름 관리가 문제가

된다면 더 많은 돈은 문제를 해결하지 못한다」

누가 더 똑똑한가, 당신인가 당신의 은행가인가?

자신의 사업을 하기로 결정한 후에 자기 사업체의 경영자로서 밟아야 할 다음 단계는 현금흐름을 통제하는 것이다. 그렇지 않으면 더 많은 돈을 벌어도 부자가 되지 못한다. 오히려 더 많은 돈은 대부분의 사람들을 더 가난하게 만든다. 왜냐하면 그들은 종종 봉급이 인상될 때마다 밖에 나가서 더 많은 소비를 함으로써 더 많은 빚을 지기 때문이다.

대다수의 사람들은 자신의 재무제표를 준비하지 않는다. 기껏해야 그들은 매달 가계부의 수지를 맞추려고 애를 쓸 뿐이다. 따라서 스스로 축하하길 바란다. 이제 당신은 재무제표를 작성하고 자신의 목표를 세운 것만으로도 대부분의 동표들을 앞서갈 것이기 때문이다.

자기 삶의 경영자로서 당신은 대부분의 사람들보다, 심지어는 당신의 은행가보다 더 똑똑해질 수 있다.

대부분의 사람들은 〈두 개의 장부〉는 불법적인 것이라고 얘기할 것이다. 그리고 그런 얘기는 일부 경우에 사실이다. 하지만 현실적으로 당신이 정말로 금융 세계를 이해한다면, 늘 두 개의 장부가 있어야만 한다. 당신이 이것을 알게 되면 당신의 은행가만큼, 어쩌면 그보다 더 똑똑해질 것이다. 다음에 드는 것은 합법적인 〈두 개의 장부〉, 즉 당신의 것과 당신 은행가의 것을 예시한다.

당신은 자기 삶의 경영자로서 부자 아버지가 알려준 이 간단한
단어들과 그림들을 늘 기억해야 한다. 부자 아버지는 종종 이렇게
얘기했다. 「네가 어떤 부채를 안고 있을 때마다 너는 누군가 다른
사람의 자산이 된다」

그리고 그분은 이 간단한 그림을 그리곤 했다.

당신의 대차대조표

자산	부채
	당신의 주택 융자금

당신 은행가의 대차대조표

자산	부채
당신의 주택 융자금	

당신은 자기 삶의 경영자로서 늘 이 점을 기억해야 한다. 즉, 당
신이 어떤 부채 혹은 빚을 질 때마다 당신은 누군가 다른 사람의 자
산이 된다는 것이다. 이것이 바로 〈장부 두 개의 회계〉이다. 당신은
주택 융자금, 학자금 대출, 혹은 신용카드 같은 부채를 질 때마다
그 돈을 빌려준 사람들의 직원이 되는 것이다. 당신은 누군가 다른
사람을 부자로 만들기 위해 열심히 일을 한다.

자신에게 먼저 지불하라

그 두 개의 장부는 자산과 부채에만 적용되지 않는다. 그것은 또 수입과 지출에도 적용된다. 부자 아버지가 가르쳐준 더 알기 쉬운 교훈은 이것이었다. 「거의 모든 자산에는 반드시 부채가 있다. 하지만 그것들은 같은 종류의 재무제표에 나타나지 않는다. 모든 지출에는 또 반드시 수입이 있다. 그리고 이번에도 그것들은 같은 종류의 재무제표에 나타나지 않는다」

아래의 간단한 그림은 그 교훈을 더 분명하게 만들 것이다.

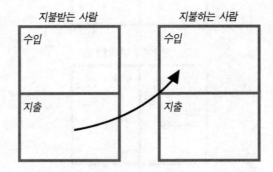

대부분의 사람들이 경제적으로 앞서가지 못하는 이유는 그들에게는 매달 지불할 청구서가 있기 때문이다. 그들에게는 전화비 청구서, 세금 청구서, 전기료 청구서, 가스료 청구서, 신용카드 청구서, 음식비 청구서, 그 밖의 이런 저런 청구서가 있다. 대부분의 사람들은 매달 다른 모든 사람에게 먼저 지불하고 자신들에게는 마지막에 지불한다. 그래서 대부분의 사람들은 개인적 금융의 황금률인 〈자신에게 먼저 지불하라〉를 위반한다.

이런 이유 때문에 부자 아버지는 현금흐름 관리와 기본적인 금융 지식의 중요성을 강조했다. 부자 아버지는 종종 이렇게 얘기하곤 했다. 「현금흐름을 통제하지 못하는 사람들은 그것을 통제하는 사람들을 위해 일을 한다」

〈경제적으로 빠른 길〉과 〈쥐 경주〉

〈두 개의 장부〉라는 개념은 〈경제적으로 빠른 길〉과 〈쥐 경주〉를 설명하는 데 사용할 수 있다. 경제적으로 빠른 길에는 여러 가지 종류가 있다. 다음에 나오는 그림은 가장 일반적인 그림 가운데 하나이다. 이것은 채무자와 채권자 사이의 길이다.

이것은 극히 단순화된 것이지만, 그럼에도 시간을 갖고 연구해 보면, 당신의 마음은 대부분의 사람들이 눈으로 볼 수 없는 것을 보기 시작할 것이다. 이것을 연구하면 당신은 부자들과 가난한 사람들, 가진 자들과 못가진 자들, 빌리는 사람들과 빌려주는 사람들, 그리고 일자리를 만드는 사람들과 일자리를 찾는 사람들 사이의 관련성을 보게 될 것이다.

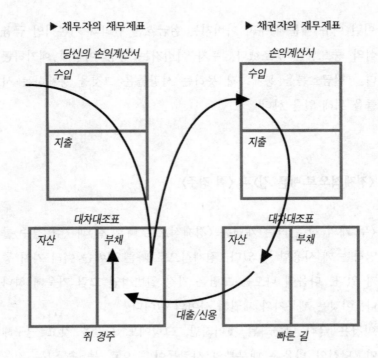

▶ 채무자의 재무제표 　　　　　 ▶ 채권자의 재무제표

당신의 손익계산서 　　　　　　 손익계산서

| 수입 |
| 지출 |

| 수입 |
| 지출 |

대차대조표 　　　　　　　　　 대차대조표

| 자산 | 부채 |

| 자산 | 부채 |

대출/신용

쥐 경주 　　　　　　　　　　　 빠른 길

　　이 시점에서 채권자는 이렇게 얘기할 것이다. 「당신의 좋은 신용 때문에 우리는 당신에게 채무 청산 대출을 해주고 싶습니다」 혹은 「당신은 앞으로 약간의 여유 돈이 필요할 경우를 대비해 새로 신용을 얻고 싶으세요?」

당신은 그 차이를 아는가?

　　그 두 개의 장부 사이로 돈이 흐르는 길을 부자 아버지는 〈경제적으로 빠른 길〉이라고 불렀다. 그것은 또 〈경제적인 쥐 경주〉이기도 하다. 하나가 존재하려면 다른 하나도 존재해야만 한다. 그래서 적어도 두 개의 재무제표가 있어야만 한다. 문제는, 당신 것은 어느 것인가이다. 그리고 당신은 어떤 것을 갖고 싶은가?

이런 이유 때문에 부자 아버지는 늘 이렇게 얘기했다. 「현금흐름이 문제라면 더 많은 돈이 너의 문제를 해결할 수는 없다」 그리고 「경제적인 숫자들의 힘을 이해하는 사람들은 그렇지 못한 사람들에 비해 힘을 갖고 있다」

이런 이유 때문에 당신이 경제적인 빠른 길을 찾는 두번째 방법은 〈현금흐름을 통제하라〉이다.

당신은 자리에 앉아 지출 습관을 통제하는 계획을 짤 필요가 있다. 부채와 빚을 최소화하라. 먼저 분수에 맞게 살면서 분수를 늘리도록 노력하라. 도움이 필요하면 자격 있는 금융 컨설턴트의 도움을 얻어라. 그 사람은 당신이 현금흐름을 개선시키고 먼저 자신에게 지불할 수 있도록 계획을 짜는 것을 도울 수 있다.

이제, 행동으로 옮기자

첫째, 첫번째 방법에서 소개한 당신의 재무제표를 검토하라.

둘째, 오늘부터 〈현금흐름 사분면〉의 어느 사분면에서 수입을 올릴 것인지 결정하라.

셋째, 앞으로 5년 후에 어느 사분면에서 대부분의 수입을 올리고 싶은지 결정하라.

넷째, 당신의 〈현금흐름 관리 계획〉을 시작하라.

1 먼저 자신에게 지불하라.

다른 원천에서 받는 현금 지불이나 봉급에서 일정 비율을 비축하라. 그 돈을 투자 저축 구좌에 저금하라. 일단 돈이 그 구좌에 들어가면 투자할 준비가 될 때까지 〈절대로〉 꺼내지 말라.

축하한다! 당신은 이제 현금흐름의 관리를 시작한 것이다.

2 개인적인 빚을 줄이는 데 집중하라.

다음에 드는 것들은 당신의 개인적인 빚을 없애는 데 필요한 일부 간단하고 즉시 사용 가능한 조언들이다.

조언 1: 신용카드로 너무 많은 빚을 지고 있다면…….

하나 혹은 둘만 남기고 다른 카드는 모두 잘라버려라. 남은 카드에 추가되는 새로운 청구서는 반드시 매달 갚아야 한다. 추가로 장기적인 빚은 절대로 지지 말라.

조언 2: 매달 추가로 150 내지 200달러를 마련하라.

이제는 점점 더 경제적으로 지식이 높아감으로 이것은 상대적으로 쉬운 일이 된다. 매달 150 내지 200달러를 추가로 마련하지 못하면 경제적 자유를 달성할 가능성은 거의 없다.

조언 3: 추가로 마련한 150 내지 200달러는 〈오직 하나의〉 신용카드 대금 지불에만 사용하라.

당신은 이제 그 하나의 신용카드에 대한 150에서 200달러 〈외에〉 최소한을 지불하게 될 것이다.

다른 모든 신용카드에 대해서는 그 최소한의 금액만을 지불하라. 사람들은 종종 모든 신용카드에 대해 매달 약간의 추가 금액을 지불하려 하지만, 놀랍게도 그런 카드들은 절대로 정산되지 않는다.

조언 4: 일단 첫번째 카드가 정산되면, 그 카드에 매달 지불하는 총 금액을 다음 신용카드에 적용시켜라.

당신은 이제 첫번째 카드에 지불했던 그 월간 총 금액 〈외에〉 최소한의 금액을 두번째 카드에 지불하게 된다.

이런 과정을 당신의 모든 신용카드와 그 밖의 다른 소비자 채무에 계속해서 적용시켜라. 매번 빚을 갚을 때마다 그 빚에 지불하는 총 금액을 다음번 빚의 최소 지불에 적용시켜라.

조언 5: 모든 신용카드와 그 밖의 다른 소비자 채무를 갚고 나면, 계속해서 그런 과정으로 자동차와 주택의 할부금을 청산하라.

이런 절차를 따르면 얼마나 짧은 시간에 빚을 모두 갚을 수 있는지 놀라지 않을 수 없을 것이다. 대부분의 사람들은 5년에서 7년 내에 모든 빚을 갚을 수 있다.

조언 6: 이제 빚을 모두 갚았으니, 마지막 빚에 지불하던 월간 금액을 투자에 투입하라. 그래서 당신의 자산 부분을 구축하라.

이 얼마나 간단한 방법인가.

〈위험해 보이는 것〉과
정말 〈위험한 것〉의 차이를 알라

사업과 투자는 위험한 것이 아니다.
오히려 배우지 않는 것이 위험한 것이다.
투자가 위험한 것이기 때문은 아니다.
위험한 것은 그들에게 공식적인 경제적 훈련과
지식이 부족하다는 것이다.

나는 종종 사람들이 이렇게 말하는 것을 듣는다.
「투자는 위험한 것입니다」
나는 이 말에 동의하지 않는다. 대신에 나는 이렇게 말한다.
「배우지 않는 것이야말로 위험한 것입니다」

정말 〈위험한〉 것은 무엇인가

적절한 현금흐름 관리는 자산과 부채의 차이를 아는 데서부터 시작된다. 그리고 그것은 당신의 은행가가 내리는 정의가 아니다.

다음의 그림은 나이가 45세로서 자신의 현금흐름을 적절하게 관리하는 사람의 그림이다.

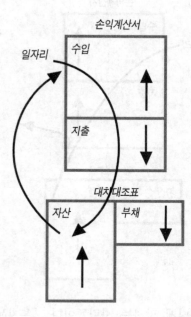

내가 45세라는 나이를 사용한 것은 그것이 대부분의 사람들이 일하기 시작하는 25세와 대부분의 사람들이 은퇴를 계획하는 65세의 중간이기 때문이다. 사람들이 45세가 될 때까지 현금흐름을 적절하게 관리했다면, 그들의 자산 부분은 부채 부분보다 더 클 것이다.

이것은 위험을 안는, 하지만 위험하지는 않은 사람들의 경제적인 그림이다.

그들은 또 인구의 상위 10%에 속해 있다. 하지만 그들이 인구의 다른 90%가 하는 것을 한다면, 그러니까 현금흐름을 잘못 관리하고 자산과 부채의 차이를 모른다면, 그들의 경제적인 그림은 45세의 나이에 이런 모양을 할 것이다.

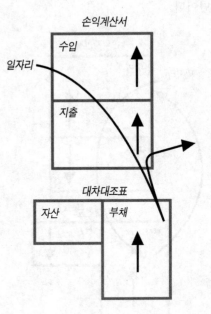

이들은 종종 이렇게 말하는 사람들이다. 「투자는 위험한 것입니다」 이들에게는 그 말이 사실이다. 하지만 투자가 위험한 것이기 때문은 아니다. 위험한 것은 그들에게 공식적인 경제적 훈련과 지식이 부족하다는 것이다.

경제적 지식을 쌓기

전편 『부자 아빠 가난한 아빠』에서 나는 부자 아버지가 내가 경제적인 지식을 쌓도록 어떻게 요구했는지 설명했다.

간단하게 말해서 경제적인 지식은 눈으로 숫자들을 보는 것이다. 하지만 당신은 마음을 훈련시켜서 현금흐름이 어느 쪽으로 흘러가는지 알 수 있다. 부자 아버지는 종종 이렇게 얘기했다. 「현금흐름의 방향을 아는 것이 가장 중요하다」

그래서 집은 현금흐름의 방향에 따라 자산이 될 수도 있고 부채가 될 수도 있다. 현금이 당신의 주머니에 흘러 들어오면, 그것은 자산이다. 그리고 현금이 당신의 주머니에서 흘러 나가면, 그것은 부채가 된다.

〈금융 IQ〉

부자 아버지에게는 〈금융 IQ〉에 관한 많은 정의들이 있었다. 이를테면 부자 아버지는 〈금융 IQ〉를 〈현금이나 노동을 자산으로 바꿔 현금흐름을 만드는 능력〉 같은 것으로 정의한다.

하지만 그분이 좋아하는 한 가지 정의는 이런 것이었다. 「누가 더 영리한가? 당신인가 당신의 돈인가?」

부자 아버지에게는 평생 돈을 위해 열심히 일하다가 결국에는 돈이 들어오기가 무섭게 나가는 것은 높은 금융 IQ의 표시가 아니다. 내가 가난한 사람과 중산층의 사람, 그리고 부자들의 현금흐름을 10장에서 설명한 것을 상기할 필요가 있다. 그리고 부자인 사람은 더 열심히 일하는 것이 아니라 자산을 획득하는 데 자신의 노력을 더 집중한다는 것을 기억할 필요가 있다.

〈금융 IQ〉의 부족 때문에, 교육을 받은 많은 사람들은 스스로 높은 경제적 위험의 상태에 처하곤 한다. 부자 아버지는 그것을 〈경제적인 빨간 줄〉이라고 불렀는데, 그 뜻은 수입과 지출이 매달 거의 똑같다는 것이다. 이런 사람들은 필사적으로 직업적인 안정에 매달리며 경제 상황이 변할 때 변하지 못한다. 그리고 종종 스트레스와 걱정으로 건강을 해친다. 이런 사람들은 또 이렇게 얘기한다. 「사업과 투자는 위험한 것입니다」

내가 볼 때 사업과 투자는 위험한 것이 아니다. 오히려 배우지 않는 것이 위험한 것이다. 마찬가지로, 잘못된 정보는 위험한 것이며 〈안전하고 안정적인 직장〉에 의존하는 것은 다른 무엇보다 가장 위험한 것이다. 자산을 사는 것은 위험하지 않다. 사람들이 자산이라고 말하는 부채를 사는 것이 위험하다. 자기 사업을 하는 것은 위험하지 않다. 다른 사람의 사업을 해주고 먼저 그들에게 지불하는 것이 위험하다.

이제, 행동으로 옮기자

첫째, 다음의 질문에 대해 자신의 답을 말해 보면서 〈위험〉이란 무엇인지 확인하라.

——봉급에 의존하는 것은 당신에게 위험한가?
——매달 갚아야 할 빚이 있는 것은 당신에게 위험한가?
——매달 당신의 주머니에 현금흐름을 발생시키는 자산을 갖는 것은 당신에게 위험한가?

——시간을 내서 경제나 금융에 대해 배우는 것은 당신에게 위험한가?

——시간을 내서 여러 유형의 투자들에 대해 배우는 것은 당신에게 위험한가?

둘째, 매주 다섯 시간씩의 시간을 내서 다음과 같은 것들을 하라.

——신문의 경제면과 경제신문을 읽어라.

——TV나 라디오에서 경제 소식을 들어라.

——경제 잡지와 소식지들을 읽어라.

어떤 유형의 투자가가 될 것인지 결정하라

〈A〉 타입: 문제를 추구하는 투자가들.
〈B〉 타입: 해답을 추구하는 투자가들.
〈C〉 타입: 〈나는 아무것도 모릅니다〉형 투자가들.

당신은 왜 어떤 투자가들은 다른 사람들보다 훨씬 적은 위험으로 더 많은 돈을 버는지 생각해 본 적이 있는가?

대부분의 사람들이 경제적으로 고생하는 이유는 경제적인 문제들을 피하기 때문이다. 부자 아버지가 내게 가르친 가장 큰 비밀 가운데 하나는 이것이었다.「많은 재산을 빠르게 얻고 싶다면 많은 경제적 문제들을 안아라」

이 책의 1부에서 나는 일곱 유형의 투자가들을 소개했다. 나는 하나의 구분을 추가해서 세 가지 서로 다른 유형의 투자가들을 정의하고 싶다.

〈A〉 타입: 문제를 추구하는 투자가들.

〈B〉 타입: 해답을 추구하는 투자가들.

〈C〉 타입: 〈나는 아무것도 모릅니다〉형 투자가들.

〈C〉 타입의 투자가들: 〈나는 아무것도 모릅니다〉형 투자가들

TV 연속극 「호건의 영웅들Hogan's Heroes」에 등장하는 슐츠 상사라는 인물이 있다. 그 프로에서 슐츠 상사는 독일 포로 수용소의 간수이다. 그는 포로들이 독일의 전쟁 노력을 회피하거나 거부하려 한다는 것을 알고 있다.

슐츠 상사는 무언가 잘못되었음을 알 때 이렇게만 얘기한다. 「나는 아무것도 모릅니다」 대부분의 사람들은 투자에 관해서 그와 같은 태도를 취한다.

그럼에도 슐츠 상사 타입의 투자가들이 많은 재산을 모을 수 있을까? 그 답은 〈그렇다〉이다. 그들은 연방 정부에서 일자리를 얻거나, 돈이 많은 사람과 결혼하거나, 혹은 복권에 당첨될 수도 있기 때문이다.

〈B〉 타입의 투자가들: 해답을 추구하는 투자가들

〈B〉 타입의 투자가들은 종종 다음과 같은 질문들을 한다.

「당신은 내가 어디에 투자할 것을 권유합니까?」

「당신은 내가 부동산을 사야 한다고 생각합니까?」

「나에게 좋은 뮤추얼 펀드는 무엇입니까?」

「중개인에게 얘기했더니 분산 투자를 권하더군요」

「부모님이 나에게 주식을 조금 주었습니다. 나는 지금 그것들을 팔아야 할까요?」

〈B〉타입의 투자가들은 즉시 몇몇 금융 컨설턴트들을 만나고, 그 중에서 하나를 선택하고, 그들의 조언을 받아들여야 한다. 금융 컨설턴트들은 (그들이 좋은 사람들이라면) 우수한 기술적 지식을 제공하고 종종 당신이 평생의 경제적인 계획을 수립하도록 도울 수 있다.

내가 내 책들에서 구체적인 경제적 조언을 하지 않는 이유는 모든 사람들의 경제적인 입장은 서로 다르기 때문이다. 금융 컨설턴트는 당신이 지금 어디에 있는지 가장 잘 평가할 수 있고, 그런 후에 당신이 어떻게 제4단계 투자가가 될 수 있는지 아이디어를 제공할 수 있다.

한 가지 흥미로운 지적을 하면, 나는 종종 많은 고소득의 〈E〉와 〈S〉들이 투자 기회들을 찾는 데 소비할 시간이 거의 없기 때문에 〈B〉타입의 투자가 범주에 속하는 것을 본다. 그들은 너무 바쁘기 때문에 종종 사분면의 오른쪽 편에 대해 배울 시간이 거의 없다. 그래서 그들은 지식보다 해답을 추구한다. 그래서 이 그룹은 종종 〈A〉타입의 투자가들이 〈소매 투자〉라고 부르는 것을 산다. 하지만 이것은 대중에게 팔기 위해 묶음으로 만든 투자이다.

⟨A⟩ 타입의 투자가들: 문제를 추구하는 투자가들

⟨A⟩ 타입의 투자가들은 문제들을 찾는다. 특히 이들은 경제적인 곤경에 처한 사람들이 야기시킨 문제들을 찾는다. 문제들을 잘 해결하는 투자가들은 자신들의 돈을 갖고 25%에서 무한대에 이르는 수익률을 기대한다. 이들은 대개 제5단계와 제6단계의 투자가로서 강력한 경제적 기반을 갖고 있다. 이들은 사업가와 투자가로서 성공하는 데 필요한 기술을 갖고 있다. 그리고 이들은 그런 기술을 사용해 그런 기술이 부족한 사람들이 야기시키는 문제들을 해결한다.

예를 들어, 나는 처음 투자를 시작했을 때 유질을 당한 작은 콘도 아파트와 주택들만 찾았다. 나는 1만8천 달러로 시작했는데, 그것들은 현금흐름을 관리하지 못하고 돈이 바닥난 투자가들이 만든 것이었다.

몇 년이 지난 후에도 나는 여전히 문제들을 찾았지만, 이번에는 그 숫자들이 훨씬 더 컸다. 3년 전에 나는 페루에 있는 3천만 달러짜리 광산 회사를 확보하려 했다. 문제와 숫자들은 훨씬 더 커졌지만 과정만큼은 같은 것이었다.

어떻게 빠른 길에 더 빨리 갈 수 있을까

이것의 교훈은 작게 시작해서 문제를 해결하는 법을 배우라는 것이다. 그러면 결국에는 문제를 더 잘 해결하면서 엄청난 재산을 얻을 것이다.

더 빨리 자산을 얻고자 하는 사람들에게 나는 먼저 사업가 그룹 인 〈B〉 사분면과 투자가 그룹인 〈I〉 사분면의 기술을 배워야 할 필 요성을 다시 강조한다. 나는 먼저 어떻게 사업체를 만드는지 배울 것을 권유한다. 왜냐하면 사업은 너무도 중요한 교육적 경험을 제공 하고, 개인적인 기술들을 개선하고, 현금흐름을 제공해서 시장의 요동에 대비케 하고, 자유 시간을 제공하기 때문이다. 나는 사업에 서 나오는 현금흐름으로 자유 시간을 얻어 내가 풀어야 할 경제적 문제들을 찾기 시작할 수 있었다.

당신은 세 타입 모두의 투자가가 될 수 있는가?

사실 나는 세 타입 모두의 투자가로 활동하고 있다. 나는 뮤추얼 펀드나 주식을 고를 때는 〈C〉 타입의 투자가인 슐츠 상사가 된다. 나는 〈당신은 어떤 뮤추얼 펀드를 추천합니까?〉 혹은 〈당신은 어떤 주식들을 삽니까?〉라는 질문을 받을 때 나는 슐츠 상사가 되어 이렇 게 대답한다. 〈나는 아무것도 모릅니다.〉

나 역시 몇몇 뮤추얼 펀드를 갖고 있지만, 나는 그것들을 연구하 는 데 많은 시간을 쓰지는 않는다. 나는 뮤추얼 펀드보다 내 임대 주택에서 더 좋은 성과를 올릴 수 있다. 〈B〉 타입의 투자가로서 나 는 내 경제적인 문제들에 대해 전문적인 답들을 찾는다. 나는 금융 컨설턴트, 주식 중개인, 은행, 그리고 부동산 중개인들로부터 답을 찾는다. 그들이 좋은 사람이면, 이들 전문가들은 내가 개인적으로 시간을 내서 얻을 수 없는 많은 정보를 제공한다. 이들은 또 시장에 더 가까이 있으며, 그래서 나는 이들이 법률과 시장의 변화를 더 잘 안다고 믿는다.

내 금융 컨설턴트의 조언은 아주 소중하다. 왜냐하면 그 여자는 신탁, 투자, 그리고 보험에 대해 나보다 훨씬 더 많은 것을 알기 때문이다. 누구에게나 계획은 있어야 하며, 그렇기 때문에 금융 계획(기획) 전문가들이 있는 것이다. 투자에는 단순하게 사고 파는 것보다 훨씬 더 많은 것이 있다.

나는 또 내 돈을 다른 투자가들에게 주어 대신 투자하게 한다. 다시 말해, 나는 자신들의 투자에서 파트너들을 찾는 다른 제5단계와 제6단계의 투자가들을 알고 있다. 이들은 내가 개인적으로 알고 신뢰하는 사람들이다. 내가 모르는 어떤 분야에 이들이 투자하기로 결정하면, 나는 그들에게 내 돈을 주기로 결정할 수도 있다. 왜냐하면 나는 이들이 자신들이 하는 것을 잘한다고 알고 있고 그들의 지식을 신뢰하기 때문이다.

당신은 왜 빨리 시작해야 하는가

내가 사람들에게 자신의 경제적인 빠른 길을 빨리 찾고 부자가 되는 것을 진지하게 받아들이라고 권유하는 한 가지 주된 이유는 미국과 대부분의 나라에서는 두 종류의 규칙들이 있기 때문이다. 하나는 부자들을 위한 것이고 다른 하나는 그 밖의 모두를 위한 것이다. 쥐 경주에 빠져 있는 사람들에게 불리한 많은 법들이 통과되고 있다. 내가 가장 익숙한 세계인 사업과 투자의 세계에서, 나는 세금이 가는 곳에 대해 중산층이 알고 있는 것이 거의 없다는 사실에 깜짝 놀라곤 한다. 물론 세금은 많은 중요한 일들에 사용되지만, 더 많은 세금 혜택과 인센티브는 부자들에게만 가고 그들은 중산층을 위해 지불한다.

예를 들어, 미국에서 저소득자 주택은 정치적으로 뜨거운 감자이다. 이 문제를 해결하기 위해 시와 주, 그리고 연방 정부들은 저소득자 주택을 짓고 자금을 대는 사람들에게 상당한 세금 혜택과 보조금을 제공한다. 이런 주택을 짓고 자금을 대는 사람들은 법을 아는 것만으로 점점 더 부자가 되는데, 이들은 납세자들이 저소득자 주택에 대한 자신들의 투자에 보조금을 지불하도록 하고 있는 것이기 때문이다.

그래서 〈현금흐름 사분면〉의 왼쪽에 있는 대부분의 사람들은 개인적인 소득세를 더 많이 내는 것은 물론 종종 세금 우대의 투자에 참여하지 못한다. 이것은 아마도 〈부자는 더 부자가 된다〉는 그 얘기의 한 가지 원천일 것이다.

나는 그것이 불공평한 것임을 안다. 그리고 나는 그 이야기의 양쪽 모두를 이해한다. 나는 그것에 항의하면서 신문에 편지를 보내는 사람들을 만난 적이 있다. 어떤 사람들은 그런 시스템을 바꾸기 위해 공직에 출마한다. 하지만 나는 그냥 자기 사업을 하고, 자신의 현금흐름을 통제하고, 자신의 경제적인 빠른 길을 찾아 부자가 되는 것이 훨씬 더 쉽다고 얘기한다. 나는 정치적인 시스템을 바꾸기보다 자기 자신을 바꾸는 것이 더 쉽다고 주장한다.

문제는 기회로 이어진다

몇 년 전에 부자 아버지는 내게 사업가와 투자가로서의 기술을 개발하도록 권유했다. 그분은 또 이렇게 얘기했다. 「그런 후에 문제 해결을 연습해라」

몇 년 동안 나는 그것만을 했다. 나는 사업과 투자의 문제들을 해결한다. 어떤 사람들은 그런 것을 도전이라 부른다. 하지만 나는 그것들을 문제라고 부른다. 왜냐하면 대개의 경우 실제로 그렇기 때문이다.

내가 볼 때 사람들이 〈문제〉보다 〈도전〉이라는 단어를 좋아하는 이유는 그들이 볼 때 어떤 단어는 다른 단어보다 더 긍정적인 것 같기 때문이다. 하지만 내가 볼 때 〈문제〉라는 단어에는 긍정적인 의미가 있다. 왜냐하면 나는 모든 문제의 안쪽에는 〈기회〉가 있고 기회는 진정한 투자가들이 좋는 것이기 때문이다. 그리고 내가 다루는 모든 경제적 혹은 사업적 문제에 대해, 내가 그 문제를 해결하건 못하건, 나는 결국 무언가를 배우게 된다. 나는 금융, 마케팅, 사람, 혹은 법적인 사안들에 대해 무언가 새로운 것을 배우게 된다. 나는 종종 다른 프로젝트와 관련해 소중한 자산이 되는 새로운 사람들을 만난다. 많은 이들은 평생의 친구가 되어 아주 소중한 보너스를 제공한다.

당신의 빠른 길을 찾아라

자신의 경제적인 빠른 길을 찾고자 하는 사람들에게 나는 이렇게 할 것을 권유한다.

첫째, 자신의 사업을 시작하라.
둘째, 자신의 현금흐름을 통제하라.
셋째, 위험과 위험한의 차이를 알라.
넷째, A 타입, B 타입, C 타입의 투자가의 차이를 알고 셋 모두가 될 것을 선택하라.

경제적인 빠른 길에 들어서려면 특정한 유형의 문제를 해결하는 데 능숙한 사람이 되어야 한다. 〈다각화(분산투자)〉를 하지 말라. 이런 것은 〈B〉 타입의 투자가인 사람들에게만 권유되는 것이다. 그 한 유형의 문제를 해결하는 데 능숙한 사람이 되면, 사람들이 투자할 돈을 갖고 당신에게 올 것이다. 그러면, 당신이 좋은 사람이고 믿을 만한 사람이면, 당신은 더 빨리 경제적인 빠른 길에 도달할 것이다. 여기 몇몇 예들이 있다.

빌 게이츠는 소프트웨어 마케팅 문제들을 해결하는 데 능숙한 사람이다. 그 사람은 그 일을 너무 잘해서 연방 정부가 뒤를 좇고 있다. 도널드 트럼프는 부동산 분야의 문제들을 해결하는 데 능숙한 사람이다. 워런 버펫은 사업과 주식 시장의 문제들을 해결하는 데 능숙한 사람이다. 그 결과 그 사람은 소중한 주식들을 살 수 있고 성공적인 포트폴리오를 관리할 수 있다. 조지 소로스는 시장의 변동성에서 비롯되는 문제들을 해결하는 데 능숙한 사람이다. 그래서 그 사람은 뛰어난 헤지펀드 관리자가 될 수 있다. 루퍼트 머독은 글로벌 TV망의 사업적인 문제들을 해결하는 데 능숙한 사람이다.

아내와 나는 궁극적으로 수동적인 수입을 만들어낼 임대 주택의 문제들을 해결하는 데 능숙하다. 우리는 우리가 주로 투자하는 중소형의 임대 주택 분야 외에는 아는 것이 거의 없다. 그리고 우리는 다각화를 하지 않는다. 내가 그런 분야 이외의 분야에 투자를 결정하면 나는 〈B〉 타입의 투자가가 된다. 그러니까 나는 능숙한 분야에서 뛰어난 실적을 갖고 있는 사람들에게 내 돈을 맡긴다.

나는 한 가지 집중적인 목표를 갖고 있으며, 그것은 〈자신의 사업을 하는 것〉이다. 아내와 나는 자선단체를 위해 일하고 자기 분야에서 애쓰는 사람들을 돕기도 한다. 하지만 우리는 우리 자신의 사업을 하고 계속해서 우리의 자산 부분을 늘리는 것의 중요성을 절대로 놓치지 않는다.

따라서 더 빨리 부자가 되려면 사업가와 투자가에게 필요한 기술을 배우는 학생이 되고 더 큰 문제들을 해결하도록 노력해야 한다. 왜냐하면 큰 문제들의 안쪽에는 거대한 경제적 기회들이 있기 때문이다. 그렇기 때문에 나는 먼저 사업가인 〈B〉가 된 후에 투자가인 〈I〉가 될 것을 권유한다. 당신이 사업적인 문제들을 해결하는 데 통달하게 되면, 당신은 초과적인 현금흐름을 갖게 될 것이고 사업적인 지식으로 훨씬 더 영리한 투자가가 될 것이다. 나는 이 얘기를 여러 차례 했지만 다시 한번 할 가치가 있다. 즉, 많은 사람들은 투자가 자신들의 경제적인 문제들을 해결할 것이라는 희망으로 〈I〉 사분면에 온다. 하지만 대개의 경우 결과는 그렇게 되지 않는다. 그들이 이미 건실한 사업가가 아니라면 투자는 그들의 경제적인 문제들을 더 악화시킬 뿐이다.

경제적인 문제는 드문 것이 아니다. 바로 당신의 코앞에 그런 것이 하나 있어서 해결을 기다리고 있다.

이제, 행동으로 옮기자

투자에 대해 교육을 받아라.

이번에도 나는 당신이 제4단계의 투자자로서 능숙해진 후에 제5단계나 제6단계의 투자가가 될 것을 권유한다. 작게 시작해서 계속해서 교육을 받아라. 매주 적어도 다음의 두 가지를 해라.

첫째, 경제 세미나와 강좌에 참석해라.

내가 이룬 성공의 많은 부분은 내가 젊었을 때 385달러를 내고 참석한 부동산 강좌 덕택이었다. 나는 그 강좌를 듣고 그것에서 배운 대로 행동했기 때문에 다음 몇 년 동안 그로 인해 수백만 달러를 벌었다.

둘째, 당신이 살고 있는 지역에서 팔려고 내놓은 부동산을 찾아라. 중개인에게 매주 서너 번의 통화를 하고 그 매물에 대해 얘기해 달라고 요청하라. 그리고 이와 같은 질문들을 하라.

그것은 투자할 가치가 있는 물건인가? 그렇다면, 그것은 임대되고 있는가? 현재의 임대료는 얼마인가? 공유율은 얼마인가? 그 지역의 평균적인 임대료는 얼마인가? 유지 비용은 얼마인가? 주인이 융자를 해주는가? 어떤 종류의 융자 조건이 있는가?

각각의 물건에 대한 월간 현금흐름 계산서를 작성해 보라. 그런 후에 다시 중개인과 얘기해서 빠뜨린 것이 있는지 살펴보라. 각각의 물건은 독특한 사업 시스템이며 개별적인 사업 시스템으로 볼 필요가 있다.

셋째, 몇몇 주식 중개인들과 만나서 그들이 주식 매수를 추천하는 기업들에 대해 들어보라. 그런 후에 그런 기업들을 도서관이나 인터넷에서 조사하라. 기업들에 전화해서 그들의 연간 보고서를 요청하라.

넷째, 투자 소식지를 구독하고 그것들을 연구하라.

다섯째, 계속해서 책을 읽고, 경제 프로그램들을 들어라.

사업에 대해서도 교육을 받아라.

첫째, 몇몇 사업 중개인들과 만나 당신의 지역에서 매물로 나온 기존의 사업들이 있는지 알아보라. 당신은 그냥 질문하고 듣기만 해도 엄청나게 많은 전문 용어들을 배울 수 있다.

둘째, 당신의 지역에서 열리는 창업 박람회나 세미나에 참석해서 어떤 가맹점이나 사업 시스템이 제공되는지 알아보라.

셋째, 경제 신문과 창업 관련 잡지들을 구독하라.

제15장
돈 관리 다섯번째 방법
당신만의 스승을 찾아라

당신의 스승들을 현명하게 선택하라.
누구에게서 조언을 얻을 것인지 세심하게 고려하라.
당신이 어딘가에 가고자 한다면, 이미 그곳에 가 있는
사람을 찾는 것이 가장 좋다. 당신이 내년에
에베레스트 산을 오르기로 결심한다면, 당연히 당신은
그 산에 오른 적이 있는 사람으로부터 조언을 구할 것이다.

당신이 한번도 가보지 못한 곳에 누가 당신을 안내하는가?

당신의 스승은 무엇이 중요하고 무엇이 중요하지 않은지 당신에게 말해 주는 사람이다.

스승은 무엇이 중요한지 우리에게 말해 준다

교육은 많이 받았지만 가난했던 아버지는 봉급이 많은 직업이 중요한 것이라고 생각했다. 그리고 꿈에 그리던 집을 사는 것도 중요하다고 생각했다. 그분은 또 청구서들을 먼저 지불하고 자신의 분

수 이하로 사는 것을 신봉했다.

부자 아버지는 나에게 수동적인 수입에 집중하고 수동적인 혹은 장기적인 여분의 수입을 제공하는 자산들을 사는 데 시간을 쓰도록 가르쳤다. 그분은 분수 이하로 사는 것을 신봉하지 않았다. 그분은 자신의 아들과 나에게 종종 이렇게 얘기했다. 「분수 이하로 살지 말고 대신에 분수를 늘리는 데 집중해라」

그렇게 하기 위해, 그분은 우리가 자산 부분을 만들고 자본 소득, 배당금, 사업에서 나오는 여유 수입, 부동산에서 나오는 임대 수입, 그리고 로열티 등에서 비롯되는 수동적인 수입을 늘리도록 권유했다.

두 분 아버지 모두 내가 자랄 때 나에게 강력한 스승들로 작용했다. 나는 부자 아버지의 경제적인 조언들을 따르기로 선택했지만, 그렇다고 해서 교육은 많이 받았지만 가난했던 진짜 아버지의 영향을 덜 받은 것은 아니었다. 나는 두 분 아버지 모두의 강력한 영향이 없었다면 지금의 내가 되지 못했을 것이다.

뛰어난 역할 모델이 되는 스승들이 있는 것처럼, 반대되는 역할 모델이 되는 사람들도 있다. 대개의 경우 우리에게는 둘다 있다.

예를 들어, 내 친구 중에는 개인적으로 8억 달러 이상을 번 사람이 있다. 그런데 이 친구는 이 글을 쓰는 지금 개인적으로 파산했다. 또다른 친구들은 나에게 내가 왜 계속해서 그 친구와 시간을 보내는지 물었다. 그 질문에 대한 답은 그 친구가 뛰어난 역할 모델이자 동시에 뛰어난 반대 역할 모델이기 때문이다. 나는 두 가지 역할 모델 모두에서 배울 수 있다.

두 아버지의 역할 모델

두 분 아버지 모두 영적인 사람들이었다. 하지만 돈과 영적인 것에 관해서 그분들은 서로 다른 관점을 갖고 있었다. 예를 들어, 그분들은 〈돈을 좋아하는 것은 모든 악의 근원이다〉라는 얘기를 서로 다르게 해석했다.

교육은 많이 받았지만 가난했던 아버지는 돈을 더 벌려 하거나 경제적인 포지션을 개선하려는 어떤 욕망도 나쁜 것이라고 생각했다.

반면에 부자 아버지는 그런 얘기를 사뭇 다르게 해석했다. 그분은 오히려 유혹, 욕심, 그리고 경제적인 무지가 나쁜 것이라고 생각했다.

다시 말해, 부자 아버지는 돈 자체는 악한 것이 아니라고 생각했다. 그분은 돈의 노예가 되어 평생 일만 하는 것이 악한 것이며 빚 때문에 경제적인 노예가 되는 것도 악한 것이라고 생각했다.

부자 아버지는 종종 종교적인 가르침을 경제적인 교훈으로 바꾸었고, 나는 그런 교훈 가운데 하나를 지금 당신과 나누고 싶다.

유혹의 힘

부자 아버지는 열심히 일하고, 늘 빚만 지고, 분수 이상으로 사는 사람들은 자식들에게 좋지 않은 역할 모델이라고 믿었다. 그들은 부자 아버지의 눈으로 볼 때 좋지 않은 역할 모델 그 이상이며, 빚을 지는 사람들은 유혹과 욕심에 무너진 것이라고 생각했다.

그분은 종종 다음과 같은 그림을 그리고는 이렇게 얘기했다.

    부자 아버지는 많은 경제적 문제들이 거의 가치가 없는 물건들을 소유하려는 욕망에서 비롯되는 것이라고 믿었다. 신용카드가 도착할 때, 그분은 수백만의 사람들이 빚을 질 것이고 그 빚은 결국 그들의 삶을 통제할 것이라고 예견했다. 우리는 사람들이 주택, 가구, 의복, 휴가, 그리고 자동차 때문에 엄청난 개인적 빚을 지는 것을 본다. 왜냐하면 그들은 〈유혹〉이라고 불리는 그 인간적인 감정을 통제하지 못하기 때문이다. 오늘날 사람들은 점점 더 열심히 일하면서 자신들이 자산이라고 생각하는 것들을 산다. 하지만 그들은 과도한 지출 습관 때문에 진정한 자산을 절대로 얻지 못할 것이다.

    부자 아버지는 이어서 다음과 같은 자산 부분을 가리키며 이렇게 얘기했다.

「하지만 우리를 악에서 구하소서」

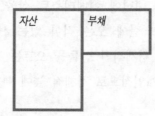

그것은 (감정적인 지능의 표시인) 만족을 뒤로 연기하기, 자기 사업을 하기, 그리고 먼저 자신의 자산 부분을 만드는 것이 유혹이나 경제적인 교육의 부족, 그리고 경제적으로 좋지 않은 역할 모델들이 야기시키는 인간 정신의 타락을 피하는 데 도움이 된다고 부자 아버지가 얘기한 방식이었다.

자신의 경제적인 빠른 길을 찾는 당신에게 나는 당신이 매일 주위에서 보는 사람들에 대해 조심하라고 경고하지 않을 수 없다. 이렇게 자문하라. 그들은 좋은 역할 모델인가? 만약 그렇지 않다면, 나는 당신과 같은 방향으로 가고 있는 사람들과 더 많은 시간을 보내도록 의식적으로 노력할 것을 제안한다.

근무 시간에 그런 사람들을 찾을 수 없다면 투자 클럽이나 그리고 그 밖의 사업적인 모임에서 그들을 찾을 수 있다.

이미 그곳에 가 있는 사람을 찾아라

당신의 스승들을 현명하게 선택하라. 누구에게서 조언을 얻을 것인지 세심하게 고려하라. 당신이 어딘가에 가고자 한다면, 이미 그곳에 가 있는 사람을 찾는 것이 가장 좋다.

예를 들어, 당신이 내년에 에베레스트 산을 오르기로 결심한다면, 당연히 당신은 그 산에 오른 적이 있는 사람으로부터 조언을 구할 것이다. 하지만 경제적인 산들을 오르는 것과 관련해서 대부분의 사람들은 역시 개인적으로 경제적 늪에 빠져 있는 사람들로부터 조언을 구한다.

사업가인 〈B〉와 투자가인 〈I〉 사분면에 있는 사람을 스승들을 찾는 데 있어 어려운 부분은 그런 사분면에 관해, 그리고 돈에 관해 조언을 하는 대부분의 사람들이 봉급 생활자인 〈E〉와 자영업자인 〈S〉 사분면에서 일했던 사람들이라는 것이다.

부자 아버지는 내가 늘 코치나 스승을 갖도록 권유했다. 그분은 끊임없이 이렇게 얘기했다. 「프로들은 코치를 갖고 있다. 그런데 아마추어들은 그렇지 않다」

예를 들어, 나는 골프를 하고 레슨을 받지만 풀타임의 코치를 갖고 있지는 않다. 아마도 그렇기 때문에 나는 돈을 받으면서 골프를 하지 않고 돈을 내면서 골프를 할 것이다. 하지만 나는 사업과 투자의 게임에 관해서는 코치들을, 그것도 여러 명의 코치들을 갖고 있다. 왜 내가 코치들을 갖고 있는가? 내가 코치들을 갖고 있는 이유는 돈을 받고 그런 게임들을 하기 때문이다.

따라서 당신의 스승들을 현명하게 선택하라. 그것은 당신이 할 수 있는 가장 중요한 것들 가운데 하나이다.

이제, 행동으로 옮기자

첫째, 스승들을 구하라.

투자와 사업 분야 모두에서 당신에게 스승의 역할을 할 수 있는 사람들을 찾아라.

——역할 모델들을 찾아라. 그리고 그들에게서 배워라.

——반대되는 역할 모델들을 찾아라. 그리고 그들에게서 배워라.

둘째, 당신이 누구와 시간을 보내는가는 당신의 미래이다.

1 당신이 가장 많은 시간을 함께 보내는 여섯 사람을 적어보라. 당신의 아이들은 전체 한 사람으로 취급된다. 당신이 누구와 함께 가장 많은 시간을 보내는지가 중요한 것이다. 당신이 어떤 관계를 맺고 있는가가 아니라.

나는 15년 전쯤에 어떤 세미나에 간 적이 있는데, 그때 강사는 우리에게 내가 위에서 말한 것과 같은 리스트를 작성해 보라고 요구했다. 나는 나와 가장 많은 시간을 보내는 여섯 사람의 이름을 적었다.

그 사람은 이어서 우리에게 우리가 적은 이름들을 보라고 하면서 이렇게 얘기했다. 「당신은 지금 당신의 미래를 보고 있습니다. 당신이 가장 많은 시간을 함께 보내는 그 여섯 사람은 당신의 미래입니다」

당신이 가장 많은 시간을 함께 보내는 그 여섯 사람은 반드시 늘 개인적인 친구들이 아닐 수도 있다. 어떤 사람들에게는 동료 직원, 배우자와 아이들, 혹은 교회나 자선단체의 멤버들일 수도 있다. 나의 리스트는 동료 직원, 사업적인 친구, 그리고 럭비 선수들로 채워져 있다. 그 목록은 내가 일단 수면 밑을 보기 시작하자 아주 많은 것을 시사했다. 내가 좋아하는 않는 내 자신에 대해 더 많은 통찰력을 얻었다.

그 강사는 우리가 강의실의 주위를 돌면서 다른 사람들과 만나 우리의 리스트를 토론하게 만들었다. 잠시 후에 그런 연습의 의미는 점점 더 깊어지기 시작했다. 내가 다른 사람들과 내 리스트를 더 많이 토론할수록, 그리고 내가 그들의 말을 더 많이 들을수록, 나는 무언가 변화를 만들어야 할 필요성을 인식했다. 그 연습은 내가 함께 시간을 보내는 사람들과 별 관계가 없었다. 그것은 내가 어디로 가고 있는지, 그리고 내가 나의 삶으로 무엇을 하고 있는지와 관련된 것이었다.

그로부터 15년 후, 내가 가장 많은 시간을 함께 보낸 사람들은 한 사람을 빼고 모두 바뀌었다. 과거의 내 리스트에 올랐던 다른 다섯 사람은 아직도 친한 친구들이다. 하지만 우리는 서로 만나는 적이 무척 드물다. 그들은 훌륭한 사람들이고 자신들의 삶에 만족하고 있다. 나의 변화는 나와만 관계가 있었다. 나는 나의 미래를 바꾸고 싶어했다. 나는 나의 미래를 성공적으로 바꾸기 위해 나의 생각들을 바꿔야만 했고, 그 결과 내가 함께 시간을 보내는 사람들을 바꿔야만 했다.

2 이제 당신은 여섯 사람의 목록을 갖게 되었다. 각 사람의 이름 뒤에 그들이 활동하고 있는 사분면을 나열하라. 그리고 그 사람들의 투자가 등급을 매겨보아라.

그들은 〈E, S, B, 혹은 I〉인가? 한 가지 기억할 점은, 각각의 사분면은 그 사람이 대부분의 수입을 발생시키는 방식을 반영한다. 그들이 고용되어 있지 않거나 은퇴를 했다면, 그들이 수입을 올렸던 사분면을 적어라.

어떤 사람들은 화를 낸다

나는 이런 연습을 하는 사람들로부터 상반되는 반응을 받았다. 어떤 사람들은 마구 화를 낸다. 그들은 이렇게 얘기한다. 「어떻게 감히 나에게 주위 사람들을 분류하라고 요청을 하죠?」 따라서 이런 연습이 어떤 감정적인 고통을 초래한다면 정중히 사과한다. 이 연습은 사람들에게 고통을 주기 위한 것이 아니다. 다만 이것은 개인의 삶에 무언가 빛을 비추기 위해 만들어진 연습이다. 일부에게는 성과가 있지만 모두에게 그런 것은 아니다.

나는 15년 전쯤에 이 연습을 했을 때 내가 안전하게 살면서 숨어 지내고 있다는 것을 깨달았다. 나는 내가 있는 곳에 만족하지 않았으며 내가 삶에서 왜 발전하지 못하는가에 대한 구실로 주위 사람들을 이용했다. 특히 나는 두 사람과 늘 다투면서 우리의 관계가 나아지지 않는 것에 대해 그들을 나무랐다. 나는 매일 일터에서 그들의 험담을 하고 잘못을 지적했다. 그러면서 나는 우리가 하나의 조직으로서 갖고 있는 문제들에 대해 그들을 나무랐다.

이 연습을 한 후에 나는 내가 늘 다투곤 하는 그 두 사람이 자신들의 현재 위치에 매우 만족한다는 것을 깨달았다. 사실 변하고 싶어하는 것은 바로 나였다. 그러면서 나는 자신을 변화시키지 않고 대신에 그들에게 변할 것을 강요한 것이다. 이 연습을 한 후에 나는 내가 개인적인 기대들을 다른 사람들에게 투자하고 있음을 깨달았다. 나는 내가 하고 싶은 않은 것을 그들이 하기를 원했다. 나는 또 그들이 나와 같은 것을 원하고 그것을 해야 한다고 생각했다. 그것은 건강한 관계가 아니었다. 이런 깨달음을 얻은 후에 나는 내 자신을 바꾸는 단계들을 밟을 수 있었다.

3 〈현금흐름 사분면〉을 한번 보고 당신이 함께 시간을 보내는 사람들의 이니셜을 적절한 사분면에 기입하라.

그런 후에 당신의 이니셜을 당신이 지금 있는 사분면에 기입하라. 다음에는 당신의 이니셜을 당신이 앞으로 활동을 원하는 사분면에 기입하라. 그것들이 모두 기본적으로 같은 사분면에 있다면, 당신은 행복한 사람이다. 당신은 생각이 비슷한 사람들로 둘러싸여 있다. 그렇지 않다면, 당신은 삶에서 무언가 변화를 추구해야 할지 모른다.

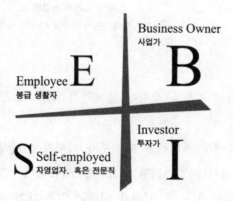

실망을 당신의 자산으로 만들어라

우리는 모두 실수를 한다.
우리는 모두 상황이 뜻대로 되지 않을 때 낙심하고 실망한다.
그런데 어디서 차이가 나는가 하면, 우리가
그런 실망을 내적으로 처리하는 방법에서 차이가 난다.
부자 아버지는 그것을 이런 식으로 설명했다.
「성공의 크기는 욕망의 크기, 꿈의 크기, 그리고
살아가면서 실망을 다루는 방식에 따라 정해진다」

당신이 원하는 쪽으로 상황이 돌아가지 않을 때 당신은 어떤 사람이 되는가?

내가 해병대에서 제대했을 때, 부자 아버지는 나에게 물건을 파는 영업을 가르치는 일자리를 얻으라고 권유했다. 그분은 내가 수줍다는 것을 알고 있었다. 영업을 배우는 일은 내가 절대로 하고 싶지 않은 것이었다.

2년 동안 나는 회사에서 최악의 판매원이었다. 나는 물에 빠진 사람에게 구명조끼도 팔지 못했을 것이다. 나의 수줍음은 나에게만 고통스러운 것이 아니었다. 그것은 내가 물건을 팔려 하는 고객들에게도 고통스러운 것이었다. 그 2년 동안 나는 수시로 대기 발령을 받으면서 늘 해고의 위험에 처했다.

　나는 종종 경제나 혹은 내가 팔고 있는 제품을 탓했다. 혹은 내가 성공하지 못하는 이유를 고객들 탓으로 돌렸다. 부자 아버지는 그것을 다른 식으로 보곤 했다. 그분은 이렇게 얘기했다. 「사람들은 일이 잘 안 되면 남의 탓을 하곤 하지」

　실망에서 비롯되는 감정적인 고통이 너무 클 때, 사람들은 비난을 통해서 그런 고통을 다른 사람에게 전가하려 한다. 물건을 파는 법을 배우려면 나는 실망의 고통에 정면으로 맞서야만 했다. 그리고 물건 파는 법을 배우는 과정에서 나는 소중한 교훈을 얻었다. 즉, 실망을 어떻게 부채가 아닌 자산으로 만들 것인가.

　나는 무언가 새로운 것을 〈시도하는〉 데 두려움을 느끼는 사람들을 만날 때마다 대개의 경우 실망에 대한 두려움이 그 이유라고 생각한다. 그들은 실수를 할지도 모른다는, 혹은 거절을 당할지도 모른다는 두려움을 느낀다. 당신이 자신의 경제적인 빠른 길을 찾기 위한 여행을 떠날 준비가 되어 있다면, 나는 당신에게 내가 새로운 것을 배우고 있을 때 부자 아버지가 내게 해주었던 바로 그 조언과 격려의 말을 해주고 싶다.

　　실망할 것에 대비해라.

　부자 아버지는 이것을 부정적인 의미가 아닌 긍정적인 의미에서 얘기했다. 그분은 이렇게 생각했다. 실망에 대비되어 있으면 그 실망을 자산으로 만들 기회가 있다. 대부분의 사람들은 실망을 부채로, 그것도 장기적인 것으로 만든다. 그리고 우리는 어떤 사람이 이렇게 말하는 것을 들을 때 그것이 장기적인 것임을 알 수 있다. 「다시는 그렇게 하지 않을 거야」 혹은 「실패할 것을 알았어야만 해」

어떤 문제이건 그 안에는 기회가 있는 것처럼, 어떤 실망이건 그 안에는 보석과도 같은 소중한 지혜가 있다.

나는 누군가 〈다시는 그렇게 하지 않을 거야〉라고 말하는 것을 들을 때마다 내가 듣고 있는 그 사람은 배움을 중단한 사람임을 안다. 그들은 실망으로 인해 배움을 중단한 사람들이다. 실망은 그들 주위에 세워진 벽이 되었다. 그것을 딛고 더 자랄 수 있는 반석이 되지 않고.

부자 아버지는 내가 깊은 감정적 실망들을 다루는 법을 배우도록 도와주었다. 그분은 종종 이렇게 얘기했다. 「자수성가한 부자들이 별로 없는 이유는 실망을 견뎌내는 사람들이 별로 없기 때문이다. 그들은 실망을 직면하는 법을 배우지 않고 대신에 그것을 피하면서 살아간다」

부자 아버지는 또 이렇게 얘기했다. 「실망을 피하지 말고 대신에 실망에 대비하라. 실망은 배움의 중요한 일부이다. 우리는 실수에서 배우는 것처럼 실망에서 품성을 얻는다」 다음에 드는 것은 그분이 여러 해 동안 나에게 주었던 조언의 말들이다.

첫째, 실망할 것을 기대하라.

부자 아버지는 종종 이렇게 얘기했다. 「오직 바보들만이 모든 것이 자기들이 원하는 대로 될 것으로 기대한다. 실망할 것을 기대한다고 해서 수동적이거나 굴욕적인 패배자가 되는 것은 아니다. 실망할 것을 기대하는 것은 정신적으로, 그리고 감정적으로 자신이 원하지 않을 수도 있는 의외의 상황에 대비하는 것이다. 감정적으로 대비하면 우리는 상황이 우리 뜻대로 되지 않을 때 침착하게, 그리고 여유있게 행동할 수가 있다. 그리고 침착하면 생각을 더 잘할 수 있다」

나는 멋진 새 사업 아이디어를 갖고 있는 사람들을 자주 보았다. 그들의 흥분은 한 달 정도 지속되다가 결국에는 실망 때문에 낙심하기 시작한다. 그러면 흥분은 가라앉고 그들은 이렇게만 얘기한다. 「그것은 좋은 아이디어였지만 효과가 없어요」

하지만 효과가 없었던 것은 아이디어가 아니었다. 그보다는 실망이 그들을 좌절시켰다. 그들은 인내심의 부족 때문에 실망을 했고, 그런 실망 때문에 패배를 했다. 많은 경우에 이와 같은 인내심 부족은 그들이 즉각적인 경제적 보상을 받지 못하기 때문에 일어난다. 사업가나 투자가는 몇 년을 기다린 후에야 어떤 사업이나 투자에서 현금흐름을 볼 때도 있다. 하지만 그들은 성공에는 시간이 필요함을 알기 때문에 그렇게 한다. 그들은 또 마침내 성공하면 경제적 보상은 기다린 보람을 충족하고도 남음을 안다.

둘째, 늘 곁에 스승을 두어라.

당신의 전화번호부 앞에 보면 병원, 소방서, 그리고 경찰서의 전화번호가 적혀 있다. 반면에 나는 경제적인 긴급 사태에 대비해 몇 개의 번호들을 갖고 있다. 다만 그 번호들은 내 스승들의 번호일 뿐이다.

나는 종종 어떤 거래나 투자를 하기 전에 내 친구들 가운데 한 사람에게 전화를 한다. 나는 내가 하고 있는 일과 내가 달성하려 하는 것을 그 친구에게 설명한다. 나는 또 (종종 그러지만) 내가 이성을 잃을 경우를 대비해 그들이 늘 곁에 있어줄 것을 부탁한다.

최근에 나는 아주 큰 부동산 하나를 놓고 협상을 했다. 판매자는 끈질기게 물고 늘어지면서 마지막 순간에 조건을 바꾸려 했다. 그 사람은 내가 그 물건을 원한다는 것을 알고 있었다. 그래서 그 사람은 마지막 순간에 나에게서 더 많은 돈을 받아내려 했다. 성질이 급한 나는 감정을 통제하지 못했다. 하지만 나는 (흔히 그러듯이) 화를 내고 소리를 지르며 그 거래를 망치지 않았다. 대신에 나는 그냥 내 파트너에게 전화를 걸어도 좋으냐고 물었다.

나는 늘 곁에 있는 친구 세 사람과 통화를 했다. 그리고 상황을 다루는 데 필요한 그들의 조언을 들었다. 나는 진정을 했고 전에는 몰랐던 협상의 세 가지 방법을 배울 수 있었다. 그 거래는 결국 성사되지 않았지만, 나는 아직도 그 세 가지 협상의 방법들을 사용하고 있다. 그 기술들은 내가 그 거래를 추진하지 않았다면 절대로 배울 수 없었던 것들이다. 그때 얻는 배움은 아주 소중한 것이다.

무슨 말인가 하면, 우리는 절대로 모든 것을 미리 알 수가 없다. 그리고 우리는 종종 우리가 배울 필요를 느낄 때만 무언가를 배우곤 한다. 그렇기 때문에 나는 당신에게 새로운 것을 시도하고 실망을 기대하라고 권유한다. 다만 늘 곁에 그런 과정에서 도움을 줄 스승을 둘 필요가 있다. 많은 사람들이 모든 답을 미리 알고 있지 못하다는 이유만으로 무언가를 시작하지 않는다. 우리는 모든 답을 절대로 알 수가 없다. 그럼에도 우리는 시작해야 한다.

셋째, 자신에게 친절하라.

실수를 하는 것에 대해, 그리고 무언가에 실망하거나 실패하는 것에 대해 가장 힘든 측면 가운데 하나는 다른 사람들이 우리에 대해 얘기하는 것이 아니다. 오히려 우리가 스스로에게 얼마나 심하게 하는가이다. 실수를 하는 대부분의 사람들은 종종 다른 어떤 사람이 그러는 것보다 훨씬 더 심하게 자신들을 책망한다. 그들은 개인적인 감정적 학대의 죄로 경찰서에 가서 자수해야 한다.

정신적으로, 그리고 감정적으로 자신에게 너무 심하게 하는 사람들은 종종 위험을 안거나, 새로운 아이디어를 채택하거나, 혹은 무언가 새로운 것을 시도할 때 너무 조심스런 경향이 있다. 자신의 개인적인 실망 때문에 남을 탓하거나 자신을 벌주는 사람은 새로운 것을 배우기가 무척 어렵다.

넷째, 진실을 얘기하라.

내가 어렸을 때 받은 가장 힘든 벌들 가운데 하나는 내가 실수로 누이의 앞니를 부러뜨렸던 그날이었다. 누이는 집으로 달려가 아버지에게 그 얘기를 했고, 나는 도망을 쳐서 숨었다. 아버지는 나를 발견한 후에 크게 화를 냈다.

아버지는 나를 이렇게 꾸짖었다. 「내가 너에게 벌을 주는 이유는 네가 누이의 이빨을 부러뜨렸기 때문이 아니라…… 네가 도망을 쳤기 때문이다」

경제적인 관점에서, 나는 내가 한 실수에서 도망칠 수 있었던 때가 여러 차례 있었다. 도망을 치는 것은 쉬운 일이다. 하지만 나는 아버지가 한 말을 기억하면서 그렇게 하지 않았다.

요컨대, 우리는 모두 실수를 한다. 우리는 모두 상황이 뜻대로 되지 않을 때 낙심하고 실망한다. 그런데 어디서 차이가 나는가 하면, 우리가 그런 실망을 내적으로 처리하는 방법에서 차이가 난다. 부자 아버지는 그것을 이런 식으로 설명했다.「성공의 크기는 욕망의 크기, 꿈의 크기, 그리고 살아가면서 실망을 다루는 방식에 따라 정해진다」

우리는 앞으로 몇 년 동안 우리의 용기를 시험하는 경제적 변화들을 맞게 된다. 이런 변화 속에서 자신의 감정을 가장 잘 통제하는 사람, 감정 때문에 뒤로 물러서지 않는 사람, 그리고 감정적으로 성숙해서 새로운 경제적 기술들을 배울 수 있는 사람이 앞으로 성공하게 될 것이다.

그리고 미래는 때에 맞춰 변할 수 있고 개인적인 실망들을 미래를 위한 초석으로 사용할 수 있는 사람들의 것이다.

이제, 행동으로 옮기자

첫째, 실수를 해라. 그렇기 때문에 나는 당신에게 아기 걸음부터 시작하라고 권유한다. 지는 것은 이기는 것의 일부임을 기억하라. 봉급 생활자인 〈E〉 사분면에 속하는 사람들과 자영업자인 〈S〉 사분면에 속하는 사람들은 실수하는 것이 용납될 수 없다고 교육받았다. 하지만 사업가인 〈B〉 사분면에 속하는 사람들과 투자가인 〈I〉 사분면에 속하는 사람들은 실수를 하면서 배운다는 것을 알고 있다.

둘째, 약간의 돈을 마련하라. 그리고 작게 시작하라. 투자하고 싶은 대상을 발견하면 약간의 돈을 투입하라. 자기 돈이 일부 들어가 있을 때 자신의 지능이 얼마나 빨리 좋아지는지 알면 놀랄 것이다. 목장이나 융자금이나 아이들의 학자금을 배팅하지 말라. 그냥 약간의 돈을 투입하라. 그런 후에 관심을 보이면서 배워라.

셋째, 이 〈이제, 행동으로 옮기자〉 단계의 핵심은 〈행동하라〉이다!
읽고, 보고, 듣는 것 모두 당신의 교육에 아주 중요하다. 하지만 당신은 또 〈하는 것(doing)〉도 시작해야 한다. 긍정적인 현금흐름을 발생시킬 작은 부동산 거래에 제안을 하라. 해당 기업을 조사한 후에 나름대로 주식에 투자하라. 필요하다면 당신의 스승이나 경제 전문가에게서 조언을 구해라. 하지만 나이키가 얘기하듯이, 〈그냥 해버려!(Just do it!)〉라.

자신에 대한 믿음을 가져라

우리의 궁극적인 목표는 단순하게 부자가 되는 것 이상이다.
그것은 돈뿐 아니라 우리 자신에 대해서도
믿음을 갖는 법을 배우는 것이다.
당신 자신을 믿기로 결정하는 유일한 사람은 당신임을 기억하라.
따라서 그 여행에서 비롯되는 보상은 돈이 사주는
자유뿐 아니라 당신이 자신에 대해 갖는 믿음이기도 하다.

당신의 가장 깊은 두려움은 무엇인가?

고등학교 상급생 시절에 부자 아버지의 아들인 마이크와 나는 주로 상급반의 리더들로 구성된 학생들의 작은 그룹 앞에 줄을 지어 서 있었다. 우리 학교의 상담 선생님이 이렇게 얘기했다. 「너희들 둘은 절대 아무것도 되지 못할 거다」

상급생들 가운데 일부가 킥킥거리는 가운데 상담 선생님이 계속해서 얘기했다. 「이제부터 나는 너희들 둘에게 더 이상의 시간을 낭비하지 않을 거야. 나는 이제 학급의 리더인 이 학생들하고만 시간을 보낼 거다. 너희 둘은 성적이 나쁜, 학급의 광대일 뿐이다. 그리고 너희들은 절대 아무것도 되지 못할 거다. 이제 여기서 나가거라」

당신이 문제라고 생각해야 문제가 된다

그 선생님은 마이크와 나에게 너무나도 큰 호의를 베풀었다. 그 선생님이 한 얘기는 여러 면에서 진실이었고, 그분의 얘기는 우리에게 깊은 상처를 주었다. 하지만 그분의 얘기는 또 우리 두 사람이 더 열심히 노력하도록 자극도 주었다. 그분의 얘기는 대학에 이어 사업 세계에서도 우리에게 자극제가 되었다.

몇 년 전에 마이크와 나는 고등학교 동창회에 갔다. 그런 모임은 늘 흥미로운 경험이다. 우리가 누구인지 제대로 아는 사람이 없었던 시기에 3년을 같이 보낸 사람들과 함께 다시 그곳을 방문하는 것은 멋진 일이었다. 그리고 소위 말하는 그 리더들의 대부분이 학교를 졸업한 후에 성공하지 못했음을 보는 것은 묘한 감정을 일으키는 일이었다.

내가 이 얘기를 하는 이유는 마이크와 나는 학구적인 신동들이 아니었기 때문이다. 우리는 경제적인 천재들도 아니었고 스포츠의 스타들도 아니었다. 대개의 경우 우리는 평균보다 떨어지는 학생에 불과했다. 우리는 학급에서 리더가 아니었다. 내가 볼 때 우리는 우리 아버지들만큼 재능을 타고 나지 못했다. 하지만 상담 선생님의 신랄한 얘기와 급우들의 킥킥거림이 우리에게 불을 질러 앞으로 나아가고, 실수에서 배우고, 좋은 시절과 나쁜 시절 모두에서 계속 앞으로 가도록 만들었다.

당신이 학교에서 잘하지 못했다고, 인기가 없었다고, 수학을 못했다고, 부자이거나 가난하다고, 혹은 다른 이유들 때문에 주눅이 들었다고 해도, 그중 어느 것도 장기적으로는 문제가 되지 않는다.

그와 같은 이른바 결점들은 그것들이 문제가 된다고 당신이 생각할 때만 문제가 된다.

자신의 경제적인 빠른 길로 들어설 것을 고려하는 당신은 자신의 능력에 대해 나름대로 의심이 있을지 모른다. 내가 얘기할 수 있는 것은 당신이 경제적으로 성공하는 데 필요한 모든 것은 바로 지금 당신에게 있음을 믿으라는 것뿐이다. 신이 주신 당신의 천부적인 재능을 끌어내는 데 필요한 것이라곤 당신의 욕망, 의지력, 그리고 당신에게 독특한 천재성과 재능이 있다는 깊은 믿음뿐이다.

거울을 보면서 얘기를 들어라

거울은 단순한 시각적 이미지 이상의 것을 반영한다. 거울은 종종 우리의 생각을 반영한다. 우리는 거울을 보면서 이렇게 얘기하는 사람들을 얼마나 자주 보았는가?

「오, 내 모습이 끔찍하군」

「내 몸무게가 이렇게 늘었단 말인가?」

「나는 정말로 나이가 들고 있군」

「오, 맙소사! 내가 이렇게 멋있다니. 여자들이 보면 홀딱 반할 거야」

앞에서 얘기했듯이, 거울은 우리가 눈으로 보는 것 이상의 많은 것을 반영한다. 거울은 또 우리의 생각을 반영하며 종종 자신에 대한 우리의 의견을 반영한다. 이와 같은 생각 내지 의견들은 우리의 외적인 모습보다 훨씬 더 중요하다.

우리는 겉으로는 아름답지만 안으로는 스스로 흉하다고 생각하는 사람들을 만난 적이 있다. 혹은 남들로부터는 많은 사랑을 받지만 스스로 자신을 사랑하지 못하는 사람들을 만난 적이 있다. 우리의 가장 깊은 생각은 우리의 영혼을 반영한다. 생각은 자신에 대한 우리의 사랑, 우리의 자아, 자신에 대한 우리의 혐오, 우리가 자신을 다루는 방식, 그리고 자신에 대한 우리의 전반적인 의견을 반영한다.

돈은 자신을 믿지 못하는 사람에게는 머물지 않는다

개인적인 진실은 종종 감정의 절정 상태에서 드러난다.

나는 사람들에게 〈현금흐름 사분면〉을 설명한 후 그들에게 다음 단계를 결정할 시간을 준다. 먼저 그들은 현재 어느 사분면에 있는지를 결정한다. 이것은 그들에게 가장 많은 수입을 발생시키는 사분면이기 때문에 결정하기가 쉽다. 다음으로 나는 그들에게 (이동할 필요가 있다면) 어느 사분면으로 이동하고 싶은지 묻는다.

그러면 그들은 사분면을 보면서 나름의 선택을 한다.

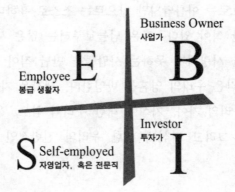

어떤 사람들은 그것을 보면서 이렇게 얘기한다.

「나는 지금 있는 곳에 아주 만족합니다」

어떤 사람들은 이렇게 얘기한다.

「나는 지금 있는 곳에 만족하지 않지만 지금은 변하거나 이동하고 싶은 생각이 없습니다」

그리고 어떤 사람들은 지금 있는 곳에 만족하지 않으며 그래서 즉시 무언가를 할 필요가 있음을 안다. 이런 상태에 있는 사람들은 종종 자신들의 개인적인 진실에 대해 가장 분명하게 얘기한다. 그들은 자신들에 대한 그들의 의견을 반영하는 단어들을 사용한다. 그러니까 그들의 영혼을 반영하는 단어들 말이다. 그리고 그렇기 때문에 나는 이렇게 얘기한다.

「개인적인 진실은 감정의 절정 상태에서 드러난다」

이와 같은 진실의 순간에 나는 다음과 같은 얘기들을 듣곤 한다.

「나는 그렇게 할 수 없습니다. 나는 〈S〉에서 〈B〉로 이동할 수 없어요. 당신, 정신이 있어요? 나에게는 부양해야 할 아내와 세 아이가 있다구요」

「나는 그렇게 할 수 없어요. 나는 새로운 봉급을 받을 때까지 5년을 기다릴 수는 없어요」

「투자라고요? 당신은 내가 가진 돈 전부를 잃기를 바라는 건 아니겠죠?」

「나에게는 투자할 돈이 전혀 없어요」

「나는 경제적인 보고서를 읽는 법을 알 필요가 없어요. 나는 그런대로 그럭저럭 살 수 있다구요」

「나는 걱정할 필요가 없어요. 나는 아직도 젊다구요」

「나는 그렇게 똑똑하지 못해요」

「나는 그것을 나와 함께 할 능력 있는 사람을 찾을 수 있다면 그렇게 하겠어요」

「내 남편은 절대로 그것을 받아들이지 않을 거예요」

「내 아내는 절대로 이해하지 못할 거예요」

「내 친구들이 뭐라고 얘기하겠어요?」

「나는 더 젊었다면 할 수도 있을 거예요」

「그것은 나에게는 너무 늦은 일이에요」

「그것은 할 만한 값어치가 없어요」

「나는 그만한 값어치가 없어요」

내가 주는 최고의 조언

개인적인 진실은 감정의 절정 상태에서 드러난다. 모든 단어들은 거울이다. 그것들은 사람들이 자신에 대해서 어떤 생각을 하는지에 관한 나름의 통찰력을 반영하기 때문이다. 그들이 누군가 다른 사람에 대해 얘기한다 해도 그러하다.

하나의 사분면에서 다른 하나의 사분면으로 이동할 준비가 된 당신에게 내가 해줄 수 있는 가장 중요한 조언은 자신의 단어들을 아주 잘 알라는 것이다. 특히 당신의 심장, 당신의 위, 그리고 당신의 영혼에서 나오는 단어들을 잘 알아야 한다. 당신은 무언가 변화를 만들려면 당신의 감정들이 생성하는 생각과 단어들을 잘 알아야만 한다. 당신은 당신의 감정들이 언제 당신의 생각을 대신하는지 잘 알아야만 한다. 그렇지 않으면 당신은 그 여행에서 절대로 생존할 수 없다. 당신은 결국 뒤로 물러서게 된다. 왜냐하면 당신이 누군가 다른 사람에 대해 얘기하더라도, 이를테면 〈내 남편(아내)은 절대로 이해하지 못할 거야〉라고 얘기함으로써 당신은 사실 자신에 대해서 더 많은 것을 얘기하기 때문이다. 당신은 배우자를 구실로 삼아 자신의 행동을 변명하는 것일 수도 있고, 혹은 사실상 이렇게 얘기하는 것일 수도 있다. 「나는 이런 새 아이디어를 그녀에게 전달할 용기나 의사소통의 기술이 없어요」 모든 단어들은 거울이며, 그 거울은 당신이 자신의 영혼을 들여다볼 기회를 제공한다.

혹은 당신이 이렇게 얘기할 수도 있다.

「나는 일을 그만두고 사업을 시작할 수가 없어요. 나에게는 부양해야 할 가족과 갚아야 할 융자금이 있다구요」

당신은 이렇게 얘기할 수도 있다.

「나는 피곤해요. 나는 더 이상 아무것도 하고 싶지 않아요」

혹은, 「나는 더 이상 어떤 것도 배우고 싶지 않아요」

이것들은 개인적인 진실들이다.

스스로 진실을 외면하지 말라

이것들은 진실이면서 또 거짓말이다. 당신이 스스로 거짓말을 한다면, 그 여행은 절대로 완성될 수 없을 것이다. 그래서 내가 주는 최고의 조언은 당신의 의심, 두려움, 그리고 협소한 생각들에 귀를 기울인 후 더 깊은 진실을 찾아 더 깊이 파라는 것이다.

예를 들어 〈나는 피곤하기 때문에 새로운 것을 배우고 싶지 않아요〉라고 얘기하는 것은 진실일 수도 있지만 거짓말이기도 하다. 진짜 진실은 이것일지도 모른다. 〈나는 새로운 것을 배우지 않으면 한층 더 피곤해질 거예요.〉 그리고 그것보다도 더 깊은 진실은 〈나는 새로운 것을 배우기를 너무도 좋아해요. 나는 새로운 것을 정말로 배우고 싶고 다시 삶에 대해서 흥미를 느끼고 싶어요. 어쩌면 새로운 세상이 나에게 열릴 거예요〉일지도 모른다. 일단 그 단계의 더 깊은 진실에 도달할 수 있으면 당신은 당신의 변화를 도울 만큼 충분히 강한 당신의 일부를 찾게 될 수도 있다.

우리의 여행

아내와 나는 앞으로 이동하기 위해 먼저 우리가 자신들에 대해 개인적으로 갖고 있는 의견과 비판들을 기꺼이 받아들여야만 했다. 우리는 우리를 작게 만드는 개인적인 생각들을 받아들이면서도 그 때문에 중단하지는 말아야만 했다. 때로는 압력이 비등점까지 올라가 우리의 자기 비판이 터져버리면, 나는 나의 자기 의심을 아내의 탓으로 돌렸고 아내는 자신의 자기 의심을 내 탓으로 돌렸다. 그렇지만 우리 둘 모두는 이 여행을 시작하기 전에 이미 우리가 직면해야 할 유일한 것은 궁극적으로 우리 자신의 개인적 의심, 비판, 그리고 부적절함임을 알고 있었다. 이 여행을 하면서 우리가 남편과 아내, 사업 파트너, 그리고 영혼의 반려자로서 정말로 해야 했던 일은 서로에게 우리 각자가 우리의 개인적인 의심, 왜소함, 그리고 부적절함보다 훨씬 더 강력한 존재임을 상기시키는 것이었다. 그런 과정에서 우리는 자신을 더 신뢰하는 법을 배웠다. 우리의 궁극적인 목표는 단순하게 부자가 되는 것 이상이었다. 그것은 돈뿐 아니라 우리 자신에 대해서도 믿음을 갖는 법을 배우는 것이었다.

당신 자신에 대해 믿기로 결정하는 유일한 사람은 당신임을 기억하라. 따라서 그 여행에서 비롯되는 보상은 돈이 사주는 자유뿐 아니라 당신이 자신에 대해 갖는 믿음이기도 하다. 왜냐하면 그것들은 사실 같은 것이기 때문이다. 내가 당신에게 주는 최고의 조언은 매일 당신의 왜소함보다 더 커지는 준비를 하라는 것이다. 내가 볼 때 대부분의 사람들이 꿈을 포기하고 자신들의 꿈에서 물러나는 이유는 우리들 각자의 안에서 발견되는 그 작은 사람이 더 큰 사람을 무찌르기 때문이다.

　당신은 모든 것에 능숙할 수 없을지도 모르지만, 시간을 갖고 배울 필요가 있는 것을 개발하면 당신의 세상은 빠르게 변할 것이다. 당신이 배울 필요가 있음을 아는 것에서 절대로 달아나지 말라. 당신의 두려움과 의심들에 도전하라. 그러면 당신에게 새로운 세상들이 열릴 것이다.

이제, 행동으로 옮기자

　자신을 믿고, 오늘 시작하라!

제18장

글을 마치며

나는 누구든지, 현재 활동하는 사분면에 관계 없이, 경제적인
빠른 길로 가는 자신들의 독특한 길을 찾을 수 있다고 믿고 싶다.
그렇지만 결국에는 바로 당신이 자신의 길을 찾아야만 한다.

지금까지 3부에서 언급한 것들은 아내와 내가 무주택자에서 불과
몇 년 만에 경제적 자유를 얻는 상태로 이동하는 데 사용한 일곱 가
지 방법이다. 이 일곱 가지 방법은 우리가 경제적인 빠른 길을 찾는
데 도움을 주었고, 우리는 지금도 그것들을 사용하고 있다. 나는
이 방법들이 당신이 경제적인 자유의 길을 찾도록 도와줄 것이라고
확신한다.

그렇게 하기 위해, 나는 자신에게 진실될 것을 권유한다. 당신이
아직 장기적인 투자가가 아니라면 가능한 빨리 그곳에 도달하라.
이 말의 뜻은 무엇일까? 즉 자리에 앉아 자신의 지출 습관을 통제하
는 계획을 짜라. 채무와 부채를 최소화하라. 분수에 맞게 살면서 분

수를 늘려라. 한 달에 얼마씩 몇 달 동안 투자하면 현실적인 수익률로 계산할 때 당신의 목표에 도달할 수 있는지 알아보라. 이를테면 다음과 같은 목표들이다. 당신은 몇 살 때 일을 그만둘 계획인가? 당신은 한 달에 얼마의 돈이 있어야 당신이 바라는 수준에서 생활할 수 있을까?

장기적인 계획을 갖고 소비자 채무를 줄이면서 정기적으로 약간의 돈을 비축하기만 해도 빨리 시작하고 계속 관심을 보이면 좋은 출발이 될 것이다.

이 단계에서는 간단하게 하라. 환상을 갖지 말라.

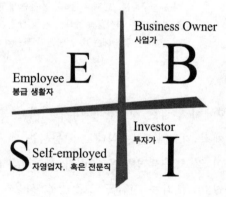

내가 당신에게 〈현금흐름 사분면〉을 소개하고, 일곱 단계의 투자가와 세 가지 타입의 투자가를 소개한 이유는 당신이 누구인지, 당신의 관심 사항들이 무엇일 수 있는지, 그리고 당신이 궁극적으로 어떤 사람이 되려 하는지에 대해 다양한 관점을 제공하기 위해서이다. 나는 누구든지, 현재 활동하는 사분면에 관계 없이, 경제적인

빠른 길로 가는 자신들의 독특한 길을 찾을 수 있다고 믿고 싶다. 그렇지만 결국에는 바로 당신이 자신의 길을 찾아야만 한다.

내가 앞장에서 했던 말을 기억하라. 「당신 상사의 일은 당신에게 일을 주는 것이다. 당신을 부자로 만드는 것은 당신의 일이다」

당신은 물 양동이를 운반하는 것을 중단하고 현금흐름의 송수관을 만들어 당신과 당신의 가족, 그리고 당신의 삶을 지원할 준비가 되어 있는가?

자기 사업을 하는 것이 어렵고 때로는 혼란스러운 것일 수도 있다. 특히 처음에는 더욱 그렇다. 당신이 얼마를 알고 있건 배울 것은 많다. 그것은 평생의 과정이다. 하지만 그 과정의 가장 힘든 부분은 처음에 있다는 것이다. 일단 결심을 하면 삶은 점점 더 쉬워진다. 자기 사업을 하는 것은 힘든 일이 아니다. 그것은 일반 상식에 불과하다.

옮긴이 / 형선호

서울대학교 사회대학을 졸업했고 대우그룹과 현대그룹에서 근무했으
며, 현재 전문 번역가로 활동하고 있다.
지금까지 20여 권의 책을 번역했으며, 대표작으로 『바이블 코드』, 『세계
자본주의의 위기』, 『인생과 자연을 바라보는 인디언의 지혜』, 『부자 아
빠 가난한 아빠1』 등이 있다.

부자 아빠, 가난한 아빠 2

1판 1쇄 펴냄 2000년 5월 15일
1판 3쇄 펴냄 2000년 5월 25일

지은이 로버트 기요사키
옮긴이 형선호
펴낸이 박근섭
펴낸곳 (주)황금가지

출판등록 1996. 5. 3 (제16-1305호)
135-120 서울시 강남구 신사동 506 강남출판문화센터 6층
대표전화 3446-8773-4 / 팩시밀리 515-2007

ⓒ (주)황금가지, Printed in Seoul, Korea

ISBN 89-8273-250-0 03320

값 12,000원